D0297844

GEDENK TE STERVEN

JIM KELLY

Gedenk te sterven

De Fontein

Oorspronkelijke uitgever: Penguin Books Ltd.
Oorspronkelijke titel: *Death Watch*
Vertaald uit het Engels door: Pieter Janssens
Omslagontwerp: Marry van Baar
Omslagfoto: © Bianca van der Werf: 'Nightcrawler'
Zetwerk: Het Vlakke Land, Rotterdam
ISBN 978 90 261 2724 3
NUR 305

www.defonteintirion.nl

Dit boek is opgedragen aan de nagedachtenis van
Donald Webster Gillies
11 augustus 1920 – 13 december 2008

Een trotse *Son of the Rock*
en een boeiend verteller

Proloog

ZATERDAG 5 SEPTEMBER 1992

OP HET MOMENT DAT de tweelingzus van Bryan Judd stierf – op precies hetzelfde ogenblik – zat Bryan op een afgedankte sofa op het braakliggende terrein achter Erebus Street. Hij was naar de minimarkt geweest en had een blikje Special Brew gekocht, dat hij nu, luisterend naar de radio, langzaam leegdronk in de verticale zomerhitte. Het radiosignaal kwam en ging, als een hoorbare luchtspiegeling, maar hij zong de leemten vol. Hij vond bedreven de juiste toonhoogte en kende alle woorden van 'Succes Has Made a Failure of Our Home', de versie van Elvis Costello, niet die van Sinéad O'Connor. Het bier was lauw, het blikje nat en de alcohol maakte dat hij zich geruster voelde op de komende avond, op wat die voor hem misschien in petto had. Ally had gezegd dat ze hem zou treffen bij Lattice House. Haar huid was altijd koel, zelfs in deze eindeloze zomer, en hij had gemerkt dat het zoeken ervan, strak onder zijn vingers, een obsessie was geworden. Hij glimlachte, legde zijn hoofd in zijn nek en dronk, ondanks de metalige smaak in zijn mond.

En toen was zijn tweelingzus, Norma Jean, opeens bij hem, een fysieke aanwezigheid even echt als het blikje in zijn hand. Hij had geen enkele waarschuwing ontvangen, had geen moment het gevoel gehad dat ze eraan kwam. Ze was er gewoon. In hem. Ze zeiden zelf altijd dat het geen contact was tussen hun geesten, het was een contact tussen hun lichamen, alsof de intimiteit die ze in de baarmoeder hadden gedeeld, nu werd voorgezet, bijna zestien jaar later. Maar als ze naar hem toe kwam, was er altijd dat gevoel van shock, van plotseling aankomen. De wereld die hij zag – het braakliggende terrein, de rode bakstenen achtergevels van de rijtjeshuizen, de kraan in de haven in de verte – trilde, als het tv-beeld thuis als zijn vader een klap op het toestel gaf.

Maar het was niet zoals andere keren. Dit was een heftige schok, een klap. Zijn hart begon langzaam en luid te kloppen, alsof hij rende, of zich verstopte, en op de achtergrond hoorde hij háár hartslag, een spiegelbeeld van de zijne. Zijn bloed bruiste in zijn oren en hij wist dat de emotie die ze voelde angst was. Toen, met een ruk die leek te trekken aan de spieren die zijn hart op zijn plaats hielden, escaleerde de angst tot doodsangst. Hij probeerde op te staan, wilde naar haar toe gaan, maar zijn knieën knikten en hij knielde neer zonder de glasscherf te voelen die in het zachte weefsel onder zijn knie drong.

En toen, ondanks de zon, werden zijn gezicht en zijn nek bedolven onder een schokkende kou, en alle dagelijkse geluiden – de piepende kraan in de haven, het verkeer op de binnenring – klonken dof en ver weg, alsof hij ze onder water hoorde. De kou sloot zich om zijn hoofd, zijn schouders, drong in zijn mond en zijn keel. Hij probeerde naar lucht te happen, maar er zat iets in zijn keel, iets glibberigs en kouds. Hij kokhalsde en gaf over op zijn T-shirt. Hij probeerde zijn longen te vullen, maar er was niets, alleen die vloeibare mantel van verstikking over zijn hoofd en schouders.

Hij verdronk, op een zomerdag, op een stoffig, braakliggend stuk gortdroge grond. Hij probeerde op te staan, maar viel terug op de sofa en verloor het bewustzijn.

Hij kwam bij op het moment dat die andere, verre hartslag stopte en voor het eerst in zijn leven voelde hij zich alleen. Zijn wereld veranderde, alsof hem een bril met gekleurde glazen was opgezet, en hij wilde het uitschreeuwen bij de gedachte dat het voortaan altijd zo zou zijn. Trillend, rechtopstaand nu, luisterde hij naar de geluiden die naar hem waren teruggekeerd: een vracht hout die op de kade stortte, spelende kinderen in Erebus Street.

Door de verloren hartslag zette hij het op een rennen om haar te zoeken, over het braakliggende terrein, langs de achterzijde van de Sacred Heart of Mary en door de straat naar zijn huis, langs de wasserette waar zijn moeder werkte en waarvan de ramen beslagen waren. In het voorbijgaan hoorde hij zijn jonge broertje huilen in de wandelwagen naast de open deur.

De voordeur van hun huis, naast de wasserette, ging open toen hij er aankwam en zijn vader kwam naar buiten. Hij trok hem achter zich dicht, streek met een hand door een bos wit haar als een behangerskwast vol stijfsel.

'Het is Norma,' zei Bryan. 'Er is iets gebeurd...'

Zijn vader veegde met een hand over zijn mond en Bryan zag de zweetplek in zijn vaders overhemd.

'Jezus, Bry,' zei zijn vader met een blik op het bloed op de broekspijp van zijn zoon, onder een van zijn knieën, en op de snee in zijn wang.

Bryan schoof hem opzij, hield de deur tegen net voordat die in het slot viel en rende tot halverwege de trap op.

'Norma!' Hij bleef staan en luisterde naar de vertrouwde geluiden van het huis: het tikken van een klok, het klapperen van het kattenluik.

Zijn vader liep naar het begin van de trap en keek hem tussen de spijlen door aan alsof het tralies van een cel waren. 'Norma is niet thuis, jongen. Ze komt wel terug als ze zin heeft. Laat haar begaan, Bry.'

De deur van de slaapkamer van zijn zus stond open, het bed was opgemaakt maar ingedeukt, alsof ze zich erop had laten vallen. In de badkamer liep nog een straaltje water naar de afvoer en er zat één enkele bloederige vingerafdruk op de rand van het bad.

Hij voelde dat zijn vader naast hem stond.

'Ik voelde dat ze verdronk...' zei Bryan.

Hij kon zijn vader nu ruiken. Goedkoop talkpoeder en de crème die hij in zijn haren had gesmeerd. Bryan keek zijn vader aan en zag dat hij zich had gesneden met scheren.

'Ze is twintig minuten geleden weggegaan. Ze maakt het prima.' Hun blikken ontmoetten elkaar. 'We hadden ruzie, meer niet – over de baby. Meer heb je niet gevoeld, Bry – ze is van streek. Laat het zo. Alsjeblieft.'

Zijn vader boog zich naar voren, scheurde wat toiletpapier van de rol en veegde de bloederige vingerafdruk van de witte rand van het keramische bad.

1

ZONDAG 5 SEPTEMBER 2010
Op de dag af achttien jaar later

TOEN HET LICHT UITGING, was Darren Wylde op Kruising 47. Het was het laatste wat hij zag, de grote, met een sjabloon geschilderde cijfers – voordat de schaduwen uit de hoeken stormden. Hij bleef staan; het donker drong op en bezorgde hem kippenvel, alsof hij zich had verstopt in een kast vol bontjassen. Hij zocht troost bij zijn lichtgevende horloge: zestien minuten over acht in de avond. Hier, onder het ziekenhuis, viel het licht wel vaker uit, maar de generator zou over enkele seconden aanslaan. Hij begon langzaam te tellen en pas toen hij bij zevenenveertig was, ging de noodverlichting knipperend aan. Het was naargeestig, want daar was het, het grote getal op de muur: 47. Griezelig. De zwakke noodverlichting haalde niet veel uit: doodgeboren, zich nauwelijks ontworstelend aan de tl-buizen, griezeliger dan het donker.

Het was een T-splitsing; hij kon dus drie kanten op kijken. Links naar de verbrandingsoven. Rechts? Hij dacht dat het de gang naar de orgaanbank van het ziekenhuis kon zijn. En achter hem, achter zijn schouder, was de zigzagroute naar de liftschachten die naar de afdelingen leidden, naar de Eerste Hulp en de poli. Maar hier beneden was geen beweging zichtbaar. Hij hoorde slechts de echo van een van de kleine elektrische wagentjes met wasgoed, een specifiek geluid tegen de achtergrond van gezoem, dat hardnekkig en aanhoudend was, als een wesp in een pot.

Dit was Niveau 1: een catacombe, een doolhof waar een kaart nutteloos was. Er stonden kleine bordjes op de kruisingen en op enkele van de T-splitsingen, maar je moest de weg kennen. Hij had op school over Theseus en de Minotaurus gelezen en hij wist dat het moderne woord 'kluwen' afstamde van het Griekse woord voor de kluwen wol die de prins gebruikte om de uitgang te vinden. Zijn gezicht lichtte op in een glimlach, want dat vond hij mooi, zoals het verleden deel uitmaakte van zijn huidige leven.

Alle gangen op Niveau 1 waren identiek: kale betonnen muren, stoffige gas- en waterleidingen boven zijn hoofd, zoemend als scheepsruimen. Daar leek het op, dacht hij, op Jonas en de walvis, en hij bevond zich in de ingewanden, de geelbruine buizen, alsof hij in zijn geheel was ingeslikt.

Hij sloeg links af, liep snel naar de verbrandingsoven en probeerde te vergeten wat hij bij zich had, probeerde te vergeten waarom hij überhaupt hier was terwijl hij door het ziekenhuis had kunnen lopen, door de lange, helder verlichte gang met de muurtekeningen van de kinderen, met de gele zak in zijn hand. Maar het hoofd van de operatiezaal had het duidelijk gemaakt: Niveau 1, en laat ervoor tekenen. Hij voelde het gewicht in de gele plastic zak. Zijn maag verteerde zachtjes het Engelse ontbijt dat hij in het personeelsrestaurant bij wijze van avondmaal naar binnen had geslagen: eieren, aan twee kanten gebakken, uitlopend op het vettige bord. Hij slikte en probeerde wat koele lucht in te ademen, maar die was bedorven, roerloos, warm. Buiten, boven zijn hoofd nu, zou het ziekenhuisasfalt afkoelen in de avondschemering. Hier ging de hitte door, tartte de zonsondergang.

Darren hees met één hand zijn spijkerbroek op en versnelde zijn pas. Het was geen slechte baan, voor een zomerbaan. Meestal hoefde hij alleen maar het ziekenhuisafval naar de stortkoker aan het eind van de afdeling te brengen, de code in te toetsen op het metalen paneel en de metalen lade te vullen voordat hij hem wegstuurde, omlaag naar Niveau 1, waar de wagenbestuurders ze verzamelden en ermee naar de verbrandingsoven reden. Die zakken zaten vol dingen waarvan hij zich geen voorstelling probeerde te maken: verband – bloederig, bevlekt – en weefsel, misschien, weggegooid door de chirurg. Organen, kankergezwellen, lichaamssappen in verzegelde plastic flessen.

Maar soms stuurden ze hem te voet op pad. Dan was de gele zak te groot, of had een afwijkende vorm, en ze wilden geen verstoppingen in het stortkokersysteem, want dan zou het grondig moeten worden schoongemaakt. Of er stond dat kleine symbool op de gele zak, het het stralingssymbool. Of het angstaanjagende chemotherapie-etiket. Daarom moest hij die zakken persoonlijk naar Niveau 1 brengen. En in het weekend, als ze de particuliere patiënten afwerkten, reden er nauwelijks wagentjes rond, dus ook dan stuurden ze hem te voet op weg, want het laatste wat ze wilden was achterstand, niet met deze hitte.

Hij voelde het gewicht van de gele zak en probeerde ermee te zwaaien, een lach bleef in zijn keel steken.

Eindelijk. Kruising 57. Een deur, een stralingssymbool, een waarschuwingsbord en VERBODEN VOOR ONBEVOEGDEN.

Hij nam de trap met twee treden tegelijk en stormde door een dubbele klapdeur met VERBRANDINGSRUIMTE erop.

Het was alsof je over de drempel van een soort hel stapte. De abrupte, beestachtige hitte, het gillen en krijsen van de ovens, maar vooral de lucht, bezwangerd van fijne witte as en de hete gassen, waardoor alles zinderde als een luchtspiegeling.

Darren probeerde naar adem te happen en stikte bijna in het gruis in de lucht. De 'ruimte' was zo groot als een gymzaal, de buik van Jonas' walvis. Het plafond was één grote massa buizen, loopbruggen en ventilatoren. De vloer was van beton, de wanden waren van metaal, zonder ramen, bijeengehouden door rijen klinknagels. Het halve vloeroppervlak werd in beslag genomen door de karren die door de sleepwagentjes vanuit het ziekenhuis werden aangevoerd, stuk voor stuk vol gele zakken. Sommige ervan kwamen uit een dienstlift in een hoek, maar de meeste door een tunnel vanaf het laadperron. De sleepwagentjes konden worden gekanteld, zodat ze hun vracht losten op een korte transportband die door de hele ruimte naar de oven leidde, een donkere metalen mond met daarin juist zichtbaar een zwakke gloed, als de adem van een draak.

Boven zijn hoofd waren, ongezien, wist Darren, nog enkele verdiepingen van het verbrandingsgebouw, kleiner dan deze ruimte, maar hoog om de verschillende onderdelen van de oven te huisvesten, de koelleidingen, de filters, tot uiteindelijk, dertig meter hoger dan het ziekenhuis zelf, de schoorsteen een wolk uitstootte in wat in zijn gedachten een verder wolkeloze avondlucht was.

Hij kreeg kippenvel van de smerige lucht, alsof hij in een spinnenweb liep. Onder hem, om hem heen, dreunde de oven, en hij voelde zich een onderdeel van de machine. En de hitte was als een dekbed dat de laatste vlaag koele lucht buitensloot en al zijn energie wegzoog.

Ook hier noodverlichting, aangesloten op de ziekenhuisgenerator, die de oven in werking had gehouden. Het rare was alleen dat de transportband wel bewoog, maar zonder gele zakken, zonder toezicht.

'Bry!' riep hij. De as drong onmiddellijk zijn mond binnen. Hij moest langs zijn lippen likken en proefde de koolstof. Op zijn eerste werkdag had iemand hem een masker gegeven voor in de verbrandingsruimte, maar hij had het nooit gedragen. Er klonk een toeter; het deed pijn aan zijn oren.

Bryan Judd – Bry – was altijd hier met de late dagploeg, van twee tot negen. Hij hield toezicht op de transportband die de hopen gele zakken naar de ovendeuren schoof, liet zijn dikke vingers over de draaischijven op het besturingspaneel glijden, sorteerde de zakken, werkte alleen. Darren wist niet waarom hij hem wel mocht, temeer niet omdat hij zich altijd leek te ergeren als zijn eenzaamheid werd verstoord. Misschien was het de muziek die een band schiep, want Bryan had altijd een iPod om zijn nek hangen, net als Darren. En ondanks het leeftijdsverschil hielden ze van dezelfde dingen: *new country*, sommige dingen van Johnny Cash. En hij wist wat Bry mooi vond, want Bry zong altijd mee, melodieus, de noten precies treffend.

Maar er was geen Bry.

Er kwam een technicus achter een van de bedieningspanelen vandaan, zijn handen afvegend aan een lap. Zijn blauwe overall hing tot zijn middel open en het haar op zijn borst was grijs en bezweet. Hij haalde zijn schouders op. 'Wat is er?' riep hij terwijl hij zijn masker met één hand naar voren trok. Iedereen riep altijd in de ovenruimte. 'De band is leeg – waar is Bry?' vroeg hij.

Darren kende de man; hij heette Potts. Zijn klamme, verhitte gezicht was net als dat van alle technici overdekt met wit, op as lijkend stof, een gezicht zonder wenkbrauwen, rimpels of stoppels. Het gezicht van een clown. Het zweet had enkele voren getrokken op zijn huid, alsof zijn schedel elk moment in stukken kon breken.

'Ik heb dit,' zei Darren en hij hield de zak omhoog.

Ze hoorden voetstappen op de opengewerkte metalen ladder vanaf de verdieping boven hen. Een van de andere technici, maar deze had een keurig geknoopte stropdas om en een klembord in zijn hand. Bry had hem verteld dat hij Gerry Bourne heette en in zijn gezicht noemde hij hem 'meneer Bourne' maar achter zijn rug om 'de Lul'.

'Er komt niets binnen,' zei Bourne. 'Ga Bry zoeken, of hij krijgt er last mee.'

Potts haalde zijn schouders op. 'Zal buiten wel een peuk staan te roken; ik haal hem wel even.'

Ze keken naar Darren en naar de gele zak.

'Het is een been,' zei Darren en hij hield de zak op.

De twee mannen keken elkaar aan

'Links of rechts?' riep Potts terwijl hij zijn masker weer opzette, nadat hij het speeksel met de rug van zijn hand van zijn lippen had geveegd.

'Wat?' zei Darren, maar hij had het wel verstaan.

'Links of rechts?' zei Bourne, die met een balpen op het klembord tikte. Hij had geen masker, waaruit bleek dat hij een van de bazen van de tweede verdieping was. 'Dat moeten we weten. Je wilt een ontvangstbewijs, maar we kunnen niets tekenen als we het niet weten. Dus: links of rechts?'

'Ik weet het niet,' zei Darren. Hij hief de zak op en las het met de hand beschreven label aan de metalen sluitstrip. Het was een code en die zei hem niets. Er stond een handtekening onder, een blauwe krabbel. Darren haalde zijn schouders op.

'Neem maar weer mee,' zei Bourne. Darrens schouders zakten af. Hij zou om negen uur uitklokken.

'Je zou kunnen kijken,' zei Potts terwijl hij thee uit een thermosfles in de plastic drinkdop schonk. Darren had geen zin om terug te gaan en hij voelde dat ze hem taxeerden. Hij verborg een diepe zucht, en gooide de zak toen op de stilstaande band. De sluiting was van plastic, hersluitbaar. Hij opende de zak. De bloederige stomp was naar boven gekeerd, het bot was keurig doormidden gezaagd en hij zag de kern met het merg. Hij dwong zichzelf verder te kijken, naar de wasachtige tenen. Hij proefde gal in zijn keel, maar hij was trots op zichzelf dat hij keek en liet dus niets merken.

Hij verzegelde de zak met zijn vuist, een harde klap.

'Rechts.'

Bourne lachte, Potts spuugde zijn thee uit. Ze leunden tegen elkaar, een en al vrolijkheid. Darren bedacht, niet voor het eerst, hoe wreed humor kon zijn.

'Kostelijk!' zei Potts; er verscheen een veeg onder zijn ogen waar de tranen onder het masker uit waren gelopen. 'Links of rechts!'

De hoofdverlichting ging flikkerend weer aan, een neongloed, en de herrie werd – onvoorstelbaar – nog erger. Een felle pijnscheut ging door een van Darrens trommelvliezen. Hij voelde dat de tranen hem in de ogen sprongen en pakte de zak.

'Sorry, joh,' zei Bourne, de blik van de jongen vermijdend, en hij stopte de balpen in zijn zak. 'Kom, moet je dit eens zien.'

Darren verroerde zich niet. Hij vertrouwde Bourne niet. 'Nee,' lachte Bourne terwijl hij zijn stropdas losmaakte. 'Echt waar. Ik moet de oven controleren nu we weer op volle toeren werken. Routine. Kom op...' Hij sloeg een arm om Darrens smalle schouders. Ze liepen naar de muur en klommen via een metalen trap naar het volgende niveau. Terwijl ze klommen voelde Darren de temperatuur stijgen, zodat het zweet hem uitbrak en er een koel straaltje zilt water over zijn linkerslaap sijpelde. Hier, op de tweede verdieping, was de ruimte verdeeld in gangen, met links en rechts bedieningspanelen. Het plafond was een open metalen raster vlak boven hun hoofd. Vóór hen was een stalen wand met wat roestige draaischijven en een rode alarmknop. En die geur van verhit metaal, de stank van de ingewanden van de machine. Darren likte droog stof van zijn verhemelte. In het midden van de stalen wand was een klein luik. Bourne klapte het open en ze zagen twee lenzen, als een verrekijker, in de muur verzonken.

'Tot stof zult gij wederkeren,' zei Bourne. Hij streek met zijn hand over zijn stijve rug en likte zijn lippen. 'Zeshonderd graden. Als we klaar zijn, is er alleen nog een vingerhoed vol wit stof over. Hij kan alles aan...' Hij klopte vol genegenheid op de stalen wand. 'Radioactief afval, chemisch afval, plastic, metalen. Vooruit, kijk maar eens.'

Darren stapte naar voren en drukte zijn gezicht in de plastic mal. Hij keek in het hart van de oven. Er was geen gloed. Het was net de zon: verzengend geel met aluminiumwitte flitsen. En toen, aan de linkerrand, een abrupte onderbreking van verkoold zwart, iets wat uitstak als een tak in de winter. Darren knipperde met zijn ogen. Het beeld schoof door zijn blikveld op de interne transportband en hij realiseerde zich wat hij zag: een lichaam, een hoofd op een dunne nek, buigend, schokkend. Een van de armen zwaaide wild heen en weer in mechanische, onmenselijke stuiptrekkingen. Een lichaam in doodsstrijd, dat verbrandde als krantenpapier dat in een open vuur wordt gegooid.

Darren deinsde boos terug en de tranen sprongen hem opnieuw in de ogen. 'O god,' zei hij. 'Er is iemand daar...' Braaksel golfde tussen zijn handen door toen hij zijn mond probeerde te bedekken. Bourne stapte naar voren, drukte zijn gezicht in de mal en draaide zijn hoofd snel heen en weer, links rechts, rechts links.

Darrens knieën hadden het begeven en hij zakte op de grond, rolde op zijn rug en keek naar het plaatgazen plafond. Het geluid piekte en stierf toen weg, als een vliegtuigmotor na de landing, zodat wat er overbleef aanvoelde als stilte. Daardoor hoorde hij de voetstappen, boven hun hoofd, op de metalen vloer. Geen kalme voetstappen – zou hij later zeggen tegen de politieagent die zijn verklaring opnam – geen kalme, maar rennende, vlúchtende stappen. Hij zag ze heel even, die voeten, door het plaatgaas heen, de zolen van een paar vluchtende schoenen. Maar het vreemde was het geluid – het kletteren van ijzer op ijzer, van staal op staal. En het veelzeggende detail: de vonken, de knetterende, elektrische vonken wanneer de schoenen het gaas raakten en een halssnoer van kleine bliksemschichten veroorzaakten.

2

INSPECTEUR VAN DE RECHERCHE Peter Shaw was op het strand toen zijn mobiel ging; de beltoon was een fragment uit *A Sea Symphony* van Vaughan Williams. *Zijn strand.* Het einde van een nazomerse dag; de zon was allang onder en het zand, dat eerder de bleke holten onder zijn voeten had verschroeid, was nu koel. Hij zat op de hoge stoel van de strandwacht; de vlag van de RNLI, de Royal National Lifeboat Institution, wapperde boven zijn hoofd. Hij liet zijn verrekijker van noord naar zuid langs een kantelende golf glijden en zocht naar de paar late surfers die in de schemering nog op het water waren. In plaats daarvan zag hij zijn vrouw, Lena, die met hun dochter door het ondiepe water waadde. Verderop veroorzaakte de deining een reeks golven in volmaakte opeenvolging.

Hij had naar het westen gekeken en genoten van het laatste amberkleurige licht. Een breed, openhartig gezicht als van de verre horizon, hoge, bijna Slavische jukbeenderen, en korte, door het zeewater verbleekte haren. Zijn goede oog was blauw, licht als vallend kraanwater. Het andere was blind, de pupil was nog slechts een bleke cirkel, als de maan die door het uitspansel boven hem bewoog. Hij was het zicht in zijn rechteroog een jaar geleden kwijtgeraakt en begon nog maar net de vaardigheden te ontwikkelen die hem in staat zouden stellen afstand te schatten. De eerste maanden na het ongeluk had hij geprobeerd zijn handicap te negeren. Nu begreep hij dat die hem vaardigheden kon geven die hij nooit had bezeten.

Hij draaide de dop van een thermosfles en liet de hals op de rand van de beker rusten voordat hij het koele sap uitschonk. De eerste dagen na het ongeluk had hij zichzelf vaker dan hij zich kon herinneren voor joker gezet als hij koffie op zijn bureaublad schonk in plaats van in zijn beker, doordat zijn ene oog geen driedimensionale wereld kon construeren. Hij draaide de dop weer op de fles en richtte zijn aandacht op een jacht dat buitengaats voor anker was gegaan. Hij probeerde de afstand te schatten door gebruik te maken van wat kunstenaars 'sfumato' of rokerig perspectief noemen, de tendens van kleuren om naar de horizon toe tot blauw te vervagen.

Hij keek naar een gezin dat het strand verliet, een onregelmatige rij vanaf de moeder, die strandtassen droeg, naar een jong kind dat met tegenzin een ring van zandkastelen achterliet. Nog even, dacht hij, en hij zou het strand weer voor zichzelf hebben. De parkeerplaats op de landtong was bijna leeg, langs de waterlijn gloeiden enkele barbecues, maar in het noorden leidde het strand naar een horizon even verlaten als een zandwoestijn. Hij stelde zich een kameelkaravaan voor die langs Arabische kampvuren in de nacht verdween.

Hij rilde, ritste zijn lichtgewicht jack dicht en sloeg zijn armen om zich heen.

Als kind had hij hier gespeeld met zijn vader, tussen de reddingsbotenloods en het oude café. Hoofdinspecteur Jack Shaw van de recherche, tot menselijke maat teruggebracht door een verwarde kluwen vliegertouw of een kindercricketbat. Het strand was hun wereld geweest, de enige die ze deelden, de plek waar ze beiden in het heden konden leven. Shaw herinnerde zich de dag waarop hij het silhouet van een denkbeeldig lijk in het zand had getekend, zijn eerste plaats delict. Hij had aanwijzingen neergelegd: een schelp voor het hart waar de kogel in was gedrongen, lollystokjes die de hulzen voorstelden, een sigarettenpeuk tussen denkbeeldige tanden. Hij was toen tien geweest. Zijn vader had lang en strak naar het silhouet gekeken, had zijn zoon toen in het zand gezet en hem voor het eerst over de rest van zijn leven verteld: hij kon doen wat hij wilde, kon worden wat hij wilde. Behalve dit, behalve het politiekorps. Er was geen overleg geweest, geen dialoog. Alleen een dictaat. Het leek een heel leven geleden.

Ergens op het strand had hij de tijdpiepjes van een radio gehoord en hij had er negen geteld. Toen was zijn mobiel gegaan. Hij had hem op armlengte van zich af gehouden, alsof dat zou helpen. Maar het smsbericht, van Tom Haddens Technische Recherche, was er een geweest dat hij niet kon genereren. 187 QVH.

De code voor verdacht sterfgeval – 187 – en de plaats delict: het Queen Victoria Hospital.

En nu, drieëntwintig minuten later, had hij zijn wereld verruild voor deze wereld. Hij droeg een T-shirt onder een jack met het wapen van de RNLI op zijn borst, maar dat was het enige verband met het strand. Dat, en zijn gebronsde huid.

Hij stond in de ovenruimte en keek naar het lijk dat op de achterwaarts draaiende transportband uit de ovendeuren kwam. In plaats van een verre horizon, dertig kilometer verwijderd, werd hij omringd door metalen wanden, een vettige hitte en de stank van as, as waar elk greintje leven uit was gebrand. Zijn wereld, grenzeloos op het strand, was samengepakt, opeengedrukt, om in deze doos zonder ramen te passen. De lucht was verdicht, gekookt, en hij voelde het zweet prikkelen op zijn gezicht. Er vloog een mus rond, zijn vleugels klapperden tussen de stalen balken en leidingen en veroorzaakten een sneeuwbui van wit stof.

De transportband schudde en de beweging benadrukte het trillen van de ledematen. Eén hand was verdwenen, de arm eindigde in een kluwen verkoolde pezen als een doorgesneden hoogspanningskabel. Maar de rest van het lichaam was intact, alleen gekrompen door de hitte in de oven, zodat het sierlijk lang leek, dacht Shaw, als een liggend beeld van Giacometti. De kleding, of wat ervan over was, was in het vlees gebrand; een leren riem was nog zichtbaar, en op de borst een massa gesmolten plastic van wat misschien een mobiele telefoon in een borstzak was geweest. De schoenen waren op de dikke zolen na verdwenen. Het hoofd was achterover gekanteld boven op de ruggengraat, de mond hing onmogelijk ver open, de tanden waren zwart. Er zat een gat in het achterhoofd, waar de hersenen gekookt waren en uit de schedel gebarsten.

En dan het gezicht, een van Peter Shaws passies, maar voorlopig vermeed hij het, met name de ogen, in de wetenschap dat hij ze niet zou vinden.

Shaw had door zijn mond geademd vanaf het moment dat hij de ovenruimte was binnengekomen. Hij snoof de lucht op: alleen maar as, steenkool misschien, en verkoolde botten. Niets van het lichaam zelf, alsof de hoge schoorsteen van de verbrandingsoven de essentie ervan had weggezogen en de ziel had vrijgelaten in de avondwind.

De band kwam schokkend tot stilstand. Rook steeg op van het verkoolde vlees. Het enige geluid, ternauwernood hoorbaar, was dat van het afkoelende metaal om hen heen, knakkend als een stijf gewricht, en van de vogel die boven hen tussen de leidingen fladderde.

'U zei dat hij bewoog, toen de getuige hem in de oven zag? Hoe laat was dat?' vroeg Shaw zonder zijn blik van het lijk af te wenden.

Brigadier van de recherche George Valentine stond naast hem, met een grijze katoenen zakdoek voor zijn mond en neus. Shaw hoorde zijn hijgende ademhaling, de lucht die in kapotte longen werd gezogen.

Valentine mocht dan een ouderwetse diender zijn met dertig jaar ervaring, hij zou de eerste zijn om toe te geven dat hij nooit op zijn gemak was geweest in de aanwezigheid van de dood. Hij was in de Artichoke geweest toen hij was opgeroepen. Zes bier, Sky Sports 1. Hij had Chinees willen halen, knapperig gebraden eend. Nu had hij geen trek meer.

'Acht-eenendertig,' zei hij. 'De oven is computergestuurd, dus er is een logboek. Het is Darren Wylde – zo heet de jongen. De voorman liet hem de werking zien...' Valentine bladerde door zijn notitieboekje. Shaw zag dat er een nieuwe sticker voor een goed doel op de revers van zijn regenjas zat: Kankeronderzoek UK, over de hoek van een andere met de letters RSPB, de Royal Society for the Protection of Birds. Er zat altijd wel iets op zijn revers, alsof hij geen collectebus kon passeren zonder zijn portemonnee om te draaien.

'Bourne. Gerry Bourne,' zei Valentine. 'Voorman.' Verder gaf hij geen informatie; hij had geen zin om te praten, dus als het per se moest, hield hij het kort en ter zake, spaarde zijn adem. Hij rookte zijn hele volwassen leven lang al honderd sigaretten per dag en hij had geen dokter nodig om hem te vertellen wat er mis was met zijn longen. Hij hoestte met een geluid van steenkool die uit een kolenkit wordt geschud.

Shaw legde een in handschoen gestoken hand op de transportband. 'Hoelang duurt het voordat iets wat hier op de band wordt gelegd het punt bereikt waar die jongen het lijk zag?'

'Acht minuten, volgens Potts, de dienstdoende technicus.'

'Dus toen de jongen de ovenruimte binnenkwam, was het slachtoffer slechts een paar minuten eerder op de band gelegd... En je zei dat hij voetstappen hoorde nadat hij het lijk in de oven had gezien?'

'Ja. Hij zei dat hij opkeek en schoenen zag, rennende schoenen.'

Valentine wees naar het draadgazen plafond. 'Derde verdieping, dus degene die rende was op de derde.' Hij schuifelde met zijn voeten, zijn blaas was vol. 'En vonken... wat raar is. Ik ben het nagegaan: niemand hier draagt schoenen met metaal. Ze worden verstrekt met rubberzolen voor het houvast; bovendien isoleert het. Het is hier levensgevaarlijk.' Hij probeerde zich weer op zijn aantekeningen te concentreren, in het besef dat zwarte humor een van zijn vele zwakke punten was. 'Wylde is twintig, studeert in Loughborough. Engels. Dit is een vakantiebaantje.' Hij haalde een keer extra adem om zijn zin af te maken. 'Hij is beneden in de commandocentrale, als je hem wilt spreken.'

'Commandocentrale?' zei Shaw, onder de indruk, en hij herinnerde zichzelf eraan dat George Valentine waarschijnlijk meer moordonderzoeken had gedaan dan hijzelf met de reddingsboot was uitgevaren. Volgens de standaardprocedure bij een moordonderzoek moest de commandocentrale zo dicht mogelijk bij de plaats delict worden ingericht. Op die manier zat de recherche boven op de misdaad, vlak bij de getuigen en de TR.

'Ik kan beter doorgaan,' zei Valentine. 'Verklaringen afnemen. Tenzij...?'

Shaw schudde zijn hoofd. 'Blijf liever.'

Er had een klank van insubordinatie in de stem van de brigadier gelegen die Shaw niet was ontgaan. En van nog iets... verbittering. Valentine was vorige week vrijdag voor de promotiecommissie verschenen, zijn derde poging om de inspecteursrang terug te krijgen die hem tien jaar geleden was afgepakt. Zijn derde mislukte poging.

Shaw keek op zijn horloge. Die gaf niet alleen de tijd aan, maar ook de getijden bij Hunstanton, de schijngestalten van de maan, zonsopgang en zonsondergang. Alsof hij zijn eigen wereld met zich meedroeg. Hij probeerde een vlaag van ergernis over brigadier Valentine te onderdrukken. De verstandhouding tussen een inspecteur en zijn brigadier was een soort huwelijk; hun probleem was dat het een mislukt huwelijk was en het politiekorps van West Norfolk deed niet aan flitsscheidingen.

'Goed,' zei hij. 'Het is dus nog geen uur geleden dat ze het lichaam hebben gevonden.'

'Precies,' zei Valentine, naar zijn voeten kijkend. 'Uniformagenten checken de poorten, de parkeerplaatsen, de bussen. We hebben elke vierkante centimeter boven bekeken. Er is een deur naar een ladder die afdaalt naar de werkplaats. De rennende man is daar naar buiten gegaan. Alles is afgezet.'

'Identiteit van het slachtoffer?' vroeg Shaw.

'Grote kans dat het een zekere Bryan Judd is,' zei Valentine. 'Bediende al tien jaar de transportband op dit tijdstip van de dag. Voor het laatst gezien door Potts, om kwart voor acht vanavond, vlak voor een korte stroomstoring. De stroom viel uit om kwart over acht en om één voor halfnegen was de storing weer opgeheven.' Opnieuw een extra ademhaling. 'Er zit een fout in het net. De noodgenerator sloeg aan, dus de onderbreking duurde nog geen minuut.'

'Waar is Judd voor het laatst gezien?'

'In zijn kantoor, als je het zo kunt noemen. Lijkt meer op een hondenhok.' Valentine knikte naar een klein houten hok met aan drie kanten vieze, stoffige ramen, als de dekhut van een kleine treiler. De enige versiering die ze zagen was een poster, iets country & westernachtigs, een meisje met vlasblond haar en een akoestische gitaar. Het enige wat ze droeg was de gitaar.

Valentines kleine, ronde hoofd hing naar voren op zijn hals, als de kop van een gier. Hij stopte een sigaret tussen zijn lippen, maar stak hem niet aan. 'Ze hebben hem omgeroepen in het hele ziekenhuis, overal gezocht. Geen fuck.'

Valentine hield van grove taal omdat hij wist dat Shaw er niet van hield.

'Geen ene fuck.'

Er steeg rook op van het lijk, als van een barbecue. Het TR-team was aangekomen, had de omgeving afgezet en was bezig met het opzetten van een kleine forensische tent over het slachtoffer en de transportband. Nu de machinerie was uitgeschakeld, inclusief de ventilatoren, dwarrelde er overal wit stof neer als rijp.

'Ongeluk?' opperde Shaw.

'Waarom zou hij op de band klimmen?' wierp Shaw tegen. 'Neuh. Bang van niet.'

'Zelfmoord?'

'Volgens Pott zong Judd de laatste keer dat hij hem zag "The Witchita Lineman". Zong blijkbaar vaak – aardige stem.'

'Goed, bij gebrek aan tapdansen op de werkvloer zullen we dat moeten zien als een bewijs van goede geestelijke gezondheid. Beveiliging?' vroeg Shaw.

Valentine deed een stap naar voren. Hij kreeg genoeg van het spervuur aan vragen waarop hij het antwoord werd verondersteld te weten. 'Niet veel zaaks. Om hier vanuit het hoofdgebouw van het ziekenhuis – de openbare ruimten – binnen te komen heb je een pincode nodig. Verandert elke dag, maar het is niet bepaald de Enigma-code. Vandaag is het 0509.'

'Is het altijd de datum?'

'Ja. Er zijn buitendeuren, maar alle werknemers hebben sleutels.' Valentine liet de rug van zijn hand over zijn stoppelbaard glijden. 'Of je kunt via Niveau 1 naar boven – het souterrain. Heb ik gedaan. De jongen ook. Administratie. Ze zeggen dat je zo'n ding moet hebben.' Ze droegen alle twee een bezoekerspas aan een koord om hun nek.

Shaw schudde zijn hoofd. 'Als je hier maar een witte jas aanhebt, laten ze je zelfs opereren. Bewakingscamera's?'

'Ik laat Birley de beelden op dit moment bekijken, maar zie je, er lopen hier vijfduizend mensen rond. De kans is klein. En wat zoeken we? Een kerel met ijzeren schoenen?'

Agent Mark Birley was nieuw in het team. Oud-uniformagent, die oog had voor details en zich waar wilde maken. Een goede keus.

Shaw bukte zich onder het politielint door en bleef op zijn hurken zitten, zodat hij vlak bij de schedel was, binnen de persoonlijke ruimte. Hij bedacht dat iemands persoonlijke ruimte begint te krimpen op het moment van de dood... tot ze binnen de huid verdwijnt. Hij probeerde hem nu te voelen, de rand van het leven dat was gevlucht, maar er was niets, geen grens om over te steken. Hij schoof wat dichterbij, zodat datgene wat het gezicht van het slachtoffer was geweest, zijn hele blikveld besloeg. Zo dichtbij maakte het geen enkel verschil dat hij blind was aan zijn rechteroog; het kon zelfs helpen doordat het hem een helder tweedimensionaal beeld opleverde.

Shaw had schone kunsten gestudeerd. Tot grote tevredenheid van zijn vader. Al het andere dan de politie zou hem tevreden hebben gesteld. Maar wat zijn vader niet wist was dat de opleiding aan de universiteit van Southampton waarvoor zijn zoon had gekozen, een jaar op de FBI-opleiding in Quantico, Virginia, omvatte, waar hij forensische kunst had gestudeerd. Van daaruit was hij rechtstreeks naar het Metropolitan Police College in Hendon gegaan.

Shaw kon een gezicht lezen alsof het een essay was. Het probleem nu was het gezicht. De hitte had de huid verzengd en niets overgelaten van bijvoorbeeld de oren dan de schelp, de trechtervormige opening, en de tragus, het uitsteeksel dat het binnenoor beschermt. De rest – de vlezige bovenrand en de voorste rand – was verdwenen, en van de hele gezichtshuid plus het complexe stelsel van microspieren daaronder was alleen kraakbeen over.

'Een man...' zei hij over zijn schouder tegen Valentine. 'Grote bos haar. Uitzonderlijk hoog voorhoofd, een richel boven de ogen – van bot, maar ook spieren – de spier is heel geprononceerd.' Dat was het cruciale element van het 'levenslange uiterlijk' van de dode, dacht Shaw, de onmiskenbare trekken waaraan hij altijd zou worden herkend. Diepliggende ogen, een dominant voorhoofd. Shaw zou het een Keltisch gezicht hebben genoemd.

Valentine had geen woord gezegd.

'Iers?' vroeg Shaw. 'Zwaar gebouwd. Groot hoofd. Niets over van de neus of de lippen. Tanden verkoold, maar misschien vinden we een match.'

Valentine stond bij het afzetlint. 'Klopt min of meer. Volgens de voorman waren de Judds van Ierse afkomst... Gezicht als een rugbyvoorhoedespeler. Vijfendertig of daaromtrent.' Hij plukte een sliertje tabak van zijn lip.

'Justina onderweg?'

'Tien minuten,' zei Valentine. Voor die tijd zou hij weg zijn, daar zou hij wel voor zorgen. Hij had zijn bier tot dusver binnengehouden, maar altijd als hij de patholoog aan het werk zag werd hij kotsmisselijk. Het had iets te maken met hoe ze een lijk behandelde, alsof het geen menselijk wezen was, maar een interessant fossiel. 'Ik kan beter naar de commandocentrale gaan,' zei Valentine, maar Shaw reageerde niet.

Tom Hadden, het hoofd van de TR van het korps, kwam naar het afzetlint. Hij zat tien jaar voor zijn pensioen, zijn dunne rode haren waren nu stroblond en hij had een litteken vlak onder de haargrens, waar een jaar eerder een melanoom was verwijderd. Sproeten verdrongen elkaar rond intelligente groene ogen. Hadden was gevlucht uit een mislukt huwelijk en een uitstekende baan op het ministerie van Binnenlandse Zaken voor het korps van West Norfolk. Hij was een fervent vogelaar en groot natuurkenner en bracht zijn vrije tijd door in de duinen en de moerassen, een solitair maar nooit eenzaam man, met een grote verrekijker om zijn nek.

'Dit is vreemd,' zei hij. Hij liet een bewijszakje zien. 'Dit heb ik gevonden naast de transportband op de werkplek van het slachtoffer. Pin me er niet op vast, maar ik denk dat het rijstkorrels zijn.'

'Rijst?' vroeg Shaw. 'Dus hij eet gezond; zo'n salade zoals je die bij Marks & Spencer kunt krijgen?'

'Dat zou kunnen, als, en alleen áls het gekookte rijst was. Maar dat is het niet.'

Shaw schudde met het zakje. Drie korrels, bijna doorzichtig, twintig minuten voordat ze *al dente* zouden zijn.

'Tussen haakjes, er zit bloed op de transportband… heel veel,' zei Hadden.

'Heeft het de hitte overleefd?'

'Nee. Er zijn twee banden, Peter. Deze…' Hij legde zijn in een plastic handschoen gestoken hand op de band vóór hen. 'Deze verdwijnt in de oven en keert dan terug. Alles wat erop ligt wordt op een interne band gegooid, die het afval door de ovens transporteert. Heeft nog het meest weg van die rollende trottoirs op een luchthaven. Staal.'

Ze bekeken het slachtoffer in stilte. 'Justina zal je alles over onze vriend hier vertellen,' zei Hadden, 'maar in dit stadium zou ik oppassen met amateuristische inschattingen.'

'Hoezo?' vroeg Shaw.

'Het gat in de schedel. Ik denk dat het niet is wat het lijkt. We kunnen nog niet in de oven om de weggespatte stukjes schedel te zoeken, maar ik heb hier één scherf…'

Die lag op de band, een kleine twee meter van het lichaam, al in een bewijszakje. De vindplaats was aangeduid met een witte cirkel en de letter 'D'.

Hadden tikte erop met een metalen pen, alsof het een oude potscherf was. 'Zoals je ziet zit er een breuk in dit stuk bot… hier.'

'Heeft iemand hem geslagen?'

'Misschien, maar we hebben bewijzen nodig die dat staven en die hebben we nog niet.'

Shaw liet een vinger over de meeuwenveer glijden die hij op het strand in zijn zak had gestoken. 'Maar bloed wijst op een worsteling?'

'Of op een een week geleden gescheurde afvalzak. Ga er niet meteen van uit dat dit zijn bloed is. Ik moet het bewijsmateriaal in de Ark onderzoeken.'

De Ark was het forensisch laboratorium van West Norfolk, in de oude kapel van de Non-conformisten naast St James's, het hoofdbureau in Lynn. Het was het domein van Tom Hadden en naast de zoutmoerassen de enige plek waar hij gelukkig was. Hij trok aan zijn forensische handschoenen. 'Je zult ook de buitenkant moeten bekijken.'

Hij ging Shaw voor naar een deur in een van de metalen wanden, versterkt, geklonken, als een deur benedendeks in een schip. Ze stapten naar buiten, met tegenzin gevolgd door Valentine, en door een korte gang naar een donkere spelonk onder reusachtige buizen die de oven van zuurstof voorzagen. Hadden deed een zaklamp aan, die hun voeten verlichtte terwijl ze verder schuifelden. Een tweede metalen deur leidde naar buiten.

'Tussen haakjes, toen we hier aankwamen was deze deur niet afgesloten,' zei Hadden.

Buiten was een klein stalen platform, als een arendshorst, aan de voet van de schoorsteen, met daarop een van de atmosferische teststations voor de oven. Een ladder in een koker leidde naar boven, een tweede omlaag naar het felverlichte goederenperron beneden. Er wachtte een rij gele afvalwagentjes, die een file vormden nu de oven koud was.

Valentine wees naar boven. 'Is die rennende man hierlangs weggekomen?'

Hadden rekte zijn nek. 'Dat is het, een kleine deur, een nooduitgang, een meter of vijftien boven ons. Ook al niet dicht.'

Ze bevonden zich op dertig meter hoogte en keken uit over de stad. De zon was al onder, maar de westelijke hemel was nog licht. Een volmaakt nachtelijk uitspansel welfde zich als een planetarium boven hun hoofden. De lucht was warm en zacht. Er stond een stoel op het kleine platform, een metalen kantoorstoel waarvan de vulling uit de zitting puilde, met daarnaast een wieldop vol peuken.

'Bourne, de voorman, zei dat hij wist dat Judd hier rookte. Strikt verboden, maar het is een hondenbaan, dus ze zijn soepel,' zei Hadden.

'Ja hoor,' zei Valentine. 'Je wilt de sfeer tenslotte niet bederven,' voegde hij eraan toe terwijl hij over de reling spuugde.

'We zullen het speeksel op de peuken onderzoeken. Maar er ligt maar één merk, Silk Cut,' zei Hadden.

'Oké,' zei Shaw. 'Laten we George arresteren.'

Valentine keek nadrukkelijk omhoog naar de bovenkant van de schoorsteen.

'Eén ding is vreemd,' zei Hadden. Hij knielde naast de wieldop. 'Er lag maar één lucifer. Ik heb hem per koerier naar het lab laten brengen. Eén lucifer, doormidden gebroken tot een v. Misschien levert die iets op. Volgens Potts, de technicus, gebruikte Judd een aansteker.' Hij stond op en sloot zijn ogen om na te denken. 'En dit helpt ook niet,' ging hij verder terwijl hij een tweede bewijszakje uit de zak op de pijp van zijn overall haalde. Een zwart met gele plastic zaklamp, zwaar, als een ploertendoder.

'Eigendom van het ziekenhuis?' vroeg Shaw.

'Nee. Volgens Potts niet. Hij lag naast de stoel.'

Valentine pakte de in plastic verpakte zaklamp aan en draaide hem helemaal rond. Aan de ene kant zat een fluorescerende sticker met in zwarte inkt de letters MRV. Hij liet hem aan Shaw zien. 'Een bedrijf? Initialen?' vroeg hij. 'Ik trek het na,' was hij Shaw te vlug af.

Shaw pakte het zakje aan. 'Er zit stof op,' zei hij toen hij zag dat het matzwarte oppervlak van de lamp geschaafd was.

'Ja. Ik laat je weten wat voor stof het is als ik hem in het lab heb onderzocht,' zei Hadden. 'Maar zo op het oog ben ik het met je eens: stof, een heleboel stof.'

'Het is niet wit, het stof,' zei Shaw, piekerend over het niet-kloppende detail.

Maar Hadden liet zich niet uit de tent lokken. 'Ik laat het analyseren. Gissen heeft geen zin.'

Shaw keek nog één keer om zich heen en probeerde een mentale foto van de plek in zijn geheugen op te slaan. 'Iemand enig idee?'

Valentine hield niet van puzzels. Hij vond dat politiewerk geen kruiswoordraadsel was. Hij boog zich achterover, zodat zijn ruggengraat kraakte. Hoog boven hen druppelde nog steeds condenswater uit de schoorsteen, een dun straaltje, door geen wind bewogen, als de condensstreep van een 747.

'Het is wreed, klinisch, niet het werk van een amateur,' zei hij. 'Als ze die jongen niet de binnenkant van de oven hadden laten zien, zouden we niet geweten hebben dat die knaap verast was. Het is dus georganiseerd. Voorbedachten rade.' Hij steunde op zijn andere been om de druk op zijn blaas te verkleinen. 'Maar door bekenden, want je moet de indeling kennen. Dus: een grief. Seks staat boven aan elke lijst, dus we moeten vrouwen, vriendinnen nagaan. Kijken wie het met wie doet.'

Het was slechts een van de dingen die Shaw irriteerden in George Valentine. Hij probeerde misdaden achterstevoren op te lossen. Verzin een motief en kijk dan of er bijpassend bewijs voor te vinden is. Het ergste was dat hij er goed in was

'Laten we het routinewerk doen,' zei Shaw. 'Check het personeel hier, check de vrienden van het slachtoffer, hun achtergrond, dan evalueren we later de forensische aanwijzingen als Tom klaar is en wachten af wat Justina op het lichaam kan vinden.'

Check het, zo noemden ze Shaw in St James's. Check dit, check dat, check alles. Het was een half uit ergernis, half uit bewondering gegeven bijnaam. Valentine vond de zorgvuldige aanpak alleen maar irritant, zoals een gat in zijn schoen als het regende.

Toen ze weer aankwamen bij de transportband, was doctor Justina Kazimierz gearriveerd. De patholoog zat op haar knieën op de band en scheen met een zaklamp in de donkere hoek waar de arm van het slachtoffer had gelegen om zijn gezicht te beschermen. Kazimierz was fors, met een vroeger verfijnd gezicht, gedomineerd door zware Midden-Europese trekken. Ze werkte in haar eentje en beschouwde onderbrekingen als insubordinatie. Haar enige bekende vertier was dansen in de Poolse Club met een dreumes van een echtgenoot die vruchtensap dronk, maar haar altijd trakteerde op glazen van de allerbeste Chopinwodka met de kleur van aanstekerbenzine.

Ze keek op toen Shaw onder het politielint door kroop. 'Niet nu,' zei ze.

Toen hij de patholoog leerde kennen, had hij haar bruuske ongemanierdheid geweten aan de moeilijkheden van het leren van een nieuwe taal. Dat was tien jaar geleden.

'Oké,' zei Shaw terwijl hij zijn forensische handschoenen uittrok. 'Maar we hebben niet met een ongeluk te maken, waar of niet?'

'Het is geen ongeluk,' zei ze terwijl ze voorzichtig een monster van verschroeid haar van de zijkant van de schedel nam. 'Weg nu.'

'Nog één ding,' zei hij, in een poging zich niet te laten intimideren. 'De jongen die het slachtoffer in de oven zag, zei dat hij bewoog ...' Shaw verwerkte het veronderstelde geslacht in de vraag, in de wetenschap dat ze dat niet kon laten passeren.

'Dat zijn twee dingen,' zei ze. Het bleef lange tijd stil en Shaw dacht dat ze het daarbij zou laten. In plaats daarvan rechtte ze haar rug. 'Bij zulke temperaturen trekken spieren heftig samen. Plotselinge verbranding kan schijnbare bewegingen veroorzaken.' Ze zuchtte. 'En het is inderdaad een man, Shaw. En hij heeft ooit zijn arm op twee plaatsen gebroken.' Ze wees naar een plek vlak boven de pols en een ongeveer acht centimeter hoger, onder de elleboog. 'En nu: wég.'

Ze keek hem in zijn goede oog. De hare waren groen, als een veld boerenkool. 'Ik moet werken,' voegde ze er zonder een zweem van een excuus aan toe.

Hadden riep hen naar de andere kant van de band, van waaruit je kon zien dat er iets onder het lichaam lag. Het zag eruit als gesmolten aardbeienijs met strepen gele pudding.

'Dat is tegelijk met hem in de oven verdwenen,' zei Hadden.

'Een van de afvalzakken?' vroeg Shaw.

'Ja. Het plastic label is verbrand, maar er is een stalen ponsplaatje met een tekst. Ik kan het niet lezen, maar ik neem het mee naar het lab.'

'Maar verder geen zakken op de band...?'

'Nee. Niets ervoor en, niet verrassend, niets erna.'

'Dus ofwel hij hield de vuilniszak vast of degene die hem vermoord heeft, heeft die op de band gelegd?'

Hadden zuchtte. 'Laat me onderzoek doen. Daarna zal ik wat antwoorden hebben.'

Een uniformagent gaf Valentine een prikklokkaart.

'Van Bryan Judd,' las Valentine. 'Adres in Erebus Street, wasserette Bentinck.' Zijn schouders zakten af. Hij had in zijn leven genoeg slecht nieuws gebracht om een krant te vullen. Hemzelf was het één keer overkomen: het holle kloppen, de agent in uniform op de stoep. Een verkeersongeluk, zijn vrouw op de passagiersplaats op de rondweg, een gat in de voorruit waar haar hoofd ertegenaan was geslagen. BAO – bij aankomst overleden.

'Laten we gaan,' zei Shaw. Ook hij zag op tegen het aankloppen, de lichte voetstappen in de gang en dan de blik in hun ogen terwijl hij ze vertelde dat hun leven voorgoed was veranderd. Alsof je de engel des doods was.

3

HET WAS DIE ZONDAGAVOND niet druk op de weg, dus ze reden over de verlaten ringweg en door het verrotte hart van de stad, langs de Guildhall, waar een paar dronkenlappen vochten op de marmeren trap, in de felle bundels van de schijnwerpers die de schitterende geruite bakstenen gevel van het middeleeuwse gebouw verlichtten. Shaw vergeleek het getijdehorloge aan zijn pols met de blauw met gouden zeventiende-eeuwse versie op een van de torens van de St Margaret's. Klopte precies. Het was een uur geleden vloed geweest. En ook het tijdstip klopte: zeventien minuten over tien in de avond.

Terwijl Shaw reed, las Valentine het dossier van Bryan Judd, meegenomen van Personeelszaken van het ziekenhuis nadat ze het dienstdoende hoofd erbij hadden gesleept. Het was een deprimerend leven in vijfhonderd deprimerende woorden. Valentine gaf een samenvatting. 'Drieëndertig jaar. Geboren in Lynn. Getrouwd. Op zijn zestiende naar het lager technisch onderwijs. Geen diploma – dat moet verdomme moeite hebben gekost: zelfs ik heb er drie. Leerling-monteur. Werkt al tien jaar bij de oven. Daarvoor ziekenhuisbode.'

Hij vond een stel pasfoto's van Judd voor zijn beveiligingspas en liet ze aan Shaw zien terwijl ze voor het stoplicht stonden, zodat deze het gezicht kon bestuderen, kon proberen door de huid heen naar de botstructuur eronder te kijken. Het leed weinig twijfel dat hij naar het slachtoffer keek. Eén opvallend kenmerk dat niet bleek uit de botten en het verbrande vlees was de meer dan eens gebroken neus, plat en naar één kant gedrukt.

'Een vechtersbaas,' zei hij.

Ze zigzagden door de oude pakhuizenbuurt, waar donkere gangen naar koele stenen binnenplaatsen leidden. Toen, opeens, kwamen ze uit op de Tuesday Market, een groot middeleeuws plein met achttiende-eeuwse gaslampen. Hier eindigde elke kroegentocht in Lynn en de warme zomeravond had een grote menigte gelokt, een deinende massa drinkebroers. Iemand stak midden op het plein een voetzoeker af en de echo kaatste heen en weer tegen de stenen gevels; een enkele kreet werd beantwoord met een lachsalvo.

Shaw gaf gas en de surfplanken op het dakrek van de Land Rover klapperden in de wind. Twee minuten later reden ze Erebus Street in, een doodlopende straat die eindigde bij de oude havenpoort, nu overwoekerd door klimop en slierten afval als gebedsvlaggetjes. De oorspronkelijke ijzeren rails voor de vrachttreinen lagen midden in de straat, roestig, de groeven vol zand. Shaw parkeerde in de schaduwen.

Dit was een andere wereld, in duister gehuld.

'Stroomstoring?' vroeg Shaw. 'Dat is raar. In één straat?' En een toevallige samenloop van omstandigheden, een echo van de korte stroomuitval in het ziekenhuis. Shaw hield niet van toevalligheden, waardoor zijn brein kringetjes begon te draaien in een poging verbanden te leggen die misschien niet bestonden.

Een volle maan, wazig door de hitte, hing als een lampion boven de straat. Een inbraakalarm aan een huis flitste blauw op. Er stond een vrouw bij haar voordeur in het maanlicht, op een raamdorpel stond een kaars in zijn eigen vet en een kat kronkelde om haar benen. Aan het eind van de straat brandde een vuur in een vuurkorf, een kring mensen eromheen, en de vlammen werden weerkaatst in de melkglazen ramen van de Crane, de kroeg bij de havenpoort. Blikjes werden achterovergeslagen, het licht viel op gestrekte halzen.

'Buurtfeestje,' zei Valentine.

Voor de havenpoort stond een witte bestelwagen; het logo op de zijkant was onleesbaar in het donker en erachter zagen ze een koopvaardijschip aan de kade liggen, zo zwart als crêpepapier, afstekend tegen de sterrenhemel. Drie verdiepingen hoog torende het uit boven de straat. Een van de reusachtige kranen stond er als een bidsprinkhaan overheen gebogen.

Shaw stapte uit en stond in de hitte die van de goedkope rode bakstenen leek te stralen. De lucht was roerloos, alle ramen stonden open en het was een merkwaardige sensatie, die een mens in de stad alleen kreeg tijdens een hittegolf, het gevoel dat hij niet buiten was, maar in een reusachtige kamer, een grote zaal, een schouwburg misschien, zodat wat buiten leek in werkelijkheid binnen was, en boven en achter de illusie van sterren de lichten in de huizen waren.

Ze staarden naar de donkere gevels en zochten wasserette Bentinck. Er waren verscheidene huizen dichtgetimmerd, de deur van één ervan was ingetrapt, voor die van een ander zat een stalen luik. Erebus Street was het soort adres dat elke week voorbijkwam in de rechtbank, om de verkeerde redenen. De criminaliteit was er laag-bij-de-gronds, gemeen, en tierde welig: huiselijk geweld, straatgevechten, berovingen, bijstandsfraude, meterfraude, autodiefstal en een paar aanklachten door de dierenbescherming wegens hondenmishandeling.

'Misschien hebben ze hun eigen lampen gejat,' zei Valentine terwijl hij de straat in liep. Hij was eerder in Erebus Street geweest. Op een andere zomeravond. Wanneer? Tien jaar, twintig jaar geleden? Hij bladerde door de in zijn geheugen opgeslagen zaken, maar vond niets. Er was iets... iets onafgemaakts.

Het buurtfeest had een hoog alcoholgehalte, het gejoel werd steeds luider en de menigte deinde rondom de vuurkorf. Niemand scheen hun komst op te merken. Er knalde iets in het vuur, waarschijnlijk een spuitbus, en er werd gegild. Een kind danste op de rand van het licht, een jongen in een slobberige joggingbroek, een jaar of zes, zeven, met een masker dat Shaw herkende – een van de Cat People uit *Dr Who*.

'Laten we het feest bederven,' zei Shaw. 'Het is misschien het leukste voetje-van-de-vloer dat ze sinds Mafeking hebben gehad, maar ik heb geen zin een arme vrouw te vertellen dat haar man is verbrand tegen een achtergrond van samenzang. Praat met ze, George, zorg dat ze het rustig houden. En vertel ze níét waarom we hier zijn; ze zouden kaartjes voor de avondwake verkopen voordat we bij de weduwe zijn. Ik zal proberen de wasserette te vinden.'

Shaw stapte uit en liep naar het midden van de straat; hij plantte zijn voeten zelfverzekerd uit elkaar, alsof hij hier de baas was. Hij keek om zich heen, maar je kon niet ver kijken in Erebus Street. Aan de ene kant de haven, aan de andere kant een T-splitsing. Twee hoekhuizen op de splitsing waren lokale oriëntatiepunten: in het oosten de Church of the Sacred Heart of Mary, een zwart neogotisch silhouet zonder toren; in het westen het stedelijke abattoir, Bramalls', vier bakstenen verdiepingen met smalle namaakschietgaten als ramen en kantelen, met één tunnelvormige ingang waardoorheen de veewagens het onzichtbare binnenplein op reden. Boven de ingang was de stenen voet van een zonnewijzer, waarvan de pijl al lang geleden verloren was gegaan, maar met nog steeds het devies van de bouwer in dertig centimeter hoge, gouden letters die het maanlicht weerkaatsten.

ALS EEN SCHADUW IS HET LEVEN.

Zijn mobiel trilde en toen hij hem checkte, zag hij dat Lena een foto had gestuurd: hun dochter Fran bij een vuur op het strand, haar voeten in zacht plastic schoenen. Hij wilde Lena een sms sturen, toen hij de voetstappen van Valentine terug hoorde komen. De brigadier veegde zijn mond af met zijn hand en Shaw vroeg zich af of hij er in de Crane snel een achterover had geslagen. 'De stroom is kort na de middag uitgevallen,' zei hij. 'De elektriciteitsmaatschappij is ermee bezig, maar ze zeggen dat er tot tegen middernacht geen stroom meer is... op zijn vroegst. Het feest is voor drie buurtbewoners die vandaag de zak hebben gekregen, in de haven. De kroegbaas zegt dat hij niet kon stoppen met tappen. Hij heeft gelijk. Er zouden rellen uitbreken. Het bier wordt elektrisch getapt, dus ze zijn overgegaan op sterkedrank en zwaar bier uit de fles. Maar ze zijn oké... apelazerus maar oké. Ik heb gezegd dat ze het rustig aan moeten doen.'

Hij trok zijn regenjas uit en hing hem over zijn smalle schouder. 'St James's stuurt later een auto. Puur voor de controle.' Hij spuugde op de grond en maakte zijn stropdas los. 'Ik heb gevraagd waar de vrouw van Judd kan zijn...' Hij stak haastig een hand op. 'Ik heb niet gezegd waarom. Gewoon routinecontrole. Ze zeiden dat ze, als ze niet in de wasserette is, in de kerk op de hoek zal zijn. Iemand zei dat ze van schietgebedjes hield – ze vonden het blijkbaar allemaal erg leuk. Deden het in hun broek.'

'Als je zo bezopen bent is ademhalen al ontzettend grappig,' zei Shaw.

Ze keken omhoog naar de maan, laag aan de hemel, vergroot door de warme laag vervuilde lucht boven de stad. Het leek de hitte nog intenser te maken.

'De wasserette is ginds,' zei Valentine.

De begane grond van een van de huizen was tot bedrijfspand verbouwd; het enige raam was bezaaid met stervormige stickers die reclame maakten voor spotkoopjes: SERVICEWAS – £ 2,50 PER KILO. GRATIS DROGEN BIJ LADINGEN BOVEN 5 KILO. Op het naambord stond *Wasserett Bentinc*; de laatste twee letters van beide woorden ontbraken. Een neonreclame boven de deur was uit, maar ze konden nog lezen wat er stond: 24-UURS WAS. Het raam van een slaapkamer op de bovenverdieping stond open, de vitrage bewoog niet.

Shaw roffelde op de deur, belde aan, niet verwachtend dat hij iets zou horen, maar boven ging een zoemer.

'Batterij,' zei Valentine. Hij had een zaklamp uit de kofferbak gehaald en scheen ermee in het donkere interieur van de zaak. Shaw realiseerde zich dat hij niet echt aan de deur had gevoeld. Die zwaaide moeiteloos open. De geur die naar buiten kwam was warm, vochtig en chemisch.

'We zijn gesloten.' De stem klonk achter hen, in de donkere straat, en toen verscheen er een vrouw met een waszak, een zwabber en een emmer.

Ze was lang, met sluik, blond, zelf kortgeknipt haar. Het soort lichaam dat alleen maar verticaal is, zonder welvingen, als een dekstoel. Als ze dertig was, was ze nog niet lang dertig. Geen sieraden, geen horloge, geen ringen. Shaw vond dat ze er gebleekt uitzag, alsof ze zelf gewassen was, te vaak. En haar handen waren rood, rauw zelfs, waar het voortdurende contact met waspoeder en bleekmiddelen de huid had geïrriteerd. Maar één merkwaardig detail: Shaw zag dat ze haar lippen gestift had, onbeholpen, en het meeste was verdwenen en had een kunstmatige roze rand achtergelaten.

'Uw zaak?' vroeg Shaw.

'Het is warm,' zei ze, de vraag negerend, en ze trok het T-shirt los van haar hals. De tekst op de voorkant luidde 'PAT GREEN: THE WAVE-ON-WAVE ALBUM' en er hing een snoertje van een mp3-speler uit een borstzak.

'Er is al sinds lunchtijd geen stroom meer. Ik lijd verlies.' Ze legde haar hand in een gewoontegebaar op haar heup. 'Maar goed, wie zijn jullie?' Haar accent was plaatselijk, met slechts een zweem van het zogenaamde estuarium-Engels dat in de jaren zestig vanuit Londen was overgewaaid.

Er stegen vonken op uit het vuur op de straat, knetterend als vuurwerk.

'Mevrouw Judd?' zei Shaw, stram rechtop, en de formele klank in zijn stem fungeerde als voorbode van slecht nieuws. 'Josephine Judd?' Hij toonde zijn politiepas en Valentine richtte de zaklamp erop. De brigadier frunnikte opnieuw aan zijn stropdas en probeerde hem wat losser te maken vanwege de hitte, terwijl zij Shaw bekeek, zoals altijd zonder stropdas, in een vlekkeloos wit overhemd. Ze raakte de rand van het pasje aan en Shaw besefte dat ze zijn troebele oog had opgemerkt, maar toen ze hem weer aankeek staarde ze er niet naar.

'Ja. Het is Ally... tweede naam. Nooit Josephine.' Ze wachtte tot ze iets zeiden, maar toen ze dat niet deden begreep ze de aanwijzing. 'Het gaat over Bry, hè?' Ze zette de waszak neer en zette beide handen in haar zij. 'Wat is er nu weer gebeurd?'

Ze hoorden voetstappen op de straatstenen. Een man bleef zes meter verderop staan, aarzelend om dichterbij te komen.

'Ally? Alles in orde? Iemand zei dat de politie rondneust... Klopt dat?'

'Dat klopt, Andy,' zei ze. 'Laat maar.' Ze deed niet vriendelijk, stuurde hem gewoon weg, alsof hij niet meetelde, alsof ze het tegen een kind had. Desondanks kwam hij dichterbij, enigszins onvast, en ze roken de alcohol in de warme lucht. Een grote bos zilvergrijze haren als een behangerskwast, een gezicht met onnatuurlijk diepe rimpels. Een kleine man, maar niet een van nature kleine man: een grote man die was gekrompen, verschrompeld. Hij droeg een wit overhemd met opgerolde mouwen en de spieren slobberden als hij bewoog, alsof ze bijna waren weggeteerd. Achter hem had de dansende jongen met het kattenmasker zich losgemaakt van de groep en wachtte nu roerloos wat er ging gebeuren.

De man verborg een smeulende sigaret in de kom van zijn hand.

'Andy is de vader van Bry,' zei ze, alsof hij een excuus nodig had om in zijn eigen straat te staan. Maar ze bleef Shaw aankijken.

'Bry? Wat is er met Bry?' vroeg Andy Judd. Een Iers accent, maar stads – Dublin of Cork.

'Wat is er gebeurd?' vroeg ze Shaw, Andy opnieuw negerend.

'Heeft Bryan ooit zijn arm gebroken – hier?' Shaw raakte zijn linker ellepijp op twee plaatsen aan.

Ze knikte en trok wit weg. 'Van zijn fiets gevallen – jaren geleden. Hoezo?'

Maar Shaw zag dat ze het al doorhad. Hij gunde haar nog enkele seconden.

'Ik ben bang dat we er tamelijk zeker van zijn dat Bryan betrokken is bij een ongeval in het ziekenhuis, mevrouw Judd,' zei hij. 'Het spijt me verschrikkelijk. Hij wordt vermist en er is een lichaam gevonden. Het lijkt erop dat ik erg slecht nieuws heb. De kans is, vrees ik, groot dat hij het is. Ik zou op het ergste voorbereid zijn. We moeten een match met zijn tandartsdossier proberen te vinden, maar dat kan even duren.' Shaw wist dat dát het detail was dat altijd voor zichzelf sprak.

Ally's hand kwam omhoog, maar verder reageerde ze niet. Andy Judd viel bijna en schuifelde snel met zijn voeten om overeind te blijven. De hand waarmee hij door zijn haren probeerde te kammen bleef steken.

'Niet Bry,' zei hij hoofdschuddend. 'Godsonmogelijk.'

'Rot op,' zei ze ruw, alsof ze jaren op deze kans had gewacht.

Hij keek, onmiddellijk gekleineerd, naar zijn schoenen.

'Het spijt me,' zei Shaw.

Haar vingers bewogen weer, en Valentine herkende de beweging en bood haar een sigaret aan. Ze viste er een uit een pakje Silk Cut. Valentine boog zich naar voren en stak hem aan. Ze keek theatraal dankbaar voor zijn hoffelijke gebaar. In het felle schijnsel van de aansteker zag Shaw dat ze niet zou gaan huilen; niet vanavond, nog lang niet, en misschien nooit.

Andy Judd liet zich stijf naast haar op zijn knieën zakken, maar hij raakte haar niet aan.

'Als het uw man is, is het goed te weten dat het heel snel moet zijn gegaan. Hij zal niet geleden hebben,' zei Shaw.

Valentine knikte en sloot zich aan bij het rituele rondje schrale troost. Het was misschien snel gegaan, maar om de dooie dood niet pijnloos. Hij dacht aan de verkoolde ruggengraat van het slachtoffer, zijn wijd open mond.

'Jezus,' zei Andy Judd. 'Heeft ...' Hij keek zijn schoondochter aan. 'Heeft hij het zelf gedaan?' Hij droeg een vieze blauwe overall en er verscheen een zweetplek op zijn borst.

'Nee, we denken niet aan zelfmoord, of aan een ongeluk,' zei Shaw. 'Maar we mogen nog niet in details treden. Zoals ik al zei, we hebben nog geen formele identificatie en dat zal tijd kosten. Voorlopig heb ik alleen wat vragen. We hoeven in dit stadium niet veel te weten, maar we moeten het wel snel weten. Lukt dat?' De vraag was aan haar gericht.

Ze keek op en de hand waarin ze de sigaret hield trilde langzaam. 'Heeft iemand Bry vermoord?'

Andy Judd stond op en raakte het hoofd van zijn schoondochter even aan, alsof hij haar zegende. Toen draaide hij zich wankelend om en liep naar het vuur. Toen hij de jongen met het kattenmasker passeerde nam hij hem bij de hand.

'Meneer Judd,' zei Valentine en hij zette een stap achter hem aan.

Ally hief beide handen. 'Nee, laat hem. Alstublieft. Ik zal alle vragen beantwoorden, maar laat hem.'

Ze keken toe terwijl Andy Judd zich weer bij de groep rond het vuur voegde. Een vals gezongen 'The Fields of Athenry' stierf weg, de menigte dromde samen en vormde een kleinere groep.

Onder het roken van nog drie sigaretten van Valentine vertelde Ally Judd hun in grote lijnen over de laatste dag van het leven van haar man. Haar stem was toonloos geworden, ontdaan van emotie, en Shaw vermoedde dat ze een begin van shock had. Zodra ze de belangrijkste dingen wisten zouden ze iemand van Gezinscontact sturen om bij haar te blijven, en een arts.

Bryan Judd was om tien uur opgestaan, zei ze, en was zijn tijdschrift gaan halen in de winkel op de hoek van Carlisle Street. De *Country & Western News*. Die kwam meestal op zondag binnen, al verscheen hij eigenlijk pas op maandag. Hij was teruggekomen met broodjes ham van het busje bij de nieuwe haven en ze hadden ze in de zaak opgegeten. Een van de droogtrommels had het die dag begeven en hij had hem gerepareerd, en toen was de stroom uitgevallen. Bryan had het elektriciteitsbedrijf gebeld om een klacht in te dienen en ze hadden gezegd dat er een ploeg onderweg was. Hij kon verder niets doen en had zijn fiets gepakt om naar het ziekenhuis te gaan. Zijn dienst begon om twee uur en hij ging altijd met de fiets; die zou wel in het fietsenhok van de Eerste Hulp staan. Ze had brood voor hem gesmeerd, zodat hij niet de deur uit hoefde om te gaan eten. Het spaarde hun geld uit. Soms haalde hij onderweg naar huis friet. Vanavond niet. Ze dacht erover na. Vanavond zeker niet.

Ze sloeg haar hand voor haar mond alsof ze zich opeens iets schokkends herinnerde, maar het was gewoon de eerste keer dat het echt tot haar doordrong dat ze alleen was. Ze spreidde haar knieën, zette haar handen op haar dijen en gaf over op het trottoir.

Valentine pakte de radio en vroeg om een arts. Shaw sloeg een arm om haar heen. 'Zal ik een glas water voor u halen?'

Ze knikte. 'Er is een aanrecht achter in de zaak,' fluisterde ze. 'Klop aan, als de deur dicht is. Neil – Bry's broer – is boven.'

Het was bedompt in de wasserette, klam. Aan de ene kant een rij stilstaande droogtrommels, aan de andere kant wasmachines, ertussenin houten banken.

De deur naar de keuken achterin was versterkt met ijzeren tralies. Hij rammelde aan de klink, liet de bundel van zijn zaklamp over het slot glijden, maar het ging niet open, dus klopte hij aan. Buiten op straat hoorde hij gejuich en hij bedacht juist hoe misplaatst dat was, toen de vloerplanken boven zijn hoofd begonnen te kraken en voetstappen even later een afdaling over een kale trap markeerden.

Er werd een sleutel omgedraaid en de deur ging open. Een jongeman knipperde met zijn ogen in het licht van de zaklamp. 'Papa?' Zijn stem klonk onduidelijk, nasaal en heel hoog, als van een kind. Shaw schatte hem op negentien, twintig. Hij was gekleed in een zwart T-shirt en een spijkerbroek. De lichtbundel viel op een gehoorapparaat in beide oren, het transparante type, op maat gemaakt en gedeeltelijk verborgen onder zijn dichte zwarte haren.

Shaw toonde zijn politiepas en sprak duidelijk. 'Recherche Lynn. Uw schoonzus heeft hulp nodig – ze is buiten. Ze heeft slecht nieuws gekregen. Een glas water?' vroeg hij terwijl hij langs hem heen probeerde te kijken.

'Wat is er gebeurd?' vroeg de jongeman. 'Ik sliep.' Hij wreef door zijn ogen. Shaw merkte de haperende medeklinkers op, het vlakke, toonloze ritme van de doven.

'Neil?'

Hij antwoordde niet. Zijn gezicht deed denken aan dat van zijn vader, maar veel verfijnder, een zachter model, een vrouwelijke versie.

Hij stapte opzij, zodat Shaw de keuken in het licht van de zaklamp kon bekijken. Er was een metalen aanrecht, een stapel zeeppoederdozen, wasverzachter in groothandelsflacons, een werkbank en gereedschap. Shaw draaide de koude kraan open en liet een glas vollopen. Ze hoorden een fles breken op straat, toen nog een, en gejuich. Nee. Gejoel ditmaal, boos en aangeschoten. Neil Judds hoofd schokte en Shaw vermoedde dat hij de trilling had opgevangen, de schokgolf, van het lawaai buiten. Hij rende op blote voeten door de maanverlichte wasserette.

Shaw volgde hem met het glas water, maar Ally Judd was verdwenen. Valentine praatte in zijn mobieltje. Licht had het aanzien van de straat veranderd, een rode, meedogenloze vuurtong brulde al als een vlammenwerper toen hij door het slaapkamerraam aan de straatkant van het huis barstte.

'Iemand heeft iets gegooid,' zei Valentine met zijn hand om de telefoon.

De menigte op straat versmolt in het donker, trok zich terug in de Crane of in de huizen, en liet de straat leeg achter, maar bezaaid met afval – halve bakstenen, flessen, wat bierblikjes. Shaw rende naar het midden van de straat om het beter te kunnen zien. Andy Judd stond met zijn schoondochter Ally voor het brandende huis. Toen implodeerde het raam op de begane grond en ze lieten zich languit op het wegdek vallen, maar Shaw zag nog net een hoofd binnen, een schim achter het verbrijzelde glas, de mond wijd open in een kreet, snel verzwolgen door rook. Maar de kreet bleef klinken, een aanhoudende, onmenselijke klank, als van een kat in het maanlicht.

4

ANDY JUDD GOOIDE SNIKKEND bakstenen door de kapotte ruit, maaide met zijn armen naar de vlammen. Ally probeerde zijn hand te pakken en hem weg te trekken van het vuur. Shaw schoot haar te hulp, maar de luchtdruk veranderde, zijn oren plopten en hij werd opnieuw op de grond gegooid toen de voordeur het begaf en een vuurtong als van een bunsenbrander liet ontsnappen. Toen hij weer opstond zag hij een lampfitting smelten in de voorkamer, het snoer bungelde heen en weer als een lont en het behang krulde om aan de muren. Er bewoog een schaduw, een arm die naar de hoek van een brandend gordijn sloeg, en de kreet hield aan, boven het bulderen van het vuur uit. De verf op de deur bladderde door de hitte binnen, het metalen nummer 6 veranderde van kleur naarmate de temperatuur steeg.

Shaw kreeg Andy Judds linkerarm te pakken en wrong hem deskundig op zijn rug. Hij draaide Andy om zijn as en sleepte hem van het trottoir af en de straat op, waar hij hem op het asfalt zette, tussen de in het wegdek verzonken metalen rails. Judd zakte machteloos in elkaar, als een marionet waarvan de touwtjes zijn doorgesneden.

Toen gebeurden er twee dingen tegelijk. Ze hoorden de sirene van een patrouilleauto die met flitsende zwaailichten Erebus Street in draaide. Toen, door het gordijn van vuur dat de verbrijzelde deuropening vulde, kwam er een man naar buiten. De rug van zijn jas stond in brand en de vlammen sloegen over naar een van de mouwen. Hij bracht de onmenselijke kreet met zich mee, die ene, aanhoudende klank. Hij liep de straat op, bleef een seconde staan alsof zijn pijn werd veroorzaakt door het bewegen van zijn ledematen, en viel toen voorover, eerst op zijn knieën, en toen raakte zijn schedel het wegdek met een geluid van ketsende biljartballen.

Shaw gooide zijn jack over hem heen, rolde hem om, twee, drie keer, om de vlammen te doven. De hoge kreet stierf weg. Ook Valentine knielde naast hem. 'De brandweer is onderweg... maar er is iemand boven,' zei de brigadier.

Ze keken om naar het huis en het raam op de eerste verdieping, maar er was niets te zien.

'Ik heb iemand gezien, een gezicht,' zei Valentine, wiens eigen gezicht baadde in het zweet. 'Zeker weten.'

Shaw draaide de man aan zijn voeten weer op zijn rug. Hij was jong, vijfentwintig misschien, en hoewel zijn ogen geopend waren, was zijn blik wazig. 'Pete zit in de val,' zei de man; er druppelde bloed uit zijn haargrens. 'Mijn huid is koud.'

'Hij is verbrand,' zei Shaw. 'Het zal pijn doen... dadelijk. Maar er is hulp onderweg. Blijf stil liggen. Pete... Is hij boven?'

Maar de man luisterde niet. 'Ik kan niet goed zien,' zei hij.

'Het is in orde,' zei een stem en toen Shaw zich omdraaide, zag hij een jongeman die naast hem op zijn knieën zat. Rond de twintig, broodmager, puntige ellebogen en een slecht geknipte kop zwart haar. Hij had een gave huid en een smalle bril, waardoor hij er serieus, professioneel uitzag. Hij droeg een T-shirt met een devies: *Barnardo's – Geloof in Kinderen.*

'Mag ik?' zei hij en hij schoof naar voren en pakte de hand van de man.

'Aidan. Aidan, ik ben het, Liam. Alles komt goed. Het is gewoon de schrik; het komt goed. Ik blijf bij je.' Hij keek snel op naar Shaw, alsof het risico bestond dat als hij het oogcontact met de gewonde man lang verbrak, hij de band niet meer zou kunnen herstellen. 'Het is een pension,' zei hij met een blik op het brandende huis. 'Geleid door de kerk. Ik ben Liam Kennedy, de beheerder. Deze man is Aidan Holme. Ik ken Aidan, ik moet bij hem blijven.'

Shaw stond op en liet hem dichterbij. Kennedy sloeg een arm om Holmes schouders en bracht zijn gezicht naar hem toe.

'Ik ga dood,' zei Holme en zijn ledematen begonnen langzaam te zwaaien. 'Ik zei toch...'

'Nee,' zei Kennedy, en hij probeerde luchtig te blijven. 'Je gaat niet dood. God is nog niet klaar, Aidan. Geloof me. Vertrouw op Hem.'

Shaw wendde zich tot Valentine. 'Hou de voorkant in de gaten,' zei hij. 'Zie hem in een ambulance te krijgen. Hen allebei. Hou contact...' Hij zwaaide met zijn mobiel en draaide zich toen om naar het brandende huis. Door de voordeur was onmogelijk; die was nog een rechthoek van vlammen, de kozijnen en de bovendorpel brandden als aanmaakblokjes. Maar Shaw vond een steeg die langs het huis naar de achtertuin leidde, door een gang met een halfrond bakstenen plafond.

Toen hij eruit kwam zag hij dat het vuur de hele begane grond stevig in zijn greep had. De keukendeur had één grote ruit en daarachter hadden de vlammen een koelkast en een magnetron al geblakerd, en de dunne spaanderplaten werkbanken krulden om in de hitte. Kastdeuren brandden en toonden lege schappen. Rook hing, gevangen, enkele decimeters onder het plafond, dik en grijs als slijm. De dubbele deuren van de achterkamer naar de tuin waren van hout en stonden in brand; het glas barstte en werd geblakerd.

Shaw luisterde opnieuw. Het vuur maakte een geluid als van een reusachtige gasbrander en toen – amper hoorbaar – een brandweersirene.

Er was geen tijd te verliezen. Hij trapte de tuindeuren in en bukte zich toen de vlammen bulderend naar buiten sloegen, deed een stap terug en wachtte tot de vuurzee naar adem hapte. De kamer was leeg, met alleen een tapijt dat kon branden. Een muurschildering van een naakte vrouw in woeste oranje en blauwe penseelstreken bedekte de grootste muur.

Shaw rende diep gebukt naar de gang en hield zijn hand voor zijn mond. In de voorkamer zag hij een driedelig bankstel, een vloerkleed en een tv. In het plastic blad van een salontafel ontstonden bobbels, die openbarstten. Willekeurige dingen: een trimfiets, een in de steek gelaten spelconsole op de kale vloerplanken, het aluminiumfolie van een afhaalmaaltijd in de open haard. Shaw knielde, haalde vlak boven de vloerplanken adem en voelde dat de lucht zijn longen verschroeide.

De trap, kaal hout, leidde tussen twee wanden van gipsplaat naar boven. Rook steeg op; het trappenhuis fungeerde als schoorsteen. Hij deed zijn ogen dicht en rende met drie treden tegelijk naar boven. Boven bleef hij staan en hield zijn adem in, en voor het eerst dacht hij dat hij een vergissing had gemaakt. Het had een berekend risico moeten zijn, maar het voelde aan als een postume onderscheiding. De dampen vertroebelden zijn blik en er bonsde een felle pijn door zijn hoofd. Hij zag een levendig beeld: Lena, rechtop in blauw water, een kalme zee die rond haar dijen kabbelde. Tien seconden; hij zou zichzelf tien seconden tijd geven.

Hij checkte de achterste slaapkamer – leeg – daarna de voorste. Er lag een ineengedoken gestalte op de kale planken; witte rook drong door de naden naar boven. Hij had onverzorgde haren die met een zwart lint tot een paardenstaart waren gebonden en droeg een oud, vies krijtstreeppak. Shaw zag dat zijn lippen bewogen en toen hij neerknielde, hoorde hij alleen het woord 'Jezus'. Hij opende zijn ogen, zag Shaw, en verborg zijn gezicht achter bevende handen. Maar Shaw had zijn gezicht gezien, en er zijn weinig emoties die een gezicht zó kunnen verlevendigen als angst. De witte harde oogrok was zichtbaar rond elke pupil.

Shaw greep hem bij zijn schouders, maar de man deinsde terug, zijn handen nog steeds voor zijn gezicht geslagen, zijn lichaam kronkelend. 'Ik kan daar niet naartoe gaan,' zei hij met onverwacht heldere stem. 'Hij is er.'

'Je gaat dood als je hier blijft,' zei Shaw. Hij hoorde dat de trap in brand stond, hun vluchtroute blokkeerde, en de rook die door de vloerplanken drong was nu zwart, giftig. 'Voor wie ben je bang?' vroeg hij terwijl hij probeerde te bedenken wat hij moest doen, te berekenen hoeveel tijd hij nog had voordat hij hem moest achterlaten om te sterven.

De man probeerde iets te zeggen, maar hij kokhalsde en hapte met zijn hoofd naar de grond gekeerd naar adem. Shaw meende twee woorden te verstaan: 'De organist'.

De zware werkschoenen van de man trappelden op de kale vloer terwijl hij probeerde weg te schuiven van het raam.

'Ik heb de voetstappen gehoord,' zei hij. 'Ze horen de voetstappen allemaal.'

'We gaan door de achterdeur,' zei Shaw, tot de conclusie komend dat dit een verwrongen angst was waar hij in mee moest gaan. 'Daar ziet hij je niet.' Hij pakte hem bij de gerafelde revers van zijn jas, tilde hem op en legde hem met één vloeiende beweging over zijn schouder. Boven aan de trap draaide hij zich om zijn as, met zijn rug naar het raam, en hield zijn last stevig vast.

Te laat. De hele trap stond in brand. Hij dacht dat Lena het hem nooit zou vergeven. Hij probeerde een beeld van zijn dochter te verdringen, met het dekbed tegen haar kin gedrukt.

Hij begreep niet wat er vervolgens gebeurde. Hij hoorde een geluid, een gesis als van een enorme braadpan. Toen werd hij getroffen door een waterstraal, die hem terugdreef naar de achterste slaapkamer. Toen hij op zijn knieën overeind kwam, stond er twee centimeter water op de vloerbedekking en hij hoorde het bruisen terwijl het over de verkoolde, rokende treden stroomde. Hij tilde de man opnieuw op en strompelde naar de trap. Elke houten trede kraakte terwijl hij hun dubbele gewicht snel verplaatste, naar beneden, naar de veiligheid.

In de nog brandende kamer beneden stond een brandweerman met volledige ademhalingsapparatuur, een persluchtfles op zijn rug. De vloer was een spiegel van water, het geluid van de stoom een sissend bulderen. Samen droegen ze de naar adem happende man naar de tuin en legden hem op zijn buik op het verschroeide gras. Hij stribbelde tegen toen een van de verpleegkundigen probeerde hem om te draaien en zijn handen om zijn hoofd legde.

Shaw zakte op zijn hurken om in zijn oor te praten.

'We zijn in de tuin. Pete. Kun je me verstaan? Wij zijn het maar... de brandweer, een ambulance. Je bent ongedeerd.'

Petes adem reutelde en toen hij hoestte, boog hij zijn rug en trok zijn knieën op tegen zijn borst. Ze rolden hem op een brancard en gaven hem een deken, die hij vastpakte en over zijn hoofd trok. Zo droegen ze hem door de bakstenen tunnel naar Erebus Street, alsof hij dood was.

5

EEN UUR LATER STOND Shaw voor een slaapkamerraam boven wasserette Bentinck en keek naar Erebus Street, waar bluswater uit verstopte riolen kwam en plassen vormde waarin de laatste vlammen van de brand op nummer 6, net buiten zijn blikveld, verderop in de straat in de richting van de kerk en het abattoir werden weerkaatst. Er was één brandweerwagen achtergebleven en Shaw kon juist zien hoe twee brandweerlieden water in het uitgebrande gebouw spoten. Hij wist dat er nu alleen nog een gat was waar het huis ooit had gestaan, een rottende, zwarte tand, hoewel de nok van het dak was overgebleven en als een hangmat tussen twee schoorstenen hing. De stroomstoring, beperkt tot Erebus Street en de aangrenzende havengebouwen, was nog steeds niet opgeheven en de meeste bewoners waren naar de koninkrijkszaal gebracht, een ontmoetingsplaats van de Jehova's getuigen, zo'n vierhonderd meter in de richting van de stad.

Achter hem lag Neil Judd, de jongere broer van Bryan Judd, op het eenpersoonsbed. Hij had Shaw te spreken gevraagd en gezegd dat hij informatie had die van cruciaal belang was voor het moordonderzoek. Shaw had besloten dat de achtergebleven leden van de familie Judd die nacht in Erebus Street moesten blijven. De hulpdiensten hadden draagbare verlichting en hij wilde niet dat ze in contact kwamen met de overige bewoners voordat ze een verklaring hadden afgelegd. Shaws verwondingen – enkele brandwonden aan zijn linkerhand en zijn rechterbeen, en een schram van een spijker op zijn rechterscheen – waren op straat behandeld. Hij was drijfnat, maar hij had een overall geleend van de brandweerploeg.

Het uitgebrande huis was, zoals Liam Kennedy hun had verteld, eigendom van de kerk op de hoek en werd gebruikt als pension. Aidan Holme en de man die Shaw uit de vlammen had gered, lagen in het Queen Victoria. Holme, vergezeld door Kennedy, lag op intensive care, waar hij vocht tegen de shock van de derdegraadsverbrandingen op zijn armen en nek. Zijn vriend was er beter aan toe, maar omdat hij rook had binnengekregen, zou hij nog achtenveertig uur of langer aan een ziekenhuisbed zijn gekluisterd. Andy Judd was ter plekke gearresteerd. Na een grondig medisch onderzoek had hij de nacht in een cel in St James's doorgebracht. De opsporingsdienst van de brandweer had bewijsmateriaal meegenomen uit het huis dat erop wees dat er minstens twee zelfgemaakte molotovcocktails door het kapotte benedenraam waren gegooid, hoewel het enige waarmee Shaw Andy Judd had zien gooien een halve baksteen was. Een team nam verklaringen op in de koninkrijkszaal, maar Shaw wist dat de kans klein was dat een van hen Andy Judd van brandstichting zou beschuldigen.

Ally Judd had bezoek gehad van de parochiegeestelijke, pastoor Martin, en had vervolgens een kalmerend middel gekregen. Nu lag ze thuis te slapen, naast de wasserette, met een agent van Gezinscontact naast haar bed. Het was bijna middernacht en Shaw was eigenlijk van plan naar huis te gaan en wat te slapen, om alert en klaar te zijn voor de eerste volle dag van het moordonderzoek. In de loop van de nacht zou Paul Twine, een kiene, pas afgestudeerde agent, de telefoonlijnen bemannen in de commandocentrale die Valentine op Niveau 1 van het ziekenhuis had ingericht, en een wakend oog houden op de gewonden. Shaw reed net met zijn Land Rover Erebus Street uit om naar huis te gaan, toen een uniformagent hem aanhield met een boodschap van brigadier Valentine: Neil Judd zei dat hij niet wilde slapen, niet kón slapen, omdat hij met iemand wilde praten. Hij had naar Shaw gevraagd.

De slaap zou dus moeten wachten.

Shaw draaide zich om en keek naar Neil Judd, die rechtop tegen zijn kussens zat en een slok water uit een fles nam. De zit-slaapkamer lag recht boven de wasserette en hij deelde de keuken met zijn vader, een weduwnaar, wiens slaapkamer naast die van zijn zoon lag. Neils kamer was volgepropt met jeugdsouvenirs – netjes opgestapelde tijdschriften, cd's en dvd's en de bijbehorende technologie: een iPod met geluidsinstallatie, een dvd-speler, coole donkere Wharfedale-luidsprekers, een laptop.

Dit alles vormde een schril contrast met de kale, praktische inrichting van de kleine gezamenlijke keuken, de roestige petroleumkachels in alle vertrekken en de kale vloerplanken. Het appartement rook naar goedkoop talkpoeder, aftershave en gewassen kleren. Andy's kamer had veel weg van een cel: vlekkeloos, maar zonder één persoonlijke noot, afgezien van een ingelijste foto van de O'Connel Bridge in Dublin. De muren van Neils kamer daarentegen waren bezaaid met filmposters: *No Country for Old Men, In the Valley of Elah, The Godfather II*. Een Japanse cartoon, ingelijst, met bloed dat uit een afgehakte arm droop.

Omdat er nog steeds geen stroom was, had Neil twee nachtlampen op de vensterbank gezet en een kaars op het nachtkastje. Maar het TR-team had een halogeenlamp op de gang gezet, die namaakdaglicht in de kamer wierp.

Shaw vond dat er iets mis was met de kamer, alsof hij van een jonger iemand was, een jongen van vijftien misschien. Een jongen van vijftien over wie je je zorgen zou maken. Aan de muur hing een poster van *Taxi Driver*, met Robert De Niro als burgerwacht, halfnaakt, met wapens op zijn huid geplakt, een mes tegen zijn bovenarm, klaar om onder zijn jack in zijn hand te glijden, een vuurwapen in een holster bij zijn kruis. En dan de tijdschriften, griezelig netjes opgestapeld op twee planken. Shaw trok er een tussenuit: *Martial Arts Illustrated*.

'Je wilde ons iets vertellen,' zei hij aansporend. Het was Shaw opgevallen dat Neil Judd, als iemand iets zei, zijn hoofd omdraaide en zijn oor naar het geluid toe keerde. Maar er was niets onderdanigs aan de tic, want hij ging gepaard met een korte blik van ergernis, alsof het Shaws schuld was dat zijn stem niet duidelijk verstaan werd.

'Ik weet niet waarom pa het heeft gedaan, waarom hij op ze af is gegaan, op die zwervers in het pension.' Shaw merkte dat Neil Judd, als hij het wilde, als hij de zin voorbereidde, het dof makende effect van zijn doofheid op zijn uitspraak volledig kon maskeren.

Valentine stond met zijn rug tegen de klerenkast en probeerde in gedachten een optelsom te maken. Hij wist weinig van moderne techniek of van de lonen in de haven – Neil Judd zei dat hij onlangs was begonnen als stuwadoor, de oude baan van zijn vader – maar hij schatte dat er voor minstens een paar duizend pond aan apparatuur in de kamer stond. En Neil Judd werkte niet fulltime, had hij hun trots verteld, maar alleen als hij vrij had van school.

Valentine klopte een Silk Cut uit zijn pakje, maar voordat hij hem kon opsteken vroeg Neil Judd: 'Kunt u er een missen?' Ze staken allebei een sigaret op, met Valentines aansteker.

Judd stopte een hand onder zijn T-shirt en wreef over zijn maag, pakte toen met zijn andere hand zijn blote voet beet en boog hem zodat hij zijn voetzool kon inspecteren. 'Hij had gruwelijk de pest aan ze, aan die lui in het pension,' zei hij. 'Bry gebruikte, ja toch? Hij heeft altijd gebruikt – geen harddrugs, alleen maar dope. Maar ze gaven hem iets te drinken. Green Dragon...'

Hij keek Valentine aan, voelde dat de oudere man het wel zou weten.

De brigadier knikte. 'Skunk en pure alcohol.' Hij keek Shaw aan. 'Het is vooral verkrijgbaar via de schepen vanuit Nederland.'

Neil rekte zich uit op het bed en Valentine besefte hoe tenger hij was, hoe broos zijn botten waren. Shaw vroeg zich af waarom Judds gezicht zo veel vreemde zelfingenomenheid uitstraalde, alsof zijn avond volgens plan verliep. De dood van zijn broer leek een emotionele gebeurtenis die tot een andere wereld behoorde. Toen hij de rook van zijn sigaret uitblies, deed hij dat in een lange pluim naar het plafond.

'Bry probeerde af te kicken – vraag Ally maar – en het was hem gelukt, al een jaar, misschien langer. Maar ze hebben hem weer overgehaald en hij kon er niet vanaf komen.'

Shaw vond dat Neil Judd, het hele gezin, iets weeïgs had, alsof ze allemaal slachtoffer waren, of slachtoffer wilden zijn. 'Waar haalde hij het geld vandaan?' vroeg hij. 'Een baantje in het ziekenhuis brengt vast niet genoeg op voor zo'n verslaving.'

Judd slikte moeizaam. De vraag leek hem in verwarring te brengen. Hij ging rechtop zitten en trok zijn T-shirt omhoog en over zijn hoofd.

'Het is warm,' zei hij bij wijze van verklaring, maar Shaw en Valentine wisten waarom hij het deed. Hij was inderdaad tenger, maar onder zijn T-shirt waren zijn spieren duidelijk zichtbaar, scherp afgetekend als het schoolvoorbeeld van een wasbord. Hij boog zijn hand als een klauw. 'Hij betaalde er niet voor. Hij gaf ze er iets voor terug, dingen uit het ziekenhuis.' Hij glimlachte. 'Dat komt door jullie... De politie gebruikt de verbrandingsoven om drugs te verbranden – straatspul. Die vent in het pension, Holme... Hij en Bry hadden een manier bedacht om het naar buiten te smokkelen, zodat het leek alsof het in rook was opgegaan. Maar dat was het niet. Bry pikte het en gaf het aan hem...' Hij stond op en liep op de ballen van zijn voeten met lichte tred naar het openstaande raam.

Shaw wierp Valentine een snelle blik toe, vroeg hem met zijn ogen of het mogelijk was. Zijn brigadier haalde zijn schouders op; hij was er niet gelukkig mee dat hij weliswaar had uitgedokterd dat het georganiseerde misdaad was, maar het verband met drugs had gemist. Achteraf gezien had het duidelijk moeten zijn. Drugs waren immers het verrotte hart van de moderne misdaad.

'Bry wilde het afblazen,' zei Judd. 'Hij had het tegen Holme gezegd, maar er was gevochten en Bry kwam toegetakeld thuis... snee boven zijn oog. Hij huilde. Papa zag het. Ze waren niet dik met elkaar, al jaren niet, maar hij zag het en hij wist dat Holme hem ertoe dwong, hem dwong zijn leven te vergooien.'

'Wacht eens even,' zei Shaw. 'Bedoel je dat die Holme, uit het pension, je broer heeft geslagen?'

Neil Judd sloeg met een vuist op zijn borst. 'Geslagen!' riep hij. 'Jezus... Bry was doodsbang. Holme zei dat hij er nu niet meer mee kon kappen, dat ze hem zouden vermoorden.' Neil Judd knikte, bleef knikken en liet het idee in de lucht hangen.

'Zei hij dat?' vroeg Valentine terwijl hij een aantekening maakte. 'Letterlijk? Wanneer was dat?'

Shaw liep naar het raam terwijl Judd terugkeerde naar het bed. Hij keek naar beneden en zag dat er een priester bij de ruïne van het afgebrande huis stond. Hij zag dat hij een kruis sloeg en vervolgens een nummer intoetste op een mobiel.

'Een week geleden, ja... in het weekend,' zei Judd terwijl hij zich uitrekte. 'Op zondag. Bry was op weg naar zijn werk en hij ging naar ze toe om het ze nog eens te zeggen, te zeggen dat hij niet meer meedeed. Ik denk dat er een grote partij aan zat te komen... Bry kreeg het te horen omdat hij plaats moest maken voor de vracht en klaar moest staan om ervoor te zorgen dat alles gesmeerd ging. Hij zei dat het er altijd krioelde van de politie, dat het link was wat ze deden. Hij zei dat Holme door het lint was gegaan, hem te lijf was gegaan, en dat Bry niet de enige zou zijn die eronder zou lijden als hij er nu mee kapte. Holme zei dat hij Ally ook zou laten lijden. Hij sloeg Bry op zijn oog, een paar keer, zodat het opzette. Het wit was helemaal bloeddoorlopen.'

Terwijl hij dat zei kon hij zichzelf er niet van weerhouden in Shaws blinde oog te kijken, waarvan de witte vollemaanspupil merkwaardig doordringend was. Hij draaide zich op een schouder om, zodat hij het kussen onder zijn hoofd kon trekken. Daarna zette hij een asbak op zijn knie, maar Valentine bood hem geen tweede sigaret aan. De voet van de jongeman bewoog heen en weer van de adrenaline, als een ruitenwisser; de onderkant van zijn voet was zwart doordat hij ermee over straat had gelopen.

'We moeten een formele verklaring hebben,' zei Shaw. 'Morgen. We komen wel hierheen.'

'Goed. Geen punt. Het is niet meer dan terecht... Die lul moet boeten voor wat hij gedaan heeft.' Zijn stem klonk vlak, alsof hij zijn emoties voorlas in plaats van ze te voelen.

Ze lieten hem rusten en liepen de trap af en door de wasserette naar de straat. Agent Jackie Lau stond op de stoep. Lau was in de dertig, klein, stevig gebouwd en strijdlustig. Ze bracht haar vrije tijd door met racen in de Norfolk Arena: stockcars, opgevoerde gewone auto's. Ondanks de hitte droeg ze een leren jack, en haar Mégane, compleet met vinnen en spoilers, stond langs het trottoir. In haar ene hand had ze een notitieboek en in de andere een half in folie gewikkelde sandwich met spek. Valentine had een uur geleden al gezegd dat ze mocht uitklokken, maar ze had per se willen nagaan of de twee mannen in het pension in het archief van St James's voorkwamen.

'Die mannen in het pension, brigadier. Ik heb wat gegevens.'

Ze legde de sandwich op het dak van de Mégane. Shaw hoorde voetstappen in de straat en toen hij in de richting van de kerk keek, zag hij de priester weer, tussen de zerken op het kleine kerkhof.

'Holme, de zwaargewonde,' zei Lau. 'Aidan Smith Holme – heeft een strafblad zo lang als de arm van een heroïnejunk. Tweeëndertig. Er loopt een aanklacht tegen hem... dealen. Derde keer. Twee keer schuldig verklaard, maar nooit gezeten. Komt eind deze maand voor. Borgsom gestort door een familielid, een oom, die hem blijkbaar vertrouwt: hij heeft vijfduizend pond opgehoest. Hij was vroeger docent aan een technische school. Algemene vorming. Raakte zijn baan kwijt na de eerste veroordeling. Hij dealde onder de leerlingen.'

'Zijn verweer ditmaal?'

'Onschuldig.'

Als hij een borgsom kan regelen, kan hij zich ook een goeie advocaat permitteren, dacht Shaw. Maar als hij zich er niet onderuit kon wurmen, zou hij flink moeten brommen, twee tot vijf jaar bij de derde veroordeling.

Shaw drukte de muis van zijn hand in zijn goede oog en masseerde de huid. Het zat hem niet lekker dat hij niet had geweten waar het korps van West Norfolk in beslag genomen drugs vernietigde. Hij had nooit bij Drugszaken gewerkt, en Valentine evenmin. Het was een zwak punt – erger nog, een zwak punt dat ze deelden.

'En die "Pete" – die van boven?'

'Volgens de priester – pastoor Martin – heet hij Hendre, met een "e" op het eind. Ook die naam komt in onze database voor. Peter Hendre – als het dezelfde is – was boekhouder. Ontslagen in 1990. Hij had een paar oude dametjes getild terwijl hij hun financiën regelde. Een familielid merkte dat het niet klopte. Acht aanklachten – drie jaar achter de tralies. Hij is recent weer opgedoken in de buurt; was een jaar weg geweest, pas een paar dagen terug. Ze gaven hem een leegstaande kamer. Het pension is blijkbaar alleen voor de zwervers die ze vertrouwen. Ze moeten clean zijn – geen drank, geen drugs, geen seks. Volgens Martin is Hendre behoorlijk gestoord: paranoia. Maar hij gebruikt niks, helemaal niks. Hij had nooit gehoord van een zekere...' Ze raadpleegde haar aantekeningen. '... Organist?'

Shaw knikte.

'Maar hij zei dat Hendre de vorige keer dat hij hier was, beweerde dat hij werd gevolgd door een man met een witte jas en een slagershakmes. Zo gek als een deur.'

Shaw liep naar het midden van de straat. Hij was nu over zijn vermoeidheid heen, opgepept door de verklaring van Neil Judd. Hij ademde een teug nachtlucht in. Valentine keek op zijn horloge, een Rolex die hij voor vijf pond op de Tuesday Market had gekocht. Kwart over twaalf. Hij trok zijn regenjas om zich heen. Ze hadden een verdachte, een motief, en het onderzoek was nog geen zes uur oud. Als ze een paar losse eindjes aan elkaar konden knopen, kon hij misschien voor de laatste tien minuten de Artichoke binnenglippen. Die had op zondagen een nachtvergunning tot één uur. Daarna misschien pitten?

Maar Shaw had andere ideeën.

'Jackie,' zei hij. 'Ga wat slapen en wees dan morgenvroeg om zeven uur in het ziekenhuis. George heeft een commandocentrale vlak bij de plaats delict opgezet. Zorg dat je er bent.'

'Goed, inspecteur.' Ze propte het laatste stuk spek in haar mond en startte de Mégane. Enkele loszittende ramen rammelden door het brullen van de motor.

Shaw keek de auto na terwijl die bij het abattoir om de hoek verdween.

'Wij hebben niet echt een schoonheidsslaapje nodig, wel. George? Wat vind je van wat overuren?'

Valentines schouders zakten af. 'Nu?'

'Ja, nu. Bel het ziekenhuis, zoek die Kennedy voor me. Als hij de beheerder is, woont hij dan hier, in de straat? Zoek het uit. Vraag of hij naar huis komt en zo ja, zeg dat we hem willen spreken. Hij kent Holme, kent hem goed. Ik wil weten wat hij weet en ik wil het nu weten. Holme zei iets tegen hem, hier, op straat. Toen Holme zei dat hij doodging, zei hij erbij: "Ik zei het toch..." – alsof hij het voorspeld had. Ik wil weten wat dat betekende.' Hij wipte op zijn tenen op en neer en keek om zich heen. 'Als hij in het ziekenhuis blijft gaan we naar hem toe.'

Terwijl Valentine belde luisterde Shaw naar de nacht. Het was stil nu, in het spookuur na middernacht, op het druppelen van water na dat door de bouwval van nummer 6 stroomde en plassen vormde in de kelder. Terwijl Valentine zich een weg lulde door de telefooncentrale van het ziekenhuis om Kennedy op te sporen, liep Shaw naar de oude havenpoort, draaide zich om en keek naar het gotische silhouet van de Sacred Heart.

Valentine stond naast de auto. Hij klapte zijn telefoon dicht en stak een sigaret op. 'Kennedy is op weg hierheen in een van onze patrouillewagens – tien minuten. Hij woont bij de kerk.'

'Geweldig,' zei Shaw.

En toen klonk, doordringend, het geluid van rennende voeten in het donker. Er bewoog niets op straat, maar het geluid was even onmiskenbaar als een luidende klok. Shaw kon de hele straat overzien; nergens bewoog iets. Achter de huizen aan weerszijden lagen geasfalteerde paden. Kwam het geluid daarvandaan? Geen gewone voetsappen. Metalige voetstappen. Shaw stelde zich voor dat ze een rij vonken opwierpen in het donker. En toen waren ze verdwenen.

6

SHAW EN VALENTINE STONDEN zwijgend naast elkaar, onderzochten de nacht op het geluid dat ze beiden hadden gehoord. Het was een rare kant van hun verstandhouding, een die ze geen van beiden ooit openlijk zouden toegeven: dat ze zonder iets te zeggen wisten dat ze precies hetzelfde dachten.

'Roep een paar uniformagenten op om de stegen te doorzoeken,' zei Shaw. 'Er loopt iemand rond.' Hij keek op zijn horloge. 'Iemand die niet rond hoort te lopen.' Maar Valentine ging er zelf opaf. Hij liep stram maar snel naar de dichtstbijzijnde toegang en verdween in de schaduwen, intussen al telefonisch assistentie inroepend.

Toen hoorde Shaw opnieuw voetstappen, maar ditmaal schuifelend en zacht. Hij keek achterom naar de havenpoort en zag een man die uit de schaduwen kwam, een hek opende en met een zaklamp zwaaide, zodat het licht bij zijn voeten danste. Op de borstzak van een nette blauwe overall zat een badge met de woorden NORTH NORFOLK POWER. Hij was midden vijftig, en met zijn academische halve brilletje zag hij er misplaatst uit in zijn overall. Een professor op een bouwplaats. Hij zei dat hij Andersen heette, hoofd Leveranties, en de ronde deed.

'Politie? De brandweercommandant zei dat ik met u moest praten – we zijn hier om de stroomvoorziening weer op gang te krijgen. We hebben eerder al een team gestuurd, maar ze hebben me gewoon...' Shaw herinnerde zich het witte busje dat hij bij de havenpoort had zien staan toen ze in Erebus Street waren aangekomen. 'Ik heb een probleem en ik vind eerlijk gezegd dat het uw probleem zou moeten zijn.'

'Ik zal zo spoedig mogelijk een agent sturen. Tien minuten?'

Andersen haalde zijn schouders op. 'Oké. Maar ik denk dat u er spijt van zult krijgen dat u zelf niet even hebt gekeken. Geloof me.'

Shaw voelde de spanning door zijn aderen bruisen. Hij moest door, moest zich concentreren; hij had geen behoefte aan zinloze afleidingen. Maar hij wist dat het een houding was die tot rampen kon leiden. Het was nog veel te vroeg om verschil te zien tussen een zinloze afleiding en een cruciale aanwijzing, zes uur na het begin van een moordonderzoek. Hij dwong zichzelf te ontspannen; hij liet zijn schouders zakken, ontspande zijn nekspieren en hield zichzelf voor dat hij moe was, gestrest.

Hij volgde Andersen naar het hek, door de poort en om een paar stoffige struiken heen tot ze het transformatorhuis zagen. Het baadde in het licht van een kleine acculamp die aan een tak hing. Shaw schatte dat het gebouw uit het interbellum dateerde, een betonnen prefabgebouw, vaag vermomd als Griekse tempel, met een rij halve zuilen, een geornamenteerde boogpoort en crèmekleurig geschilderd pleisterwerk. Er was zelfs een fries met naakte Griekse atleten: een discuswerper, een kogelstoter en worstelaars. De genitaliën waren met een spuitbus aan de oorspronkelijke sierlijke klassieke lijnen toegevoegd, evenals een graffitikreet, TOG, in krullerige, bolle letters.

'Een beetje een collector's item,' zei Andersen. 'Gemeentemonument, 1949. Gerenoveerd in de jaren negentig. Als je nu zoiets zou bouwen, zou je een bakstenen doos uit een catalogus pikken. Toen hadden ze nog wat burgermanstrots.'

Shaw bekeek het gezicht van de monteur, zag de wallen onder zijn ogen, het bloeddoorlopen oogwit, de slappe huid. 'Lange dag gehad?' vroeg hij. 'Ik hoop dat u overwerk uitbetaald krijgt.'

Andersen lachte. 'Grapje zeker. Het hoort bij mijn werk, inspecteur. Volgens ons contract zijn we alleen verantwoordelijk voor het herstellen van de stroomvoorziening – tot dan blijf ik ter plekke.' Hij gaapte, zodat zijn lichtroze keelgat zichtbaar was.

Andersen opende een versterkte metalen deur en knipte een zaklamp aan.

'Ze hebben het slot opengeknipt,' zei hij en hij wees naar een hangslot waarvan de beugel was doorgeknipt.

Binnen was er een kleine ruimte van kaal beton en de rest van het gebouw was volgestouwd met een soort reusachtige radio uit de jaren dertig, of een antieke computer: schakelpanelen, geïsoleerde bedrading, printplaten, koper, aluminium, staal en plastic. Ondanks de smerige omgeving waren de machines niet aangetast door roest. Als elektriciteit een aroma heeft, werden ze er nu door overspoeld: de zwakke nasmaak van warm plastic en verhit metaal.

‘Ook dit is bijna museumkwaliteit,’ zei de monteur terwijl hij zijn zaklamp in het rond zwaaide. ‘Gemoderniseerd, zoals ik zei, in de jaren negentig. Nu verouderd. We nemen niet de moeite om het te repareren. We slopen het eruit. Dat betekent dat we nog even zonder stroom zitten, dus we leveren nu tijdelijk via een kabel.’

De monteur knielde op de plek waar iemand een krijtstreep had getrokken.

Voordat hij verder iets kon zeggen, zag Shaw iets waardoor zijn hart oversloeg: één enkele lucifer op de betonnen vloer, afgestreken, maar keurig doormidden gebroken en in v-vorm gebogen – precies zoals de lucifer die ze in het ziekenhuis hadden gevonden, op de plek waar Bryan Judd stiekem had staan roken. Maar Bryan Judd had een aansteker gebruikt.

Shaw zakte op zijn hurken. ‘Rookt u? Of een van uw mensen?’

Andersen schudde zijn hoofd.

Shaw dacht na over vaste gewoonten. Je strijkt de lucifer af, breekt hem met één hand en knipt hem weg. Geen asbak – gewoon op de grond. Het soort gewoonte dat je aanleert als je buiten werkt, de hele dag, elke dag.

Andersen liet de bundel van zijn zaklamp over de betonnen vloer glijden en ze zagen een vlek als van een grote hoofdwond. Shaw rook verdampende brandstof, waarschijnlijk kerosine. Er lag een omgevallen, niet gebroken fles – een melkfles – met een half verbrande lap in de hals. Een brandspoor naar de elektrische installatie, en een bundel draden, als blootgelegde zenuwen, vormde een gesmolten massa. Shaw kon de herinnering niet onderdrukken en hij zag weer de arm zonder hand van het slachtoffer in de verbrandingsoven, het vlees samengesmolten door de hitte.

Ze hoorden voetstappen achter zich en Valentine verscheen. Hij zocht Shaws blik. ‘Niets in de stegen – ze checken nu het onbebouwde terrein, maar het is daar verlaten.’ Hij stapte naar voren en nam het schouwspel in zich op. ‘Molotovcocktail?’ vroeg hij.

‘Precies,’ zei de monteur. ‘De brandweercommandant vertelde dat er sporen van andere zijn gevonden in het uitgebrande huis. Er is dus ergens een kleine productielijn – iemand is pyromaantje aan het spelen.’

Shaw bekeek de apparatuur. Een schakelpaneel vertoonde zwarte brandsporen. ‘Dat snap ik niet – alsof ie niet geëxplodeerd is.’

'Dat is ook zo, denk ik. Ze hebben twee dingen verkeerd gedaan. De fles is niet gebroken – misschien hebben ze hem naar binnen gemikt en zijn 'm meteen gesmeerd – en ze hebben de deur achter zich dichtgedaan. Deze dingen zijn bijna luchtdicht. Het vuur heeft de zuurstof verbruikt en is toen gedoofd.'

'Maar de stroom viel wel uit?' vroeg Valentine, met zijn voeten schuifelend omdat zijn rug pijn deed. Zijn hoofd hing nog lager op zijn nek van vermoeidheid.

'Ja. Als dat de bedoeling was hebben ze mazzel gehad. De vlammen van die lap hebben die draden daar bereikt...' Hij wees met een schroevendraaier. 'Het isolerende plastic is gesmolten en twee kabels raakten elkaar – dus ja, boem. Door de kortsluiting zijn er een stel zekeringen doorgeslagen en een paar geïsoleerde panelen gebarsten – dus we kunnen zelfs geen noodverbinding aanleggen.'

'Er zijn meer stroomstoringen geweest,' zei Shaw. 'We waren in het ziekenhuis en ook daar zaten ze zonder.'

'Een paar. Als iets dergelijks uitvalt stoort dat het hele net. We moeten goochelen met de stroomtoevoer, wat extra belasting betekent voor delen die daar niet op zijn berekend, waardoor we later op de dag, toen iedereen de ketel opzette, nog een paar units kwijtraakten. Alles is nu weer in orde, behalve deze.'

Shaw dacht erover na: de stroomstoring in het ziekenhuis, de stilstaande transportband, de zaklamp met de letters MVR. Stukjes van de legpuzzel die niet leken te passen.

'Die lap?' vroeg Shaw. Hij was voor zover ze het konden zien maar aan één kant verbrand. De rest was wit, ontsierd door de felrode vlek.

Shaw snoof de warme lucht op. Hij liep door, tot een paar centimeter van de lap. Misschien verbeeldde hij het zich, maar hij meende een zweem van ijzer te ruiken boven de geur van de kerosine uit.

Valentine kon niet op zijn hurken gaan zitten, al had hij het gewild, dus hij deed een gok. 'Bloed?' vroeg hij.

'Misschien,' zei Shaw. 'Maar we kunnen ons beter afvragen waarom. Waarom de stroomtoevoer afsnijden, en waarom in Erebus Street? En waarom om twaalf uur 's middags?' Hij draaide zich om naar Valentine. 'En bestaat er een verband met Bryan Judd en het ziekenhuis? Judd is vanmorgen tussen zeven uur vijfenveertig en acht uur eenendertig gestorven. De gebroken lucifers zijn hetzelfde, maar dat zegt niet veel. Op elke duizend rokers zijn er een paar die dat doen – het is zo'n maniertje uit zwart-witfilms: Bogart, Jimmy Cagney, die generatie. Maar als er geen verband bestaat, is het toeval. En daar houden we niet van, hè, George?'

Andersen veegde zijn handen af aan een duizenddingendoekje dat hij uit zijn zak haalde en trok de kraag van zijn overhemd los van zijn hals. 'Nou, de stroomtoevoer afsnijden heeft weinig effect op de verwarmingsketels – het is buiten minstens vijfentwintig graden. Maar als je geen stroom meer hebt, heb je een heleboel dingen niet meer: tv, radio, klokken – sommige klokken.'

'Deurbellen, sommige deurbellen,' zei Valentine hem na.

'Of lampen,' zei Shaw. 'Als je de stroomtoevoer afsnijdt is het donker. Geen straatlantaarns, geen licht in huis. Alleen maar duisternis. Als je niet gezien wilt worden, word je ook niet gezien.'

Valentine stak een Silk Cut op; de opflakkerende vlam werd nauwelijks weerkaatst in zijn halfgesloten ogen. 'Ja. Dat zou kunnen.' Hij kon de misprijzende klank in zijn stem niet onderdrukken. Hij had een zwak voor insubordinatie. 'Dan leg je een vuur aan en je danst eromheen.' Hij blies de lucifer uit, brak hem doormidden en stopte hem in zijn jaszak.

Ze zochten zich een weg terug naar Erebus Street, waar de maan nog stralend aan een onbewolkte hemel stond. Valentine depte het zweet van zijn voorhoofd.

'Warm,' zei Shaw. 'Wat je tijdens een hittegolf nodig hebt, écht nodig hebt, is ijs. Koelkasten, diepvrieskasten. En airco. Snij de stroomtoevoer af en alles kookt.'

'En dan?' zei Valentine.

Shaw snoof de nachtlucht op. 'Dan begint er iets te rotten.'

7

EEN MINUUT LATER, OM twaalf uur zesenveertig precies, was er weer stroom; Erebus Street baadde in het licht en de schaduwen zochten haastig dekking. De straatlantaarns flikkerden snoepjesoranje aan en verlichtten de slierten rook en stoom uit het uitgebrande huis. Boven op het steile dak van de kerk verspreidde een neon kruis, grimmig als het kruis van Christus, limoengroen licht. Halverwege de straat flikkerde felgroen het 24-UURS WAS-reclamebord van de wasserette. De drukkende hitte hing nog in de straat, maakte de lucht benauwd en vertekende de rechte stedelijke lijnen, als een luchtspiegeling.

Shaw zat in de Land Rover, met opgetrokken knieën en zijn hoofd achterover, en gunde zijn ogen rust terwijl hij wachtte op de patrouilleauto die Liam Kennedy, de beheerder van het pension, terug zou brengen naar de kerk. Ook Valentine wachtte, op een van de schragentafels voor de Crane, rookte genietend en keek naar zijn schoenen.

Shaw dacht dat hij over zijn slaap heen was. Hij dacht na over de melkfles, vol brandstof, en de bebloede lap. Hij had Valentine gevraagd het hoofdbureau te bellen en opdracht te geven om speekselmonsters te nemen van iedereen die ze op straat voor het pension hadden gearresteerd. Ze hadden zoals altijd vingerafdrukken genomen, maar speekselmonsters waren een poging waard, ingeval ze DNA op de fles vonden. Hij probeerde zich op de zaak te concentreren, maar zijn gedachten dwaalden af naar het strand, naar zijn wereld, een tegengif voor plekken zoals Erebus Street en de mensen die daar woonden.

Het strand. Eerder die avond – het leek nu wel een foto uit andermans leven – had hij op het strand naar de zonsondergang zitten kijken, met achter zich de wereld en voor hem niets dan het zeegezicht dat wemelde van tinten verschuivend blauw en gebroken wit. En het blauw, het speciale felblauw van een zomerlucht, maakte dat er iets door zijn aderen bruiste, zoals de endorfinen die hem aanzetten tot rennen en zwemmen. Ook de ozonkick was tastbaar, kwam in golven zoals de zee, vooral als het water was gebroken en in een bruisende poel over het vlakke zand gleed.

Als hij alleen op het strand was zat hij altijd op dezelfde plek, op een plaats waar hij als kind tot rust was gekomen. Dat uitzicht, vanaf precies dat punt, kende hij al zijn hele bewuste leven; hij vroeg zich zelfs wel eens af of het in zijn DNA zat, een erfenis van een onbekende voorouder. Of van zijn vader? Hij had hem voor zijn dood moeten vragen of híj hier als kind ook was gekomen. Ze hadden hier in elk geval samen gespeeld. En hij op zijn beurt had zijn dochter, Francesca, zien rondrennen en dan op deze zelfde plek zien stoppen om naar de zee te kijken. Shaw dacht graag dat ze in haar hoofd precies dezelfde reeks beelden had gevonden als die welke in het zijne zaten. DNA als kaartverwijzing. Het was een panorama: achter hem de begroeide duinen met hun verborgen amfitheaters van zand, het strand dat in zuidelijke richting naar de hutten en het reddingsstation in Old Hunstanton leidde, een pokdalig groepje houten daken, en de zee zelf – niet één enkel beeld, maar twee: in het westen op heldere dagen de lage heuvels van Lincolnshire aan de overkant van de Wash, en in het noorden leidde het strand naar Holme, waar de Engelse kust zich eindelijk naar de Noordpool keerde, een grote zandvlakte, geribbeld als een reusachtige vingerafdruk, waarvan de vloedlijn werd gemarkeerd door kromgebogen dennenbomen, ineengedoken tegen de wind.

Toen het Old Beach Café te koop werd aangeboden, was de locatie perfect geweest, een combinatie van zijn strand en Lena's droom – leven en werken in de openlucht, ver van de stad. Twee jaar geleden was het nog een vervallen houten keet geweest, hoewel Shaw zich herinnerde dat hij er als kind ijs had gekocht aan de houten toonbank. Maar het was gesloten voordat hij tien werd. Hij was voordat hij ging studeren lid geweest van de bemanning van de kleine reddingsboot en had daardoor een wakend oog kunnen houden op de ruïne van verzakkende gebouwen. Toen hij teruggekomen was van de Metropolitan Police, had hij zich aangesloten bij de bemanning van de reddingshovercraft, die de zandbanken en moerassen van de noordkust van Norfolk bewaakte, en toen was hij er opnieuw gaan kijken, stiekem, voor Lena.

Ze was op zoek geweest naar panden aan de kust, in Cromer, Sheringham en verder. Hij had haar laten zoeken en toen voorgesteld een kijkje te nemen bij het Old Beach Café, juist toen hij dacht dat de prijs niet verder omlaag kon, toen de dakspanten eruitzagen alsof ze de volgende winter niet zouden halen. Ze was op zoek geweest naar de ideale plek. Ze had er dertig seconden voor nodig gehad om zich te realiseren dat ze die had gevonden. Voor de vraagprijs van tachtigduizend pond hadden ze het oude huis achter het café gekregen (geen dak, geen voorzieningen) en het botenhuis ernaast (wegrottend, geen dak). Lena had hard gewerkt, maar ze had vooral doorgezet, elke crisis overwonnen, het bedrijfsplan met de bank aangepast toen ze hun klanten leerden kennen, de Londense eigenaars van de weekend- en zomerhuisjes die Norfolk veranderden in 'Chelsea-on-Sea' én de horden vetkuiven die in het hoogseizoen vanuit de East Midlands neerstreken in Hunstanton. Gezinnen, roodverbrand tegen de tijd dat ze terugkeerden naar de auto of op dekens bij elkaar gingen zitten, de vrouwen in joggingpak of sarong, giechelend naar de mannen.

Twee uitersten van de markt, en niets ertussen. Het botenhuis werd nu Surf genoemd, en ze verkochten er strandspullen, van wetsuits van driehonderd pond tot plastic molentjes van anderhalve pond. Het Old Beach Café was precies wat de naam aangaf. Het huis was een thuis. In de kamer van zijn dochter zou nu het nachtlampje branden. Hij stelde zich haar voor in haar smalle hoogslaper, met een bleke arm die onder het dekbed uit hing door de opening tussen de houten latten. En Lena? Ze had het vermogen om wakker te worden als hij thuiskwam en vervolgens gewoon weer in slaap te vallen, alsof slaap kon worden weggestuurd en weer opgeroepen, zonder aanstoot te nemen. Maar hij kon haar nu aanraken; hij had ontdekt dat hij dat in gedachten kon doen, het zout kon voelen dat opdroogde op haar huid, het vocht in het kuiltje in haar hals, de lichte welving van haar rug. Alleen haar gezicht, levendig en veranderlijk, liet zich minder makkelijk oproepen, als de vorm van een wolk.

De eerste keer dat hij dat gezicht had gezien, had de zwarte huid onder het bloed gezeten. Ze zat op de eerste trede van een trap in een huis in Railton Road in Brixton, met een jonge jongen tegen zich aan gedrukt, met beide armen om zijn hals. Shaw was zijn naam nooit vergeten: Benjamin Winston Azore. Hij was vijftien en zou niet ouder worden. Lena, juriste bij de Campaign for Racial Equality, werkte een jaar in de buurt. Ze was in het huis geweest om Benjamins moeder te spreken over een klacht die deze had ingediend tegen de Met toen er iemand op de voordeur had geklopt. Benjamin had opengedaan. Hij had verscheidene dealers gehad in zijn korte, hardvochtige leven, maar deze was nieuw en hij was blut. Benjamin had geen geld. Hij was twee keer beschoten, één keer in de schouder, één keer door zijn hart. Shaw, vers van de politieschool van de Met in Hendon, had gereageerd op een alarmoproep door een buur. Toen hij binnenkwam zat Lena met Benjamin in haar armen en de moeder van de jongen stond op de overloop, met beide bleke handpalmen tegen de muur en zachtjes jammerend.

Shaw wilde iets zeggen, maar Lena stelde hem een vraag. 'Zijn zijn ogen open?'

Hij had geknikt, zich ervan bewust dat zijn eigen hart tekeerging en dat een spiertje onder zijn linkeroog begon te trillen.

'In de voorkamer, boven de haard, hangt een gezinsfoto...'

Shaw had gezien dat ze licht loenste met haar linkeroog en hoe ze met een soepel gebaar haar arm om de hals van de jongen wegnam. Hij nam die gedachten mee naar de voorkamer. Het was er koud, ondanks de junidag buiten; op de haard lagen een opgevouwen bloem van wit papier en een stoffig palmpasenkruis. Terwijl hij daar stond en zich probeerde te concentreren op wat hem gevraagd was, dacht hij dat hij in shock verkeerde, want ondanks alle uren van gezichten schetsen in het mortuarium, had hij de dood nog nooit van dichtbij gezien, niet op het moment zelf.

Op de foto stond een jongen op een strand, rafelige palmbomen op de achtergrond, een ouder aan iedere hand. Hij nam hem mee naar Lena.

Hij bleef op de stoep op de ambulance staan wachten, ingespannen luisterend naar de sirene. Zonder om te kijken wist hij dat ze de jongen de foto liet vasthouden, hem ernaar liet kijken, zodat dat het beeld zou zijn dat hij zou meenemen.

8

SHAWS HERINNERINGEN WAREN IN een droomachtige slaap gevallen en toen er twee keer op het dak van de Land Rover werd geklopt, schrok hij op en zijn hart bonsde. Hij opende zijn ogen en zag een gezicht voor het geopende raam aan de passagierskant, een gezicht dat hij herkende, maar niet kon thuisbrengen. De man had een brandweerhelm op, wit met een zwart honingraatinsigne en een zwarte band. Shaw keek naar zijn epaulet en zag de twee rotorbladen die erop duidden dat hij wachtcommandant was, de hoogst aanwezende officier.

'Peter,' zei de man. 'George en ik vinden dat je dit moet zien.' De stem gaf Shaw een naam: Jack Hinde, een ervaren officier die bevriend was geweest met zijn vader. Hinde was populair bij de recherche in St James's, al twintig jaar, want hij was een geweldige getuige-deskundige in gevallen van brandstichting. Hij stond nu kort voor zijn pensioen, maar Shaw vermoedde dat hij wel een baan als adviseur voor een verzekeringsmaatschappij zou hebben gevonden en de laatste tien jaar van zijn leven betaald zou worden voor wat hij wist in plaats van voor wat hij deed.

Hinde ging hem voor naar de drempel van nummer 6, het uitgebrande huis, waar Valentine in de lege kelder stond te kijken. Er klotste nog altijd water tussen de verkoolde balken. De brandweer zou tot de ochtend blijven om er zeker van te zijn dat het vuur niet opnieuw oplaaide. De brand was op zijn hoogtepunt een inferno geweest en het was nog altijd mogelijk dat er diep tussen het verbrande hout en de bakstenen vonken smeulden.

Valentine kneep een peuk tussen duim en wijsvinger uit, stopte hem in zijn zak en volgde hen toen het uitgebrande huis in. Shaw keek tussen de rokende balken door naar de kamer boven, waar hij Pete Hendre had gered. De vloerplanken op de begane grond waren in de woonkamer doorgebrand en hij zag het water eronder. De geur was een van de ergste die Shaw kende: een huis, alles wat erin leefde, gereduceerd tot houtskool en doorweekt beddengoed. Een metalen ladder die aan een dwarsbalk was bevestigd, leidde omlaag naar de kelder. Hinde ging voorop, Shaw volgde terwijl Valentine boven toekeek.

'Zie je, Peter,' zei Hinde terwijl hij in dertig centimeter water stapte. 'Het is een kwestie van ervaring. George bewaart een professionele afstand... Waar of niet, George?'

Valentine stond tegen het licht van een schijnwerper, zodat ze zijn gezicht niet konden zien.

De kelder was één grote ruimte, de helft kleiner dan de begane grond. Shaw stond met één voet op de onderste sport van de ladder en met de andere op een stenen trede die net boven het water uitstak.

De kelder was leeg, afgezien van een zware houten werkbank, die de brand had overleefd. Er stonden verscheidene laboratoriuminstrumenten op. Het meeste glas was gebroken, op een ronde kruik na, een rek reageerbuisjes en iets wat zo te zien een filter was. 'Een grotemensenscheikundedoos,' zei Hinde.

'Drugs – het is een fabriek, ja?'

Hinde schudde zijn hoofd. 'Ik denk het niet, Peter. Het Team Brandonderzoek heeft wat spullen meegenomen, maar ze hebben verstand van drugs – ze denken van niet. Het was voornamelijk huishoudelijk spul: zout, tuinchemicaliën, gereedschap – creosoot en zo. Als je crack maakt of iets dergelijks, heb je de juiste instrumenten nodig, en dat zijn deze niet. Dit is voor iets anders. En het gaat niet om kinderen – we hebben de resten van een elektronische weegschaal gevonden. Het is geen atoomwetenschap, maar ook niet goedkoop. En er is geen literatuur – iemand had het hierin zitten.' Hij tikte met een vinger tegen zijn helm.

'Goed, bedankt voor je oplettendheid.' Shaw keek naar de keldermuren. Op een ervan zag hij de schaduw van een aantal schappen, niet horizontaal, maar elkaar kruisend in een ruitvormig patroon, als een lattenframe in een tuin. In elk van de vakken zag hij het spookachtige silhouet van de bodem van een wijnfles.

'Château Zwerver,' zei Hinde lachend. 'Maar niet één fles. En voordat je het vraagt: het is geen wijnmakerij en geen distilleerderij.'

Shaw borg het beeld op in zijn geestelijke bibliotheek.

'Veel gevonden?' vroeg Valentine nieuwsgierig toen Shaw weer op straat stond.

'Een scheikundeset, maar geen sporen van drugs, en iets wat op de overblijfselen van een allang verlaten wijnkelder lijkt. Dus nee, in elk geval niets zinvols.'

Ze waren bij de kerk aangekomen en Shaw legde zijn hoofd in zijn nek en keek naar het limoengele kruis. 'Waar hangt die Kennedy uit?' vroeg hij. Hij keek op zijn horloge en zag tot zijn verrassing dat het pas twee minuten voor één was.

Valentine haalde zijn schouders op. 'De patrouilleauto heeft gebeld. Kennedy is moe, dus ze zijn een hapje gaan eten in een van de vierentwintiguursrestaurants op de Tuesday Market. Ze kunnen er elk moment zijn.'

Naast de kerk stond een victoriaanse pastorie, die een eigen voordeur had. Het gebouw leek wel een folly, in speelse stijl, een pannenkoekenhuisje in een woud van grafstenen: lancetvensters, een kleine toren met een klok en een houten portiek met gebeeldhouwde heiligen als portiers. Het was vroeger overwoekerd geweest door klimop, maar die was weggehaald en de sporen ervan waren nog zichtbaar op de muren, als aderen onder een dunne huid.

Er brandde licht achter een benedenraam, maar het ging uit terwijl ze keken. Even later ging er een lamp aan in een slaapkamer, een paar seconden maar, voordat hij weer uitging.

Een patrouilleauto nam met negentig kilometer per uur de bocht op de T-splitsing en slipte naar de trottoirrand. Liam Kennedy stapte uit en plukte zijn bezwete T-shirt van zijn smalle borst. Hij keek naar de kerk, zenuwachtig, van zijn ene been op zijn andere steunend.

Shaw knikte. 'Gaat het? We moeten praten... even.'

'Ik moet binnen kijken,' zei Kennedy. 'Daarna kunnen we praten. Ik heb hier een kamer, in de kelder.' Hij zond een glimlach uit die hij waarschijnlijk charmant vond.

De hoofddeuren van de Sacred Heart of Mary, onder een hoge, neogotische spitsboog, waren op slot, maar een pad langs het gebouw leidde naar een deur waarboven een lamp in een metalen frame hing, als een ijzeren maagd in miniatuur.

Kennedy legde een vinger op zijn lippen en duwde de deur open. Het was donker in het schip, op wat maanlicht na dat door het ziekelijke blauw en rood van de victoriaanse gebrandschilderde ramen viel. Shaw bleef staan en wachtte tot de subtiele legpuzzel van grijs- en zwarttinten vorm aannam. De geur was doordringend: menselijk zweet, wc-reiniger en iets van schoolkantinevlees – gehakt, lever, spek.

Kennedy kwam naar hem toe. 'Het pension, nummer 6, biedt slechts plaats aan zes mensen tegelijk. Het is bedoeld als overbrugging – een echt thuis, voor één maand, maximaal drie – voor degenen die werk hebben. Hier in de kerk vangen we de minder fortuinlijke mensen op. Tien tot twintig per nacht. We doen ons best.' Hij hield zijn handen op, alsof hij wilde zeggen dat, hoewel het niet genoeg was, dat niet betekende dat God niet tevreden over hem was.

Shaw probeerde zo neutraal mogelijk op Kennedy te reageren, maar besefte dat het moeilijk zou zijn. In de loop van zijn korte carrière had hij meer kwaads dan goeds ontdekt in georganiseerde religies, meer uitbuiting dan redding. En hij kon de vraag niet onderdrukken: wat waren de motieven van deze jongeman om hier te werken, te midden van de gedesillusioneerden? Misschien, dacht hij, was ook Kennedy gedesillusioneerd.

De voorste rijen kerkbanken waren verwijderd en tegen een zijmuur gestapeld en vervangen door twee keurige rijen matrassen. Op elk daarvan lag een man, de meesten met slechts een laken over zich heen, door voortdurend woelen in mummies veranderd. De buitendeur achter hem viel door de dranger met een klap dicht en een van de gedaanten bewoog en riep: *'Slainte!'* – een Ierse toost.

Ze volgden Kennedy naar een klein vertrek achter het altaar. Een tafel met een groen kleed waar een scheur in zat, en door de lamp zonder kap zagen de niet behangen muren er des te kaler uit. Een rij haken was leeg, op een superplie en een Tesco-tas na. In een hoek stond een grote metalen dossierkast, bekrast en gedeukt, met op een van de zijkanten een kalender waarop de zondagen met rode viltstift waren aangeduid.

Kennedy opende een smalle deur met een sleutel, zette een schakelaar om en draaide zich met geoefend gemak enigszins opzij, zodat hij een trap naar beneden kon laten zien.

'Het is nogal warm,' zei hij onder aan de trap. Achter hem stond een geïsoleerde, met olie gestookte boiler te tikken in de stilte. 'We kunnen hem niet afsluiten omdat hij warm water levert... voor hier en het huis. In de winter is het hier lekker en 's zomers probeer ik de bovenramen open te houden.'

Ter hoogte van het plafond zat in één muur een rij melkglazen ruiten, zwaar getralied en zo smal als een brievenbus. De boilerruimte was keurig aangeveegd, evenals de gang die over de hele lengte van de kerk boven hen liep, verlicht door drie kale peertjes. Een deur leidde naar een zit-slaapkamer met een keuken en een toilet. Ook hier stond het smalle horizontale raam open, opgehouden door een houten steun, en ze zagen de bladeren van een vijgenboom op het kerkhof boven hen.

'Niet bepaalde de crypte van de St Paul's, wel?' zei Shaw.

'Ik voel me er thuis,' zei Kennedy. In een hoek stond een ezel, met in het houten gootje een stuk of zes verwrongen tubes olieverf. Op een vel tekenpapier stond een lichtschets in potlood; de lijnen waren te dun om te kunnen zien wat het onderwerp was. Er stond een bureau met een computer, een platte witte laptop. Kennedy raakte hem aan alsof het een relikwie was. 'Ik maak een website voor de kerk. Dat kan ik… ontwerpen en zo. Ik heb het vaker gedaan.'

Hij stopte zijn vingers in de voorzakken van zijn spijkerbroek. 'Hoe kan ik helpen?' vroeg hij met zijn Londense voorstadsaccent. 'Vraag maar raak… Ik doe toch geen oog dicht, niet nu. Die arme kerels,' voegde hij eraan toe terwijl hij zijn ogen snel sloot.

'Hoe is het met ze?' vroeg Shaw.

'Aidan heeft ernstige brandwonden aan zijn hoofd; hij is nog niet bij bewustzijn. Ik geloof dat men zich zorgen maakt dat de shock te veel is geweest… Maar hij is nog jong, en sterk.' Kennedy wendde zijn blik af en zijn stem haperde. 'Pete heeft kleine brandwonden en de rook is in zijn longen gedrongen, maar hij maakt het goed. Hij krijgt kalmerende middelen.'

'Vier bedden, zei u. Waar zijn de twee anderen?' vroeg Valentine. Hij zag dat er een kruisbeeld boven de deur hing. De laatste keer dat hij in een kerk was geweest, was voor een begrafenis, en de lang onderdrukte herinnering maakte hem bang. Hij herinnerde zich niets van de dienst of van iets wat iemand over zijn vrouw had gezegd, maar hij ving exact dezelfde geur op, een soort gepolijste vochtigheid. Die was er nu ook, als een geest.

'Nou ja, Pete zou maar een paar nachten blijven. Hij is een van onze oudste gasten.' Kennedy lachte, maar hij kreeg geen reactie. 'Hij was er vorig jaar ook, in de zomer, maar hij is nu aan de kust in St John's, Hunstanton. En hij maakt het uitstekend. Hij moest terugkeren naar Lynn; verificatie van een testament geloof ik; ik weet geen details. Er zijn dus in feite drie vacante plaatsen; Aidan is momenteel de enige permanente bewoner. Maar we kunnen mensen die er niet aan toe zijn niet dwingen. Het pension is bedoeld als toevluchtsoord, ziet u, een veilige plek. Daarom hebben we een procedure, criteria,' voegde hij er, trots op het woord, aan toe.

'En daar bent u mee belast?' vroeg Shaw.

'Het hoort bij mijn werk,' zei Kennedy. 'Ik ben de beheerder van het pension,' zei hij gewichtig. Hij stond nu ook wat rechter, in het besef dat hij zojuist een verantwoordelijkheid op zich had genomen voor iets wat lelijk mis had kunnen lopen. Een van de boilerleidingen gaf een merkwaardige, vochtige plof.

'U bent heel jong voor zo'n baan,' zei Shaw glimlachend.

'Pastoor Martin vertrouwt me. Dat scheelt een boel,' zei Kennedy.

'Dus het was uw beslissing om een van de kamers aan Aidan Holme te geven... een recidivist met een strafblad wegens handel in drugs?'

Kennedy knikte, alsof hij nadacht over een vaag punt in een academische discussie. 'Ja. Ja, dat heb ik gedaan. Nou ja... ik adviseerde het. De beslissing is aan pastoor Martin. Maar Aidans verleden was geen geheim. Hij volgt een goedgekeurd programma voor verslaafden. Hij heeft er medicijnen bij nodig, en ik haal de recepten voor alle mannen af. Hij heeft zich eraan gehouden, wat niet makkelijk is. Pastoor Martin krijgt regelmatig verslagen over zijn vorderingen van zijn maatschappelijk werker en ze waren altijd uitstekend. Ik denk dat hij clean is. Ik heb vertrouwen in hem.'

Kennedy's vertrouwen, vermoedde Shaw, was even breekbaar als zijn modieuze bril. Hij probeerde zichzelf eraan te herinneren dat het een jonge man was, dat het leven hem nog niet had geleerd de mensen om hem heen als een mengsel van goed en kwaad, leugens en waarheden te zien.

'Maar dealen? Hij is aangeklaagd wegens dealen,' zei Shaw.

'Hij ontkent het. Ik heb hem ernaar gevraagd, maar hij houdt vol dat hij onschuldig is. Het spijt me... Zo zag ik het.'

Door het smalle raam naar het kerkhof hoorden ze het korte blèren van een autoalarm.

'Oké,' zei Shaw. Kennedy mocht dan een idioot zijn, hij was in elk geval een fatsoenlijke idioot. 'Dus als de familie Judd tegen ons zegt dat Aidan Bryan Judd tot drugsgebruik had verleid, en zelfs tot het stelen van drugs uit het ziekenhuis om ze op straat te verhandelen, liegen ze?'

'Nee. Ik denk dat Bryan Judd ze dat had verteld. Het verbaast me niet dat ze hem geloofden. Hebben ze het pension daarom overvallen?'

Shaw beantwoordde geen vragen, hij stelde ze, en hij vond Kennedy's antwoord glibberig. 'Toen u eerder op straat bij hem was... Wat bedoelde Aidan toen hij zei dat hij doodging en dat hij het wel gezegd had?'

'Aidan is niet dom, hij is ontzettend intelligent. Hij voelde – voelt – dat hij zijn leven heeft vergooid. We hebben er hier, in de kerk, vaak over gepraat. Hij zei dat zijn grootste angst was dat nu hij besloten had zijn leven te beteren, God hem zijn leven zou ontnemen. Ik moest proberen hem ervan te overtuigen dat dat niet zo was. Pastoor Martin ook. We zeiden dat het nooit te laat is voor berouw en dat er, als hij dat had, geen enkele reden was waarom hij er niet in dit leven voor zou worden beloond, evenals in het volgende.'

Shaw kon de logica ervan niet ontkennen, ook al was die gebaseerd op iets wat hij als bijgeloof beschouwde. Hij gooide het over een andere boeg. 'Was dit de eerste keer dat er problemen waren in het pension?'

'Er zijn wel eens incidenten geweest, op straat, in de Crane. Mensen willen hun kerk, ziet u, maar ze willen blijkbaar niet datgene waar die kerk voor staat.' Hij zei het alsof hij het voorlas en Shaw vroeg zich af of hij pastoor Martin napraatte. Misschien was de priester een soort vaderfiguur.

'Maar ik wist dat er iets zou gebeuren. Iets verschrikkelijks. Ik wist dat er brand zou uitbreken. *Vlammen.*' Kennedy sloot zijn ogen.

'Hoe dan?' zei Shaw, zich ervan bewust dat hij zich tot een vraag had laten verleiden.

'Ik hoor stemmen,' zei Kennedy, die zijn ogen weer opende.

'Iemand die we kennen?' vroeg Valentine.

Kennedy's glimlach bevroor. 'Het spijt me als u het niet gelooft. Ik hoor voortdurend stemmen en ze zeiden dat er brand zou uitbreken. Ik heb het tegen pastoor Martin gezegd en we hebben brandkranen laten aanbrengen, en rookmelders. Ik ben tenslotte verantwoordelijk.'

'Zoals u ons telkens weer vertelt,' zei Shaw.

Kennedy bevochtigde zijn lippen en Shaw zag, voor het eerst, een piercing in zijn onderlip, in de vorm van een kruis. 'Maria heeft het me verteld,' zei hij met een blik over Shaws schouder. Ze draaiden zich om en zagen een schilderij – duidelijk een massaproduct – in een goedkope lijst van de moeder van Christus, die het hart in haar borst toonde dat stralen verspreidde, en een doorntak die druppels bloed veroorzaakte.

'Zijn er anderen die die stemmen horen?' vroeg Shaw zo neutraal mogelijk. Iets in Kennedy's stem zei hem dat de stemmen voor deze man maar al te echt waren.

'Er is een netwerk. We horen ze allemaal – maar niet dezelfde stemmen.' Hij keek van Valentine naar Shaw. 'We zijn niet gek. De artsen sporen ons aan ernaar te luisteren in plaats van ze te ontkennen.'

'Artsen?' vroeg Shaw. Kennedy's gezicht zag eruit alsof het elk moment kon verschrompelen en Shaw had op slag spijt van zijn vraag. Hij hief een hand op om het antwoord tegen te houden. 'Sorry.' Hij draaide zich om om weg te gaan en zag opnieuw de ezel en nu, van dichtbij, zag hij wat de tekening voorstelde – fruit, in een schaal op een tafel die bedekt was met een doek. 'Van u?' vroeg hij.

'Een voorstudie,' zei Kennedy, weer lachend. 'Het werk zelf hangt in de kerk. Wilt u het zien?'

Valentine knarsetandde. Hij wilde naar huis en had behoefte aan een borrel. Hij probeerde Shaw op wilskracht te dwingen om 'nee' te zeggen.

'Ja,' zei Shaw.

Kennedy ging hun voor naar de sacristie en daarna naar het middenschip, naar het eind, bij de gesloten hoofddeuren. Aan één kant was een tijdelijke keuken ingericht: een roestvrijstalen keukenblok, een gasfornuis, een aanrecht, een werkblad en een koel-vriescombinatie. De geur van gehaktschotel en gestoofde bladgroenten was hier sterker.

'De gemeente zorgt voor voedsel. We proberen geld bij elkaar te krijgen voor een echte keuken. Maar de mannen waarderen het, een warme maaltijd.' Kennedy had zijn stem gedempt om de slapende mannen te ontzien, en hij had zijn hoofd gebogen, alsof hij bad.

'De mannen in het pension op nummer zes,' zei Shaw. 'Ik heb de keuken gezien. Die zag er niet uit alsof ze zelf hun maaltijden bereidden. De kasten waren leeg.'

'Nee. Ze eten hier. We vormen een gemeenschap. God zorgt voor ons.'

Shaw herinnerde zich de lege afhaalcurrybakjes. Misschien zorgde God niet goed genoeg voor hen.

Kennedy zette een schakelaar om. De witgekalkte muren boven en rond de neogotische deuren werden verlicht door een schijnwerper. Valentine, plotseling beseffend dat hij door slaap overmand zou kunnen worden, ging in een bank zitten. Hij sloot zijn ogen, voelde zich draaierig dus opende ze weer en keek naar de verlichte muur.

Shaw deed een stap terug. Het hele vlak was geprepareerd voor een muurschildering, maar in slechts één hoek, rechtsonder, was een begin gemaakt. Het was in klassieke stijl, een fluwelen doek op de hoek van een tafel, met daarop enkele voorwerpen: een schedel en een tros druiven op een zilveren schaal. De druiven waren rijp, overrijp, en bedekt met een dunne laag witte schimmel. Verder enkele dierenbotten op een gouden schaal, volkomen kaal. Ernaast stond een tweede schaal, niet meer dan potloodlijnen, het onderwerp van de voorstudie in Kennedy's kamer.

'Hebt u dit gemaakt?' vroeg Shaw. Het was amateuristisch maar bestudeerd gedaan, als 'schilderen op nummer'. Het was het resultaat van toewijding, niet van inspiratie.

De vingers van Kennedy's rechterhand trokken aan de linker. Hij knikte zonder zijn blik van de afbeeldingen af te wenden.

'Memento mori,' zei Shaw. 'Gedenk te sterven.'

Kennedy knikte. 'Inderdaad. Sterfelijkheid.'

'En de rest?'

'*Het wonder in Kana*. Het favoriete evangelieverhaal van pastoor Martin. Het is een grote eer dat hij me gevraagd heeft.'

Shaw was er niet zeker van, maar hij meende de compositie, de Italiaanse kleuren te herkennen. 'Is het een Patigno? Een kopie?'

Kennedy bloosde, alsof het kopiëren van een meesterwerk een zonde was. 'Ja, natuurlijk. Heel goed van u. Ik heb ontwerpen gedaan op school, als hoofdvak. Voornamelijk websites trouwens. Dit is dus een uitdaging. Ik heb een grote afdruk van het origineel achterin... Als u hem wilt zien...'

Shaw hief beide handen op. Valentine stond op, liep naar de koelvriescombinatie en tilde het deksel op. Plastic dozen, zakken bevroren groenten, pakken hamburgers waren bedekt met een laag ijs en rijp. Hij raakte de sneeuw aan, die zacht aanvoelde. 'Gebruikt u dit spul nog?'

'Dat denk ik niet,' zei Kennedy. 'Het is jammer, maar we kunnen het echt niet riskeren.' Hij keek op de klok boven de deur. 'Hij is twaalf uur uitgeschakeld geweest. Te lang. De vrieskast is oud, en zelfs als-ie werkt niet erg efficiënt, en het is –'

Shaw onderbrak hem. 'We moeten met de mannen praten, die mannen, allemaal. Sommigen van hen moeten Holme toch gekend hebben? Of zelfs Hendre? Waar waren ze tijdens de brand?'

Kennedy keek geschokt, wat, dacht Shaw, ook enige woede maskeerde. 'Ik heb gezegd dat ze binnen moesten blijven, maar de meesten sliepen omdat het licht uit was. Ik kan ze niet wekken, niet nu.' Hij keek op zijn polshorloge, een Swatch. 'Het is één uur geweest.'

'Oké, dat kan tot morgen wachten. Maar kunt u er wel voor zorgen dat ze hier blijven?'

Kennedy keek om naar de slapende mannen alsof hij hen voor het eerst zag. 'Natuurlijk. Nou ja, tot het ontbijt. Dat is om negen uur. Daarna gaan de meesten, 's zomers, naar de rivier of naar de parken. Dat is hun goed recht.'

Shaw draaide zich om en wilde al weggaan, toen hij een elektronisch orgel zag staan. Toen hij opkeek zag hij de oorspronkelijke victoriaanse orgelpijpen. Op de bank lag een stapel zangbundels. Hij pakte er een, bladerde hem door en dacht aan de 'Organist'. 'Worden hier nog diensten gehouden?'

'Ja. O ja. Door een pastoraal team, vanuit de St Anne's. Eens per maand hebben we een zondagsdienst, en speciale diensten. Begrafenissen natuurlijk, en af en toe een trouwerij. Gisteren nog.'

'Wordt het orgel bespeeld?' vroeg Shaw.

Kennedy haalde zijn schouders op. 'Door pastoor Martin soms, voor de mannen. Een paar parochianen ook, maar niet vaak.' Hij schoof met zijn sportschoen over de vloer en ze hoorden het knarsende geluid van iets wat op de tegels lag.

'Ik zou hun namen willen hebben,' zei Shaw. 'Van de parochianen ...'

Kennedy keek geërgerd omlaag. 'Sinds we confetti hebben verboden, krijgen we hiermee te maken ...' Hij vertrapte iets onder zijn hak.

Shaw knielde haastig neer en raapte iets op, liet het in zijn hand vallen en hield die op.

Het was een rijstkorrel. Rauw.

9

'RIJST?' VROEG DE MAN achter de toonbank van de dag en nacht geopende rijdende kiosk. Hij droeg een Chinees overhemd, met draken en kleine bruggen met een wilgenmotief, maar zijn accent was Londens en op één hand had hij RED DEVILS getatoeëerd.

'Friet,' zei Valentine. 'Currysaus.' Hij herkende de man niet; meestal was het een vrouw met handschoenen zonder vingers.

Hij nam het bakje en een plastic vork, legde het juiste bedrag in kleingeld, negentig pence, op de toonbank, en vertrok zonder iets te zeggen.

De kade was verlaten, het was twee uur in de nacht, het licht van de dag en nacht geopende afhaalchinees drong door tot de leuningen boven het water. Valentine raakte het ijzer aan, een kleine geluksceremonie, en liep toen, in zijn maaltijd prikkend, richting South Lynn, het netwerk van straten waarin hij al zijn hele leven woonde. Hij legde het half leeggegeten bakje in een vuilnisbak en propte het erin, opdat de meeuwen het er niet uit zouden trekken.

Zijn rijtjeshuis stond er donker en stil bij, maar de straatlantaarn voor zijn slaapkamerraam brandde, zoemend zoals altijd. Hij vroeg zich even af of de stroom ook hier was uitgevallen, maar zette het toen van zich af. Er stond toch niets in de koelkast.

In gedachten kon hij in de kamers kijken, door de muren heen, alsof het een open poppenhuis was. Hij wist wat er op elke tafel zou staan, op elke plank, wat er aan elke muur zou hangen. Hij vond het tegenwoordig beangstigend als hij iets aantrof op een plek waar het niet hoorde te zijn, want dat betekende een van de twee: zijn geheugen liet hem in de steek of er was iemand anders in huis.

Zijn sleutels wogen zwaar in zijn zak en een paar minuten geleden nog had hij naar zijn bed verlangd, maar nu kon hij het niet verdragen, want slapen betekende loslaten en daar was hij niet echt goed in. Hij liep door, langs de winkel op de hoek met het veiligheidshek naar het kerkhof van de All Saints. Iemand had een leeg Special Brew-blikje op de grafzerk van zijn vrouw gezet. Hij ging op een bankje zitten en mikte er steentjes naartoe. Hij trok de sticker van zijn revers en plakte hem op de zerk. Er zaten al een stuk of twintig, dertig andere op het graniet, in verschillende staten van ontbinding.

Julie Anne Valentine
1955-1993

Ingeslapen

Het bierblikje kletterde op het geasfalteerde pad.

Hij liep door, zigzag door de straten met rijtjeshuizen achter London Road, en probeerde het idee dat hij werd geschaduwd van zich af te zetten, een idee dat hem tegenwoordig achtervolgde als hij alleen was, 's nachts, in de stille straten. Vlak bij de oude stadspoort was een café, de Honest Lawyer, met een onthoofde advocaat op het uithangbord; het was gesloten en de ramen waren dichtgemetseld met betonblokken. Ernaast was een begrafenisonderneming. Granieten stenen in de etalage, lelies in groene glazen vazen, glanzend zwart schilderwerk. Naast de zaak was een rouwkapel met één enkel, onverlicht raam.

Aan de andere kant van de zaak stond een huis, twee kamers beneden, twee kamers boven, met een voordeur in hetzelfde glanzende zwart. En daarnaast een aantal garages; vier roldeuren. Valentine wist wat er in elk van de garages stond: een lange zwarte auto met glazen panelen voor de kist, een Daimler stationcar en een begrafeniskoets met een glazen kist. Hij had vaak gezien hoe de bepluimde zwarte paarden die naar de begraafplaats in Gayton Road trokken.

De vierde roldeur stond door de week nooit open, behalve 's avonds. Erachter stond een opgevoerde Citroën, gestript voor stockcarraces, op blokken, met op de motorkap een logo met de woorden TEAM MOSSE.

Voor het huis stond een gehavende BMW, met roest op een van de spatborden.

Tegenover het huis stond op een driehoekig plein een kastanjeboom, waarvan de takken tot op de grond hingen en een volmaakt baldakijn vormden. Tegen de stam stond een bank, een verborgen prieel. En daar zat hij altijd. Het had iets weg van zijn andere verslavingen, het observeren van die man – zoals de drank, de sigaretten en het gokken. Hij deed het gedachteloos en zou nooit toegeven dat het niet leuk meer was. Hij was er na de kerstdagen mee begonnen, omdat januari altijd de moeilijkste maand was. Zijn generatie, geboren in de jaren vijftig, deed niet aan depressies, maar als hij er iets van had geweten, zou hij de symptomen hebben herkend. Hij had het koud wanneer het weer zacht was, was moe als hij opstond, en de alcohol had het gevoel dat hij was vergeten hoe hij de dag moest doorkomen verergerd, alsof hij plotseling zijn veters niet meer kon strikken.

Daarom had hij zich hiertoe gezet, omdat hij het gevoel had dat als hij alles te weten kwam wat er te weten was over deze man, die met de dood leefde en werkte, er kans was dat het mysterie ontraadseld zou worden van de dag waarop zijn eigen leven voorgoed was veranderd, de dag waarop hij het spoor bijster was geraakt van de man die hij altijd had willen zijn.

25 juli 1997.

Hij had zich die avond als jong, veelbelovend inspecteur van de recherche met mooie vooruitzichten op weg begeven naar Westmead Estate. Zijn partner was hoofdinspecteur Jack Shaw, de vader van Peter Shaw. Het lichaam van een negenjarige jongen, later geïdentificeerd als Jonathan Tessier, was om drie minuten over twaalf levenloos aangetroffen op de parkeergarage onder Vancouver House, een eenentwintig verdiepingen tellende gemeenteflat midden in de wijk, een uitgestrekte doolhof van armoede, het soort plek dat volgens de officiële statistieken niet bestond.

Het lichaam was nog gekleed in het sporttenue dat de jongen die ochtend had aangetrokken om te gaan voetballen op het driehoekige grasveld bij de flat. Hij was gewurgd met een of andere draad en de staat waarin het lichaam verkeerde wees op een tijdstip tussen zes en elf uur die avond. De getuige die het lichaam had gevonden, had een auto zien wegrijden van de plaats delict, een Volkswagen Polo. De bestuurder had de smalle oprit naar de begane grond gemist en was tegen een van de betonnen pijlers geknald, waarbij glasscherven van een koplamp op de grond waren gevallen. Valentine en Shaw waren op de plaats delict gebleven om leiding te geven aan het forensische team, een buurtonderzoek te organiseren in de flats en een commandocentrale in te richten in de rij winkels aan de overkant van het braakliggende terrein.

En toen hadden ze de doorbraak gevonden die nodig is voor elk moordonderzoek: een Polo die om twee uur 's nachts was aangetroffen op een braakliggend stuk grond drie kilometer van de flat, met een kapotte koplamp. Forensische tests zouden later een exacte match opleveren tussen de glasscherven in de ondergrondse parkeergarage en die van de beschadigde Polo. De bestuurder was geregistreerd als Robert James Mosse, die net als Tessier in Vancouver House woonde. Hij had de auto eerder als gestolen opgegeven. Jack Shaw en George Valentine ondervroegen Mosse kort na drie uur die nacht in zijn flat. Hij was een drieëntwintigjarige rechtenstudent aan de universiteit van Sheffield, thuis vanwege de zomervakantie. Hij was met zijn moeder naar de bioscoop geweest, maar ze hadden elk een andere film gezien en hij was alleen naar huis gegaan.

Shaw en Valentine confronteerden Mosse met het bewijsmateriaal dat op de plaats delict was gevonden: een leren, met bont gevoerde handschoen in een verzegeld bewijszakje. Ze doorzochten de flat, maar vonden geen bijpassende tweede. Latere DNA-analyse van het huidweefsel in de handschoen leverde een match op met Mosse. En hij had een motief, min of meer. Mosses auto was de afgelopen maand enkele keren beschadigd, en er was telkens proces-verbaal van opgemaakt vanwege de verzekering. Had Mosse Tessier betrapt terwijl hij de auto beschadigde? Was een poging om er korte metten mee te maken op dodelijk geweld uitgedraaid?

De zaak werd op de eerste dag kort na de lunch niet-ontvankelijk verklaard. Shaw en Valentine hadden een elementaire procedurele fout gemaakt door de handschoen mee te nemen naar de flat van Mosse. De verdediging voerde aan dat de handschoen daarbij was besmet met DNA. Mosses oorspronkelijke verklaring, en die van zijn tweeënzestigjarige moeder, luidde dat de handschoen níét in een verzegeld bewijszakje had gezeten. Zelfs als dat wel het geval was geweest, hadden Shaw en Valentine de regels overtreden. Maar als ze het bewijsmateriaal niet in een zakje hadden gedaan, wierp dat een andere mogelijkheid op, een mogelijkheid die de rechter noodgedwongen moest noemen toen hij de zaak niet-ontvankelijk verklaarde. Hadden ze de handschoen mee naar binnen genomen in een weloverwogen poging om de verdachte erin te luizen? Zonder de handschoen was er immers geen enkel tastbaar bewijs dat verband legde tussen Mosse en de plaats delict.

De carrière van Jack Shaw eindigde enkele maanden later in vervroegd pensioen. George Valentine werd gedegradeerd tot brigadier en naar de wildernis van de noordkust van Norfolk gestuurd: tien jaren van kleine criminaliteit, verkeersovertredingen en wijkagent spelen. Het had voor George Valentine aangevoeld als het begin van één lange, langzame dood. Maar hij had zich nergens mee bemoeid en hard gewerkt en uiteindelijk had hij één kans gekregen om zijn rang terug te krijgen. Hij was overgeplaatst naar de recherche van St James's.

Sinds ze een jaar geleden partners waren geworden, hadden hij en Peter Shaw geprobeerd het onderzoek naar Robert Mosse – nu juridisch adviseur in Lynn – te laten heropenen. Daarvoor moesten ze een nieuwe zaak tegen hem opbouwen, een die niet berustte op de besmette handschoen. Ze waren erin geslaagd verband te leggen tussen Mosse en een bende jonge criminelen die hardhandig de lakens uitdeelden in Westmead Estate. Mosse studeerde ten tijde van de moord al en leidde een ander leven, maar het was duidelijk dat hij ooit lid was geweest van die gewelddadige, wisselende kliek, waarmee in de wijk rekening moest worden gehouden. Minstens één keer hadden ze een kind een hardhandig lesje geleerd in dezelfde ondergrondse parkeergarage waar het lichaam van Tessier was aangetroffen. En Shaw en Valentine hadden forensisch bewijs gevonden dat verband legde tussen het moordslachtoffer en de bende: microscopisch kleine verfsporen op de kleren van Tessier, die erop wezen dat de jongen in de uren voor zijn dood dicht bij een industriële spuitinstallatie was geweest. Drie leden van de bende werkten bij een landbouwkundig ingenieursbureau dat met precies die verf werkte, waarin een zelden gebruikt chemisch bindmiddel zat om landbouwmachines te beschermen.

Ze hadden alle nieuwe bewijzen die ze hadden verzameld voorgelegd aan commissaris Max Warren, met het verzoek de zaak te heropenen. Of minstens opnieuw te bekijken. Hij had botweg geweigerd. Het was een beruchte zaak geweest, die de reputatie van het korps West Norfolk een lelijke deuk had bezorgd. Warren zei dat hij meer dan bijkomend bewijs nodig had om oude wonden open te rijten. Sterker nog: Warren waarschuwde Peter Shaw dat elke nieuwe poging om getuigen te ondervragen of de verdachte van eertijds te benaderen tot disciplinaire maatregelen zou leiden. Shaw had op zijn beurt Valentine gewaarschuwd. De zaak was gesloten.

Ze hadden het er nooit meer over gehad. Valentine wist, hoewel er nauwelijks iets over was gezegd, dat de zoon van Jack Shaw zich nog steeds afvroeg of zijn vader die avond met het bewijsmateriaal had geknoeid. Valentine merkte dat Shaw werd gekweld doordat hij de waarheid niet kende en zich er nu, misschien, bij had neergelegd dat hij die nooit zou kennen... Wat betekende dat hij enerzijds niet alleen twijfelde aan de integriteit van zijn vader, maar ook aan die van Valentine, een twijfel die de kern vormde van de vijandigheid tussen hen.

Valentine had zich niet neergelegd bij de opdracht de zaak met rust te laten. Hij had de nog resterende leden van de oorspronkelijke bende van vier opgespoord. Een van hen was naar Nieuw-Zeeland geëmigreerd, een ander zat in een beveiligde psychiatrische inrichting even buiten Lynn, nadat hij het grootste deel van zijn leven in de gevangenis had doorgebracht wegens uiteenlopende geweldsmisdrijven.

En zo bleef Alex Cosyns over. Valentine had diens huis geobserveerd, hier, tegenover de kastanjeboom, twaalf weken lang, aanwijzingen gevolgd, politiedossiers ingekeken en zijn schaarse vrije tijd gebruikt om een biografische legpuzzel samen te stellen. Hoeveel was hij wijzer geworden? Zijn leeftijd – zevenendertig – geboren op 23 april in de Lynn Royal Infirmary. Opgegroeid in het beruchte Westmead Estate, op de zestiende verdieping van het Vancouver House. Valentine had een krantenknipsel uit een *Lynn News* uit 1980 gevonden: een foto van Cosyns' vader met zijn jonge zoon en een nest bekroonde honden. Labradors. Honden waren hun gezamenlijke passie geweest. Daarna een niet door prestaties bezoedelde schooltijd, gevolgd door een lagere technische opleiding. In 1989 beloond met de Griffiths Medal voor beste leerling. Werkte tot 1993 bij landbouwkundig ingenieursbureau Askit's in Castle Rising. Daarna bij de Kwik-Fit. Nu chauffeur en onderhoudsmonteur bij begrafenisonderneming Gotobed's. Getrouwd, vader van één dochter, en gescheiden – alle drie de levensbepalende gebeurtenissen in één jaar gepropt, 1999. Geaffecteerde zonnebril en chauffeurshandschoenen. Als hij niet aan het werk was onderhield hij de stockcar of reed hij in de derdehands BMW naar een twee-onder-een-kap in Manea, bij Ely, om zijn dochter te bezoeken. Dat gebeurde twee keer per maand, altijd op een zaterdag. Ze gingen winkelen in Peterborough, de bioscoop, een maaltijd in de pub en dan naar huis.

En dat was de eerste aanwijzing: die aankopen in het Queensgate Centre waren net iets te duur voor een man die een lijkwagen bestuurde voor de kost en nog kinderalimentatie betaalde. En toen had Valentine de stockcar nagetrokken. Er was zes weken geleden een nieuwe motor voor gekocht, vier spaakwielen en een nieuwe rolstang. Team Mosse bezat het baanrecord in de Norfolk Arena, Belle Vue, Stretham en Mildenhall. Het was vanaf het begin geleid en gefinancierd door Robert Mosse. In 2000 had het team drie auto's geteld. Nu alleen nog die van Cosyns. Plus een trailer voor de auto, maar Valentine wist niet waar die stond. Het was zowat de duurste hobby die een mens op het droge kon hebben.

En dat was het leven dat hij had uitgepuzzeld. Dat, en de hond.

Valentine keek op zijn horloge. Kwart over twee. Hij zou ze vanavond niet zien. Het gebruikelijke patroon bestond uit een avondwandeling rond middernacht. Dan gingen de lichten uit en werd de deur geopend. De hond was een jack russell die betere tijden had gekend, met een grijze vacht rondom zijn smalle snuit, en veel te dik. Cosyns sleurde hem over het pad naar het park, bukte zich, aaide zijn vacht, praatte. De hond paste niet bij hem, dacht Valentine, net zomin als het geld. Mensen gaan uiteindelijk inderdaad op hun huisdieren lijken – een proces van natuur en opvoeding. Ze kiezen ze uit en gaan ze daarna nadoen. Maar de vadsige jack russell was, ondanks zijn leeftijd, hyperactief, onstuimig, flitsend. Zijn baasje daarentegen was lang, ongehaast en hield de riem altijd stevig in zijn hand – en die hand was altijd verborgen in een leren chauffeurshandschoen. Een raar koppel, dacht Valentine.

Terwijl Cosyns de hond uitliet voelde Valentine altijd even aan de voordeur, voor het geval hij hem niet op slot had gedaan. Daarna nam hij een kijkje in de laatste van de vier garages. Daar stond de oude Citroën, na elke race opnieuw gelakt. Er was nooit een spoor van de lak, dus ook dat gebeurde elders.

De volgende keer zou hij het slot van de voordeur forceren en het huis checken. Nu zou hij gewoon wachten, nadenken en afwachten of hij slaap kreeg. Hij haalde zijn flacon uit zijn zak en nam een slok.

Hij stelde zich Erebus Street voor, de havenpoort en de Crane. Hij wist dat hij en Shaw stilzwijgend tot dezelfde conclusie waren gekomen: dat de moordenaar van Bryan Judd niet alleen uit Erebus Street kwam, maar dat de kern van het mysterie eveneens daar lag. Want er was in één avond te veel gebeurd: de stroomstoring, de moord, de sabotage, de aanval op het pension. Verder waren er de mogelijke forensische verbanden met de plek van de moord: de rijst, de gebroken lucifer. Maar wat was oorzaak en wat was gevolg? Natuurlijk, ergens in een van die huizen moest een motief zijn ontstaan, sterk genoeg en duister genoeg om een zo gewelddadige reeks gebeurtenissen op gang te brengen.

En dan was er nog het merkwaardige besef dat hij al eens eerder in Erebus Street was geweest. Hij probeerde het zich te herinneren, maar het ontglipte hem, als een vis waarvan je een glimp opvangt onder spiegelend water. Het enige wat overbleef was een zin in zijn hoofd, die bijna van de haak gleed: *vermist persoon*. Nu wist hij dat hij niet zou slapen, in elk geval niet in zijn bed. Dus stond hij abrupt op en liep in de richting van The Walks, door het stille park en over het lange, slingerende pad dat rakelings langs de middeleeuwse Red Tower naar het hoofdbureau in St James's leidde.

10

ALLY JUDD STOND VOOR het slaapkamerraam en keek naar het schelle neonreclamebord met de woorden 24-UURS WAS, dat zoemend aanging, uitging en weer aanging en het tweepersoonsbed overspoelde met groen licht. Door de tussenwand heen hoorde ze dat de wasmachines halverwege de wascyclus weer aansloegen en de drogers fluisterend begonnen te draaien. Daar had ze niet aan gedacht, dat ze opnieuw zouden starten zodra er weer stroom was.

Ze had wat foto's op het bed uitgespreid. Nadat ze het kalmerende middel had ingenomen, had ze een uur geslapen en was toen met een kreet wakker geschrokken, zodat de vrouwelijke agent die op de stoep stond naar boven was gekomen om te kijken of alles in orde was.

Weer alleen, had ze Bry's leven in foto's uitgestald.

Haar keel was droog en ze had nog steeds niet gehuild. Het was het schuldgevoel, wist ze, dat haar ervan weerhield. Het besef dat ze hem nu niet hoefde te vertellen dat ze weg moest gaan, dat ze ooit van hem had gehouden, maar dat de liefde uit haar was geperst, weggelekt, door haar leven in Erebus Street en de vijandigheid die de familie Judd door het bloed leek te stromen.

Ze ging op de rand van het dekbed zitten en pakte de eerste foto, een kiekje van Bry en zijn tweelingzus, Norma Jean, met een beugel om haar tanden. Ze waren acht of negen, schatte Ally, en de gelijkenis werd al verstoord door het verschil in geslacht. Bry's voorhoofd werd krachtiger, zijn gezicht breder, terwijl dat van Norma Jean langer werd en haar volle lippen zich welfden. Ze draaide de foto om en keek naar de datum: augustus 1984.

Daarna de foto die ze had genomen tijdens haar eerste uitje met Bry, op de boulevard in Wells, genomen door een onbekende vrouw uit Schotland – Pennyquick, herinnerde ze zich, want ze hadden om de naam gelachen en haar gevraagd hem te spellen. Ally keek verbitterd naar haar zeventien jaar jonge lichaam in korte broek en topje – rank, een onmogelijk slanke taille. Toen had ze nog welvingen, niet dit vormeloze figuur als van een ingeklapte strijkplank. Bry kon niet goed tegen de zon en hield zijn hand boven zijn ogen; hij had een arm om haar nek geslagen. Het jaar dat ze elkaar hadden leren kennen – 1991. Het jaar voordat alles was veranderd, voordat ze Norma Jean hadden verloren. Bry had sindsdien niet vaak gelachen, maar ze had zich nog steeds tot hem aangetrokken gevoeld – een kwetsbare, beschadigde man die ze dacht te kunnen repareren.

Daarna de bruiloft; wat er over was van zijn familie, haar hele familie – pech. Maar Bry's glimlach was in elk geval oprecht tussen de gemelijke grijnzen. Ze was drie maanden zwanger geweest van het kind dat ze later hadden verloren. Andy op de achtergrond. Ze dacht dat het van een haast ondraaglijke wreedheid was: Andy, alleen na de dood van Maria, zich verstoppend op een familiefoto.

Daarna vakanties. De Grand Ole Opry in Nashville, gewoonweg het einde: de muziek, de warmte en de gedachte aan al die kilometers tussen hen en Erebus Street. Ze stonden naast elkaar, verbaasd dat het leven zo leuk kon zijn.

Thuis draaide alles om de familie. Ze beet op haar lip. Vervolgens een foto van Neil, een lachende zesjarige, over de schouder van zijn broer Bry gegooid, zij grijnzend achter hem. En ten slotte Kerstmis vorig jaar: zij en Bry op het strand bij Old Hunstanton. Bry die gelukkig probeerde te zijn, maar de weg kwijt was door de drugs en de drank, geforceerd glimlachend om haar gelukkig te maken. Er was een nieuw paviljoen op het strand en dat was op kerstochtend geopend voor thee en koffie. Sneeuw op het zand, de zee zo groen als Bry's ogen en de schaduw van Neil die wegrende van de camera. Zij drieën, met Andy in de Crane, terwijl hij vanuit de bar een oogje hield op de kalkoen.

En een nieuwe foto. Een geheime foto.

Hij had op het nachtkastje gelegen, in het gebedenboek dat hij haar had gegeven. Een kiekje van hem in zwembroek op een strand. Zij met haar hand voor haar mond geslagen. Ze had recht op geluk, net als iedereen. Ze zette de foto op het nachtkastje naast het bedlampje dat ze samen hadden aangedaan. En ze hadden gebeden voor Bry's ziel. Ze hadden zelfs niet aan de toekomst gedacht. Ook dat zou een zonde zijn geweest.

Ze onderbrak haar gedachtegang. Ze kon de wasmachines nog steeds horen. Neil en Andy deelden het appartement boven de wasserette.

Maar Andy was op het politiebureau en zou daar de hele nacht blijven. Neil sliep diep en zou niet wakker worden van het geluid, tenzij hij de trillingen opving. Ze zou tot morgen wachten. Toen dacht ze erover te gaan slapen, in dit bed, hun bed, en besloot dat ze de machines nu wél kon verdragen.

De vrouwelijke agent op de stoep had zich teruggetrokken in de patrouillewagen die op de T-splitsing stond en het verkeer tegenhield; het vage kwebbelen van de radio was net hoorbaar. Toen Ally opkeek zag ze een heldere nachtlucht, de maan die al onderging boven het abattoir. Ze stak de sleutel in het slot van de wasserette en draaide hem om, maar de deur ging niet open. Ze draaide hem terug en toen lukte het. Ze had hem niet op slot gedaan.

Binnen keerde ze zich met haar rug naar de deur en keek naar het midden van de wasserette.

'O god,' zei ze en ze dacht dat ze nu in huilen zou uitbarsten. Een van de wasmachines was defect geraakt en er lag een plas water voor, papperig wasmiddel. Ze pakte een plastic wasmand, liet zich op haar knieën in het water zakken, deed de klep open en trok de inhoud naar buiten.

Er zat een zware werkoverall in, vol rode vlekken. Toen ze de stof tegen haar neus drukte, rook ze de onmiskenbare geur van bloed, ijzerachtig, bijtend. Ze zocht het naamplaatje in de kraag.

'O god,' zei ze. 'Nee.'

11

VIJFENDERTIG KILOMETER NOORDELIJKER, GEMETEN in zeemeeuwvlucht, lag Peter Shaw in het koele zand van Old Hunstanton en keek naar de ondergaande maan. Ondanks het tijdstip, drie uur 's nachts, brandden er nog kleine vuren langs de vloedlijn, restanten van de surfers die wakker waren gebleven om de nieuwe dag te zien aanbreken en te genieten van wat wel eens de laatste nacht van de nazomer zou kunnen zijn. Golfjes kabbelden over de richels in het strand en veroorzaakten het enige nachtelijke geluid, een ritmisch fluisteren. Fran had voor het café een kuil in het zand gemaakt en daar zat hij nu in, met een strandlaken om zich heen terwijl zijn huid droogde na een zwempartij.

Lena zwom vijftig meter van het strand; het rijzen en dalen van haar armen werkte hypnotiserend. Toen hij thuiskwam was ze nog op geweest, in een stoel op de veranda; ze had niet kunnen slapen door de warmte. Hij zag haar uit het water komen: zwarte huid, witte bikini, slank en stevig, haar ene voet recht voor de andere zettend alsof ze een rechte lijn in het zand volgde. Ze haalde een handdoek uit het café en ging zitten, zodat hun heupen en schouders elkaar raakten. Ze begroef haar tenen in het zand. 'We hebben aardig wat verdiend,' zei ze. Ze had bruine ogen, permanent half geloken, en loenste met haar linkeroog. 'Vijftienhonderd pond in de winkel, en duizend in het café.'

Shaw floot en legde een arm om haar middel. Er lag een naslagwerk op zijn knieën – *1001 schilderijen in het Louvre* – opengeslagen bij Patigno's *Het wonder in Kana*. Een van de vele redenen waarom hij niet de volmaakte rechercheur was, was deze obsessie met overduidelijk toevallige details. Maar, zo stelde hij zichzelf gerust, het was zijn eigen vrije tijd en als hij die wilde verspillen mocht dat. Hij ging in elk geval niet slapen. Hij was gaan zwemmen om de dag van zich af te spoelen, maar het had hem alleen maar voorbereid op de volgende. Hij hield het boek opengeslagen op zijn knieën; de hypnotiserende geur van kwaliteitspapier was bijna even verleidelijk als de geur van de zee.

De kopie van Liam Kennedy op de muur van de Sacred Heart of Mary was getrouw aan het origineel – althans in de hoek die hij voltooid had – op één detail na. Een kleine weglating in het memento mori.

Lena kuste zijn nek terwijl hij het boek sloot, maar toen haalde hij er een knipsel uit dat hij tussen de pagina's van het register had gevonden.

'Ik heb dit gevonden,' zei hij, in het besef dat hij het moment had laten voorbijgaan.

Het was een knipsel uit een *Lynn News* uit 1997. Van 22 juli.

Een ongeluk aan de rand van de stad. Een Mini was op een verlaten T-splitsing op een Ford Mondeo gebotst. De bestuurder van de Ford, een vrouw van vijfenveertig, had het overleefd, maar de twee andere inzittenden, beide boven de zeventig, waren ter plekke gestorven. Uit de opnamen van een bewakingscamera bleek duidelijk – aldus het artikel – dat de Mini door rood was gereden. Ze waren uitgestapt om de gemangelde Ford te inspecteren; drie tieners met honkbalpetten, hun auto met de zijkant naar de camera gekeerd. Volgens de politie bleek uit de opnamen dat de bestuurder nog leefde. Haar voorhoofd lag op het stuur en rolde heen en weer. Een van de passagiers achterin bonkte met zijn hand op de achterruit. Toen reed de Mini weg. Het duurde bijna vijfendertig minuten voordat er een andere auto langsreed en de hulpdiensten waarschuwde, vijfendertig minuten waarin beide passagiers waren gestorven.

Het was precies het soort misdrijf dat volgens Lena je kijk op de wereld bedierf. Precies het soort misdaad waarvan ze niets wilde weten, niet meer. Ze vouwde het knipsel op en gaf het hem terug. 'Fijne mensen. Misschien hebben ze ervoor geboet; we zullen het nooit weten. Ik wil het niet weten.'

Maar Shaw wilde het wél weten. Het was iets wat hij bijna onverdraaglijk vond: een onbeantwoorde vraag, een puzzel zonder oplossing. Lena wist dat het een van de dingen was die hem politieman maakten.

'De datum,' zei hij.

Ze knikte. 'Ik weet het. Een paar dagen voor de dag die we schijnbaar maar niet kunnen vergeten.'

Ze keek naar de zee, geïrriteerd – boos – dat een bijna volmaakte dag zo was geëindigd.

Ze waren beiden op de hoogte van de laatste zaak van zijn vader: de moord op de negen jaar oude Jonathan Tessier op 25 juli 1997 – drie dagen na dit fatale auto-ongeluk. De zaak waardoor zijn vader met pensioen was gestuurd, gebukt onder het afschuwelijke etiket 'corrupte diender'. De zaak waardoor George Valentine tot brigadier was gedegradeerd en naar de kust verbannen.

Shaw hield het knipsel losjes in zijn hand. Lena keek naar de zee, haar armen om zich heen geslagen.

'Tom Hadden heeft het forensisch materiaal van Tessier opnieuw bekeken. Herinner je je nog dat er kleine verfspatjes op zijn voetbalshirt zaten? We hebben ze in verband kunnen brengen met de fabriek waar enkele maten van Mosse werkten. Maar er zat nóg een verfvlek op het voetbalshirt dat de jongen aanhad toen hij stierf – en die vlek was anders. Afgeschuind, als door een klap. Grijsblauw. Daar is tijdens het oorspronkelijke onderzoek nooit naar gekeken. Ik heb Timber Woods van het archief alle automisdrijven in de maand vóór de moord laten natrekken. De auto die bij deze fatale botsing betrokken was,' – hij zwaaide met het knipsel – 'was zilverkleurig, maar op het portier en de achterklep van de andere auto, de Mini, zaten lakschilfers van de andere auto. Grijsblauw. Niet zomaar grijsblauw... zééblauw. Van een merk dat in de jaren tachtig veel werd gebruikt.'

Hij wapperde met het knipsel. Lena keek uit over zee. 'Véél,' legde ze de zwakke plek in zijn logica onbarmhartig bloot.

Maar ze was in een val gelopen. 'Tom heeft een massaspectroscoopanalyse van de lak gedaan en deze lak is geproduceerd voor dit specifieke model Mini door British Leyland in Longbridge in 1991. Dat komt neer op zo'n achtduizend auto's, waarvan de meeste geëxporteerd werden. Dat is heel weinig, Lena. Stel je eens voor: achtduizend op de hele wereld. Hoe groot is de kans dat die lakschilfer niét van de Mini afkomstig is?'

Hij wachtte de reactie van zijn vrouw niet af en keek naar de brekende golven. 'Dus... een stel tieners die betrokken zijn bij een fatale botsing gaan ervandoor. We weten dat Mosse bij zo'n bende zat. Nog geen week later vinden we Tessiers lichaam onder de flat in Westmead... met een lakschilfer van de Mini op zijn kleren.'

Lena keek haar man aan. Het maakte haar altijd weer neerslachtig dat hun leven zo overschaduwd leek te worden door die andere wereld.

'Zo is het gegaan,' zei hij en hij stak beide handen gefrustreerd in de lucht. 'Ze weten dat er een camera op dat kruispunt staat. Ze vermoedden waarschijnlijk dat je het kenteken niet via de video-opname kunt achterhalen, en ze hadden gelijk. Maar ze zitten met een linke auto, een tweekleurige Mini met een gekreukt spatscherm. Dus brengen ze de Mini terug naar Westmead, naar een van de garageboxen, denk ik... Daar zijn er tientallen van. Ze spuiten de auto over. Tessier is aan het voetballen, hij rent weg om een bal op te halen, verliest zijn belangstelling, misschien kan hij hem niet vinden. Hij loopt door, naar het gemeenschapshuis en daarna naar de garageboxen. Hij stuit op hen, op de een of andere manier, ik weet niet hoe. Maar hij betaalt ervoor met zijn leven.'

Ze lachte zonder een greintje humor. 'En jij denkt dat dat hout snijdt?' Toen Shaw Lena in Brixton leerde kennen, werkte hij bij New Scotland Yard. Ze wist waarschijnlijk meer over straatcriminaliteit dan hij. 'Waarom zou je een jochie van negen jaar vermoorden omdat hij gezien heeft dat je een auto overspuit? Ze wisten waar hij woonde. Dreigementen, verzacht door een briefje van vijf pond, zouden genoeg geweest zijn. Waarom zou het zien van een Mini die werd overgespoten de jongen zijn bijgebleven? Je zult iets beters moeten verzinnen, Peter. Max lust je rauw.'

Shaw haakte een enkel om de hare.

'Heb je het met George besproken?' vroeg ze.

'Nee. Ik kan het niet. Ik weet niet waarom.'

Ze legde haar hoofd in haar nek. 'Hij is een zuiplap, bijna een alcoholist, een nicotineverslaafde met een afkeer van lichaamsbeweging en een zwakke blaas, die alleen staat. Jij bent getrouwd, hebt een dochter, bent verslaafd aan lichaamsbeweging, hebt een afkeer van sigaretten en blijkbaar geen blaas nodig. Ik heb je wel eens een glas Guinness zien drinken, maar nooit twee. En jullie kunnen niet met elkaar overweg? Wat een verrassing, hè?' Ze wreef over het zout op haar wang en kreeg opeens behoefte aan een douche. 'En nu we het er toch over hebben: je vader. George kende hem beter dan jij. Hij mag dan grof zijn, hij heeft hem beter gekend dan jij hem ooit zult kennen.'

'Ik vertrouw hem niet,' zei Shaw terwijl hij probeerde te verdringen hoe wreed het was dat ze daarop wees. Hij werd achtervolgd door de simpele vraag: waren Jack Shaw en George Valentine gewoon ouderwetse dienders die de regels soepel toepasten of waren ze ouderwetse corrupte dienders? Hij was er inmiddels zeker van dat Robert Mosse betrokken was geweest bij de moord op Jonathan Tessier, maar hij besefte dat diens schuld niet per definitie betekende dat zijn vader en George Valentine het verdachte bewijsmateriaal niet hadden gemanipuleerd of zelf neergelegd.

Lena stond op en veegde het zand van haar huid. 'Je vertrouwt hem niet omdat je nog steeds denkt dat de mogelijkheid bestaat dat hij en Jack die handschoen daar zelf hebben neergelegd. Dat zou betekenen dat het enthousiasme van George voor het heropenen van de zaak gewoon een dekmantel is voor zijn eerdere oneerlijkheid. Wat betekent dat je Jack evenmin vertrouwt... vertrouwde. Wie vertrouw je eigenlijk wel?'

Shaw kneep zijn ogen half dicht en keek naar een licht op zee. 'Ik wil gewoon bewijs.'

Lena strekte haar vingers en maakte twee vogelpootjes van haar handen. Shaw merkte dat ze moeite had om zich in te houden. 'Oké. Als je dan eens iets deed, het afmaakte? En als je dat niet kunt, Peter, laten we dan eens zien of we zonder kunnen.'

Ze deed een stap naar voren en keek uit over zee. 'Robert Mosse is waarschijnlijk tamelijk eenvoudig te vinden, maar waar zijn de drie andere jongelui gebleven die jij en George hebben geïdentificeerd als leden van die bende?'

'Het zijn geen jongelui.'

'Toen wel.'

Shaw kneedde de spieren in zijn nek. Hij had het zo al geprobeerd, had geprobeerd hen op te sporen op de weinige momenten waarop George Valentine niet in de buurt was. En alles wat hij gevonden had, waren drie doodlopende wegen.

'Een van hen is geëmigreerd, twee jaar na de moord. Nieuw-Zeeland. Een andere is een kleine crimineel geworden, ergens in de East Midlands. Maar tegenwoordig zit hij in een psychiatrische inrichting. De leider – nou ja, de oudste – werd coureur, automonteur. Hij dook op in 1991, rijden onder invloed. Kwam ervanaf met een voorwaardelijke straf toen de rechter hoorde dat hij de kost verdient met autorijden. Gescheiden, een kind. Sindsdien heeft hij een onberispelijk leven geleid en lijkt hij een modelburger.' Hij stond op, schopte in het zand. Hij haalde zijn pieper van de reddingsbrigade uit zijn zak, checkte het signaal en de accu – een klein ritueel voor het slapengaan. 'En hij heeft een vaste baan. Al is het dan een merkwaardige baan,' voegde hij eraan toe. 'Een tikkeltje macaber: hij bestuurt een lijkwagen.'

12

MAANDAG 6 SEPTEMBER

DE RO-PLOEG HAD HET maandagochtendgevoel, dus toen de voorman, Joe Beadle, het deksel van het mangat optilde, bracht de stank van de lucht die ze dadelijk zouden inademen hen aan het kokhalzen. Het was altijd erg bij warm, droog weer. De riolering, die het regenwater van de straten afvoerde naar zee, was bijna leeg en alles daarbeneden wat niet beneden hoorde te zijn had tussen de getijden door tijd om te rotten. En de ratten liepen het rioleringssysteem in en uit, hele stromen, achter een spookachtige rattenvanger aan.

Het werk van de ploeg bestond in rioolonderhoud – RO. Ze maakten de rioolbuizen schoon, inspecteerde de bakstenen gewelven op scheuren en verzakkingen en maakten de roosters schoon die voorkwamen dat er te grote dingen vanuit zee in de riolen terechtkwamen. Er lag dertig kilometer riolering onder Lynn, grotendeels daterend uit de middeleeuwen. Ze hadden dus een baan voor het leven, de drie mannen, en ze klaagden alleen tegen elkaar, want het betaalde goed en ze brachten de helft van de tijd door met theedrinken of bij de eettent bij de havenpoort. En ze regelden zelf hun werktijden, omdat ze tussen de getijden moesten werken, wat de reden was waarom ze nu hier waren, even over zes.

Trance, het joch dat ze een jaar geleden via een uitzendbureau hadden aangenomen, ritste zijn overall dicht. Het had niet lang geduurd voordat ze doorhadden waar hij zijn bijnaam aan te danken had: hij leefde in een eigen wereld, achter glazige ogen, en zijn lippen bewogen vaak als hij in zichzelf praatte.

Maar hij was jong – net zeventien – en ze hadden een loopjongen nodig, en iemand om de smalle gangen in te sturen. Trance keek nog één keer om naar de smalle straat waarin ze stonden, vol gesloten winkels, liet zich behendig in het mangat zakken en zocht met zijn werkschoenen naar de metalen sporten van de ladder. Toen liet hij zich vallen en ze hoorden een plons, maar geen doffe klap, niets wat op diepte wees. Beadle klapte één keer in zijn handen. 'Goed gedaan, jochie.' Hij richtte zich tot Freeman, die zwart was, maar het leven onder de grond had zijn huid van zijn zonnige glans beroofd, zodat hij er grauw uitzag, als een dode vis. 'Nu jij.'

Beadle, als laatste, trok het deksel dicht en ze stonden in het donker tot de zaklampen aangingen. Toen waren ze in hún wereld en ondanks de stank voelden ze zich beter. Trance floot, raapte afval op met een knijper aan een stok en stopte het in een zwarte vuilniszak. Ze liepen stevig door en Freeman inspecteerde de gewelfde bakstenen tunnel op sporen van scheuren, vinkte hokjes aan op een klembord dat aan een sleutelkoord aan zijn riem hing. Beadle checkte een kaart in een hoes van cellofaan. De tunnel waarin ze zich bevonden was victoriaans en liep bijna vierhonderd meter parallel aan de kade. Boven hun hoofden voelden ze het vroege spitsverkeer, een inwendig rommelen waardoor hun ingewanden trilden. Door het midden van de tunnel liep een dun straaltje water, maar de rest was droog en de bakstenen waren gevlekt en gebleekt door het dagelijks binnenstromende zoute zeewater.

Beadle keek op zijn horloge: vier over zes in de ochtend. Ze hadden twee uur de tijd om het rooster aan het eind van de Purfleet te bereiken en terug te keren voordat het zeewater kwam opzetten en de riolering binnenstroomde. Daarna moesten ze een tunnel onder het park inspecteren en dan konden ze afnokken, een hap eten en rond het begin van de middag thuis zijn.

De zaklamp van Trance wierp zijn lichtbundel recht naar voren, niet sterk genoeg om de scherpe bocht verderop te bereiken. De ratten bewogen zich altijd griezelig aan de rand van het licht, een vage, schemerige beweging, die zich terugtrokken als de mannen dichterbij kwamen. Maar het geluid was er als je goed luisterde: een vraatzuchtig, hoog koor, net binnen de gehoorgrens. Trance gebruikte de opraapstok om een paar dode ratten in de zak te stoppen, een supermarkttas en flarden van een joggingpak. Ze sjokten door, allemaal rokend nu, en de bocht in de tunnel werd zichtbaar, een rechte hoek van gewelfde bakstenen. Ze hergroepeerden zich en Beadle schonk koffie in – zwart, aangezien de melk 's zomers altijd schiftte en de scherpe, onvermengde cafeïne de smaak van zout op hun lippen hielp verdrijven.

Nu ze bij de haakse bocht waren konden ze het vloedrooster zien, een volmaakte halve maan in dezelfde vorm als de tunnel, en daarachter het bleke schijnsel van daglicht in het kanaal van de Purfleet. Maar het was geen perfect raster, dat was het nooit, want het getij voerde rommel mee die in het metalen traliewerk bleef steken, zodat de kleine vierkanten van licht vaak vertroebeld waren. Op een dag hadden ze het rottende karkas van een hond tegen het rooster gevonden, en er waren matrassen geweest en vissersboeien en het vlees van een reuzenhaai. Jessop, de opzichter in het depot, had in de jaren zeventig bij de RO-ploeg gewerkt, en hij had eens verteld dat er een kustvaarder in de Wash aan de grond was gelopen en dat de lading alle roosters langs de Cut had verstopt – slipjes, beha's, pikante dingen. Maar zo veel mazzel hadden zij nooit gehad.

Ze sjokten verder en de ratten vluchtten de tunnels in die naar het hoofdriool leidden, maakten plaats voor de krabben die uit de modder van de Purfleet kropen. Dit was het ergste stuk voor de ploeg en de belangrijkste reden waarom ze zware werkschoenen droegen, zodat het, als de schalen bij elke stap braken, niet meteen aanvoelde als moord. Maar ondanks dat meden ze de grotere exemplaren: dertig centimeter grote, groene strandkrabben die een merkwaardig, roffelend geluid maakten als ze voortscharrelden en hun dekschilden over de bakstenen vloer schommelden. Trance begon te zingen, iets toonloos en boos. Beadle rookte als een bezetene en kalkte een teken op de muur als bewijs dat ze hier geweest waren.

Trance waadde door de klikkende, happende krabben tot ze zes meter van het rooster waren. Maar het was Freeman die hen erop wees. 'Nou,' zei hij terwijl hij de bandana losmaakte die hij altijd om zijn nek droeg. 'Het moest er een keer van komen.'

Bijna precies in het midden van de halve cirkel van het rooster hing een menselijk lichaam, met gespreide armen en benen als een parachutist, achtergelaten door het getij.

'Godver,' zei Beadle en hij tastte naar zijn mobiele telefoon. Hij keek om zich heen en vouwde een kaart open. Ze schuifelden verder om het beter te kunnen bekijken. Het was een man, in joggingbroek en een T-shirt dat hem te groot leek. Zijn gezicht was tegen het rooster gedrukt en het toeval wilde dat zijn mond een van de open vierkanten vulde, zodat ze tanden konden zien en een donkere keelholte, maar de lippen waren kleurloos. Hij hing daar omdat hij iets om zijn pols had, een soort polsband, wit, sterk en vastzittend aan een van de metalen randen. Een van zijn benen stak door het rooster; het was onder de knie gebroken, zodat het witte bot zichtbaar was, maar ook hier was het vlees kleurloos, zelfs waar spieren en vlees blootlagen.

'Griezelig,' zei Trance en hij glimlachte breed toen hij zich voorstelde hoe hij het die avond in de Globe aan zijn maten zou vertellen.

Maar eigenlijk zagen ze niet echt veel, want het lichaam hing tegen het licht, een silhouet tegen het verblindende licht erachter nu de zon was opgekomen en terugkaatste van het water. Buiten, op de kade in de verte, hoorden ze de geluiden van alledag: een autoalarm, meeuwen, zachte achtergrondmuziek.

'Waarom beweegt het?' vroeg Beadle. Hij deed een stap terug, bleef met zijn hiel haken en viel. Het was een nachtmerrie, daarbeneden tussen de krabben te zijn, hun schalen en hun poten te voelen en geen hand op de bakstenen vloer te kunnen zetten. Hij voelde zich idioot, maar hij gilde en bleef gillen, tot Freeman en Trance hem lachend aan een arm overeind trokken.

Toen keken ze allemaal opnieuw. En inderdaad, het bewoog doordat de krabben zich aan de huid hadden gehecht toen het water daalde en daar nu gestrand waren, zij het dat er elke paar seconden een paar af vielen. Het was net als toen ze jong waren en ze bedorven spek over de rand van de kade hingen en wachtten tot de krabben het vastpakten, maar als je het spek dan uit het water trok, raakte je er altijd een paar kwijt; ze vielen eraf en plonsden in het water.

Er waren zo veel krabben die zich hadden vastgeklampt, dat de randen van het silhouet bewogen tegen het licht, alsof het een animatietekening was, die beefde in het licht.

Toen brak de polsband, het lichaam zwaaide naar links en naar buiten, omlaag in de modder. Er bleven enkele krabben achter op het rooster, als een schets op de plaats van een moord, een surrealistische bevestiging dat ze echt gezien hadden wat ze gezien hadden.

Freeman schopte een krab de lucht in, zodat hij krakend tegen de muur sloeg. Maar Trance waadde naar voren, want hij had de polsband zien vallen. Hij raapte hem op… en zag dat er drie letters op stonden.

MVR.

13

BRIGADIER ERNEST 'TIMBER' WOODS had George Valentine gevraagd hem een boterham met spek te brengen in de archiefruimte. Hij had in de jaren zeventig samengewerkt met Valentine en Jack Shaw. Maar Timber had nooit hun niveau gehaald: hij kon nog niet eens kouvatten zonder geüniformeerde assistentie. Hij was met vervroegd pensioen gegaan en had een luizenbaantje gekregen om zijn dominoavondjes in de sociëteit te bekostigen – hij had dienst van zes tot twaalf. West Norfolk moest geld van de overheid lospeuteren om alle dossiers van het korps te digitaliseren. Alles van voor 1995 stond nog steeds op papier. Daarom hadden ze Woods nodig en de stoffige archiefdozen die het oude kruitmagazijn onder St James's vulden – een onder monumentenzorg vallend overblijfsel van de kazerne die daar had gestaan voordat de stadsmuren waren gesloopt om plaats te maken voor het hoofdbureau van politie.

Valentine had twee uur aan zijn bureau geslapen, met zijn voeten omhoog, en was toen naar het busstation gegaan om te ontbijten. Hij had thee, een portie toast en in aluminiumfolie gewikkelde reuzel meegebracht voor Woods.

'Vermist persoon, zei je?' vroeg Woods terwijl hij zich uit de stalen bureaustoel hees die ze hem hadden gegeven. De man was gebouwd als een leunstoel en liep als een visser, met deinende schouders.

'Niet mijn zaak, Timber, maar ik denk dat Jack erbij betrokken was. En Erebus Street... Ik ken dat adres.' Valentine liep achter Timber aan en de paden tussen de rekken openden zich aan weerszijden. Het vertrek zelf was zo lang als een metrorijtuig, met een door spotjes verlicht tongewelf van mooie bakstenen en zijbeuken van een meter of negen diep. Het was er even stil als vroeger in bibliotheken, voordat rijen computers voor een gerammel van toetsenborden zorgden.

'Het moet begin jaren negentig zijn geweest,' zei Valentine. 'Voordat Jack en ik partners werden, dat weet ik in elk geval. En dat was in vierennegentig. Ik was al inspecteur – dus na eenennegentig.'

Woods bleef staan. 'Goed, er is een dossier voor elk jaar: vermiste personen op alfabetische volgorde.' Hij tikte op een groot etiket in een metalen frame. 'Dit is 1990 – ga die kant op verder,' voegde hij eraan toe, naar de andere kant van het vertrek wijzend. 'Ik ga eten,' zei hij terwijl hij weg hobbelde.

Valentine wist niet of hij de naam zou herkennen, maar hij hield van gissen, zeker als hij zó moe was. Het was net gokken, alleen niet zo opwindend. 1990, van Brent tot Wynch, leverde niets op. 1991 evenmin. Hij bereikte de onderkant van de lijst over 1992 toen hij besefte dat zijn concentratie weg was. Hij kneep met twee vingers in zijn neus en las opnieuw. En daar stond het: JUDD, N.J.

'Zo zo,' zei hij, en de adrenaline stroomde door zijn bloed. 'Familiegeheimen.'

Aan de hand van de code vond hij de doos. Aan het eind van de gang stonden een tafel en een stoel. Hij legde zijn pakje Silk Cut erop, met zijn aansteker ernaast, en opende de map in de doos op de eerste pagina, een getypte tekst van één regel:

Met het onderzoek belast: hoofdinspecteur Jack Shaw.

Hij had er een uur voor nodig om het dossier te lezen: tweeëndertig pagina's, inclusief een forensisch verslag van Binnenlandse Zaken. Toen hij klaar was gaf hij het zonder commentaar weer aan Timber Woods, vroeg alleen maar om een kopie van de aantekeningen en vergrotingen van alle foto's, en ging toen met de lift naar de kantine, die om zeven uur openging. Hij bestelde een Engels ontbijt en een kop thee, begon methodisch te eten en zette intussen alles wat hij had opgestoken op een rijtje. Daarna ging hij naar het platform van de brandtrap, stak de lang uitgestelde Silk Cut op en repeteerde het hele verhaal van Norma Jean Judd terwijl de nicotine begon te werken, zodat zijn hart sneller klopte en zijn blik plotseling scherper werd. In gedachten stelde hij een resumé op van wat hij tegen Shaw zou zeggen.

Norma Jean Judd was vijftien toen ze verdween, vijftien jaar en negen maanden. Haar woonadres was Erebus Street 14, het huis waar haar tweelingbroer tot aan zijn gewelddadige dood had gewoond, samen met zijn vrouw Ally. Norma Jean was voor het laatst in leven gezien in 1992. Ze zat op het Lynn Community College en volgde een kappersopleiding – praktijkniveau 2. Ze was van tien uur die ochtend tot kwart voor vier 's middags bij kapsalon Fringe Benefits geweest. Volgens collega's was ze altijd netjes, plichtsgetrouw en beleefd geweest. Die dag echter was ze ongewoon stil geweest, dat was de laatste weken steeds vaker voorgekomen. Ze had uitgelegd dat ze zich zorgen maakte over haar examens. Ze was te voet naar huis gegaan. Een buurman had haar om halfvijf in Erebus Street zien praten met een andere buurman, een zekere Jan Orzsak. De getuige zei dat ze met stemverheffing hadden gesproken en dat Norma Jean van streek leek te zijn door de ontmoeting. Ze rende naar huis en was sindsdien alleen door haar familie gezien. Om thuis te komen moest ze de wasserette passeren waar haar moeder – Marie – werkte. Haar vader, Andy, zat na afloop van zijn ploegendienst in de haven voor de Crane, aan een van de tafels die op het trottoir waren gezet. De poort bood indertijd nog rechtstreeks toegang tot de kades. Hij zag dat ze van streek was en volgde haar naar binnen.

Het was geen vrolijk gezin. Het probleem was Norma Jean: aantrekkelijk, vroegrijp, onafhankelijk en vier maanden zwanger. De vader was Ben Ruddle van Erebus Street nummer 14. Hij was indertijd negentien en zat in een centrum voor jonge criminelen bij Boston, in afwachting van zijn berechting wegens inbraak. Andy Judd wilde dat ze de baby hield. Marie, de moeder, wilde dat ze abortus zou laten plegen. Het dossier bevatte een korte aantekening van de arts van Norma Jean. Het bevestigde dat een andere huisarts was verzocht het zaakdossier te bekijken, aangezien de patiënt op 1 september een verzoek had ingediend om zwangerschapsbeëindiging op grond van de abortuswet uit 1967, gezien de schade die het zou toebrengen aan de geestelijke gezondheid van de moeder.

In zijn verklaring tegenover de politie had Andy Judd verteld dat hij naar huis was gegaan, Norma Jean huilend had aangetroffen op haar bed en haar had getroost. Norma Jean zei – volgens haar vader – dat ze van streek was en niet wist wat ze met het kind moest doen. Andy zei dat hij het bad had laten vollopen omdat hij en zijn vrouw die avond uit wilden gaan naar St Luke's, de katholieke sociëteit in de naburige Roseberry Street. Toen hij in de badkamer was had hij Norma Jean de trap af horen lopen; hij zei dat hij aannam dat ze een kop thee ging zetten. Maar toen hij beneden kwam zag hij dat ze weg was en dat de achterdeur naar de tuin die ze deelden met de wasserette openstond.

In haar verklaring die avond tegenover hoofdinspecteur Jack Shaw bevestigde Marie Judd de versie van de gebeurtenissen van haar echtgenoot. Ze had gezegd dat ze Norma Jean rond vijf uur door de tuin had zien lopen. Het moest voor die tijd zijn geweest, want een van haar vriendinnen was de wasserette binnengekomen om naar het lokale weerbericht op de radio te luisteren. Dat wilden ze alle twee horen omdat ze van plan waren de dag daarop, een zondag, naar het strand bij Heacham te gaan.

Andy Judd ging terug naar de Crane. De waard zei dat hij er zeker van was dat Andy er om halfzes weer was. Het was de moeder die alarm sloeg toen ze thuiskwam om zich klaar te maken om om halfacht uit te gaan. Er was geen spoor van haar dochter. Ze belde vrienden, haalde haar man uit de pub en deed navraag bij de buren. Om halftien belden ze de politie.

De hoofdverdachte was Jan Orzsak. Leeftijd achtenveertig jaar. Monteur. Van Poolse afkomst. Een vrijgezel wiens moeder twee jaar tevoren was gestorven. Toen ze veel jonger was had hij vriendschap gesloten met Norma Jean en enkele andere kinderen in de straat. Ze gingen naar zijn huis om naar zijn tropische vissen te kijken. Orzsak zei dat hij Norma Jean had gevraagd zijn vissen te voeren terwijl hij in het buitenland was in verband met een klus voor het bedrijf waar hij werkte, in Afrika, om een krachtcentrale te bouwen in een dorp bij Lagos. Toen hij weer thuiskwam waren de vissen dood. Ze was de sleutel kwijt die hij haar had gegeven. Hij gaf toe dat ze ruzie hadden gemaakt op straat. Orzsak zei dat hij alleen maar uitdrukking had gegeven aan zijn teleurstelling. De recherche had hem die eerste avond in hechtenis genomen terwijl er een uitgebreid buurtonderzoek werd ingesteld. De volgende ochtend werd hij zonder aanklacht vrijgelaten. Hoewel de steeg achter de huizen een verbinding vormde tussen de tuin van Norma Jean en het huis van Orzsak, waren er geen forensische aanwijzingen dat ze die avond in zijn huis was geweest.

Er werd nooit iets meer van haar vernomen.

Vervolgens had Jack Shaw de vader, Andy, naar St James's gehaald. Tijdens een nieuw verhoor gaf Marie Judd toe dat er ruzie was geweest over de baby. De kwestie had het gezin diep verdeeld. Marie Judd kwam uit een grote Ierse, katholieke familie. Ze had meegemaakt hoe haar eigen moeder afgeleefd was door het dragen van elf kinderen, drie jongens en acht meisjes. Haar overlijden op haar achtenvijftigste was een verlossing geweest uit bittere armoede. Ze had zich vast voorgenomen dat dat niet het lot van haar dochter zou worden. De vader van Marie, een geheelonthoudende medewerker op de salarisadministratie van een linnenfabriek in Dublin, had de grootte van zijn gezin beschouwd als het enige bewijs dat zijn leven geslaagd was. Andy, een even vroom parochiaan van de Sacred Heart als zijn vrouw, had nooit een bevalling aan den lijve ondervonden; hij beschouwde alle vormen van zwangerschapsonderbreking als kindermoord.

Het rechercheteam stelde zichzelf de voor de hand liggende vraag: had Andy die laatste avond ontdekt dat zijn dochter uiteindelijk had besloten het advies van haar moeder op te volgen? Was een ruzie uitgelopen op geweld?

Het zou niet de eerste keer zijn geweest. Andy Judd had een strafblad, vaak in verband met alcoholmisbruik. In 1984 was hij veroordeeld wegens geweldpleging – hij had een collega in de haven een klap met een lege melkfles gegeven na een ruzie over een kaartspel in een van de pubs in North End. In 1993 was hij drie keer voor de rechter verschenen in verband met drie aanklachten wegens ordeverstoring, alle drie in de Crane. Alle drie de keren had buitensporig alcoholgebruik zijn vermogen om degenen die hij te lijf ging serieus letsel toe te brengen verminderd. Hij was beboet en had een taakstraf gekregen. Meer dan één buurtbewoner was bereid te verklaren dat er ruzie was geweest bij de Judds, twee dagen voordat Norma Jean vermist werd: een gil, het breken van glas.

Maar ondanks een grondig onderzoek van het huis werden er geen aanwijzingen gevonden voor een stevig handgemeen, laat staan voor moord. Als hij zijn dochter had vermoord, waar had hij het lichaam dan gelaten in de paar minuten waarin hij in de gelegenheid was geweest zijn sporen uit te wissen? En dan was er nog het ooggetuigenverslag van Marie Judd, die gezien had dat Norma Jean het huis verliet. Ze hield vol dat haar man niet in staat was hun dochter kwaad te doen en haar nooit had geslagen, ondanks de bittere ruzie over het ongeboren kind. Jack Shaw had haar geloofd, zij het dat altijd de verdenking zou blijven bestaan dat ze was overgehaald om te liegen om haar man te beschermen.

Als ze geen moordenaar konden vinden, was er misschien een andere mogelijkheid: was Norma Jean gewoon weggelopen? Ze had het met minstens één schoolvriendin over weglopen gehad. Maar diepgaand onderzoek bij bussen, treinen en de grote uitvalswegen van Lynn had niets opgeleverd. De Ierse politie, de Garda, had haar familie in Dublin bezocht om er zeker van te zijn dat ze niet de Ierse Zee was overgestoken. Het dossier met betrekking tot Norma Jean was bijna twee jaar opengebleven. Na een uitgebreide postercampagne in het oosten van Engeland was ze één keer gezien, in 1993, door een vrouw die een krantenkiosk dreef in Peterborough, waar ze de *Hello!* had gekocht. De *Hello!* was Norma Jeans favoriete blad. De vrouw zei dat ze er 'bijna zeker' van was dat het het meisje van het aanplakbiljet was. De politie van Lynn postte twee weken lang bij de kathedraal en er werden foto's uitgedeeld in de stad, maar ze was niet één keer meer gezien. Toen de getuige later werd nagetrokken, bleek dat haar eigen dochter sinds 1981 vermist werd. Ze had één kaart gekregen, vanuit Canterbury, dat ze zich geen zorgen hoefde te maken. Sindsdien was ze met tussenpozen behandeld wegens depressiviteit.

Valentine doofde zijn sigaret en gooide hem van de metalen brandtrap buiten de kantine, keek toe hoe hij vijf verdiepingen omlaag dwarrelde naar de parkeerplaats van St James's. Wat vertelde het verhaal van Norma Jean hem over de dode man – haar tweelingbroer Bryan? Wat vertelde het hem over het gezin Judd? Alleen, misschien, dat het een gezin was met een geheim en een vraag: als Norma Jean dood was, woonde haar moordenaar dan te midden van hen? Of slechts enkele deuren verderop?

Hij vroeg zich af hoeveel gezinnen zo veel wantrouwen konden verdragen, zo veel innerlijke spanningen, voordat het uiteenviel. En hij wist dat het antwoord 'niet een' was.

14

SHAW HAD ONRUSTIG GESLAPEN tot zes uur. Daarna had hij Lena in bed achtergelaten en was, genietend van de koele lucht, langs de vloedlijn naar de Land Rover gerend. Het team zou om zeven uur bijeenkomen in de commandocentrale in het Queen Vic. Hij had nog een uur. Hij dacht erover even te gaan zwemmen, maar één enkel beeld deed hem aarzelen: dat van de lichten die de avond tevoren uitgingen in de pastorie naast de Sacred Heart. Het gesprek met Liam Kennedy had hem onrustig gemaakt. Hij voelde dat Kennedy niet de hele waarheid had gesproken, sterker nog, dat hij een onbetrouwbare getuige was, iemand die het verschil tussen de realiteit en de wereld in zijn eigen hoofd niet eens zág. Hij wilde naar de parochiegeestelijke toe voordat die de kans kreeg om met de beheerder over de gebeurtenissen in Erebus Street te praten. Shaw sloot zijn blinde oog en masseerde het ooglid. Hij wilde twee beelden zien van Aidan Holme, niet één versmolten beeld.

Erebus zag er troosteloos uit in het licht van de dageraad. De geblakerde puinhopen van nummer 6 smeulden niet meer, het afval op straat was opgeruimd, de lantaarn voor de wasserette, door de stroomstoring ontregeld, flikkerde nu ondanks de laagstaande zon die opkwam boven het abattoir op de hoek. Shaw zocht zich een weg tussen de grafzerken op het kleine ommuurde kerkhof naar de voordeur van de pastorie, die locomotiefgroen was geschilderd en openstond.

Shaw riep naar binnen. In het licht dat door een deuropening viel zag hij stapels kranten, tijdschriften en etenswaren – Fanta-blikjes, witte bonen, tomatensoep – en rollen toiletpapier.

Hij kon een stem horen, de helft van een gesprek.

'Ja. Natuurlijk. Ik heb de polissen voor me liggen. Ja, ik zal bellen. Ik begrijp het...'

Shaw riep nogmaals. Er verscheen een hoofd om de deuropening. 'Komt u binnen – het duurt maar even.' De stem was hoog en had een accent, iets slissends wat duidde op Spanje, Portugal of Zuid-Amerika.

In de voorkamer stond een bureau met daarop een gedoofde olielamp, maar de geur van petroleum hing nog in het vertrek. De lantaarn was van koper met een ingelegd patroon en gekleurde glaspanelen. Het licht was afkomstig van een elektrische bureaulamp die, vermoedde Shaw, al sinds vóór de ochtendschemering brandde. Twee wanden vol boeken, een victoriaanse staande schemerlamp en een dressoir dat sinds het pausschap van Johannes Paulus II geen boenwas had gezien. Achter het bureau stond een priester, die met een vulpen een aantekening maakte op een notitieblok, in een doelgericht, zakelijk handschrift.

'Bedankt. Elk gebed is welkom,' zei hij. Hij schakelde zijn mobiel uit en stopte hem in een etui aan een leren riem. Shaw merkte dat de priester het telefoongesprek in gedachten de revue liet passeren.

'Ik ben pastoor Thiago,' zei hij terwijl hij trachtte zich te concentreren. 'TIE-AH-GO.' Hij beklemtoonde de lettergrepen, opdat Shaw het meteen goed zou weten.

Zijn huid was donker, zijn haar glansde en trok zich terug van een hoog, academisch voorhoofd. Shaw zag een gouden zegelring en ondanks zijn eenvoudige kleding – een wit linnen overhemd met priesterboord en een zwarte broek – zat er een gouden gesp op elk van zijn zwartleren schoenen. Hij was slank, een jaar of veertig en bewoog zich sierlijk en zelfverzekerd. Hij streek met zijn hand over zijn haren alsof hij een kat streelde.

'Thiago Martin,' voegde hij eraan toe.

Shaw toonde de priester zijn politiepas.

'De brand,' zei pastoor Martin en hij legde een hand voor zijn ogen. 'Dat was de bisschop. Er moet zo veel gebeuren. Verzekering – ik controleer juist onze polissen. Ik vrees dat we onze zaken niet helemaal op orde hebben.'

'Is er nog nieuws over de twee mannen in het pension?' vroeg Shaw.

Martin schudde zijn hoofd. 'En Bryan Judd dood, vermoord. Kan dat waar zijn? Er is geen naam genoemd op de radio.'

'Ja. Niets is in steen gegrift, pastoor,' zei Shaw. 'Maar we hebben een lichaam gevonden en Bryan wordt vermist.' Hij zweeg, liep naar een van de boekenkasten en trok er een band uit. 'De mannen in het pension, pastoor – Holme en Hendre. Holme is degene in wie ik speciaal geïnteresseerd ben, met name in zijn verstandhouding met Bryan Judd. Kent u Holme?'

Pastoor Martin ging zitten en hield beide handen voor zijn gezicht om een geeuw te verbergen. 'Aidan? Natuurlijk; hij is al enige tijd bij ons, hoewel het pension eigenlijk Liams domein is. Liam Kennedy, de beheerder. Ik moet een parochie leiden; we hebben geen tijd om elkaars taken over te doen. Liam is jong maar heel capabel.'

Shaw schrok er altijd weer van hoe zakelijk religie kon zijn. Hij had net zo goed de directeur van een klein afvalverwerkingsbedrijf kunnen verhoren, of van een bedrijf in dubbele beglazing. 'Ja. We hebben elkaar gesproken, gisteravond. Maar wat weet ú, pastoor?'

'Over Aidan? Wat zal ik zeggen? Een intelligent man die berouw heeft over zijn verleden. Was vroeger leraar, geloof ik. Wiskunde. Ik heb hem met Kerstmis gesproken, over hoe mooi wiskunde is – dat het een bewijs is van het bestaan van God. Al die orde vanuit chaos.'

Hij keek naar zijn handen. Op straat hoorden ze de klap van een balk die van het dak van het uitgebrande huis viel en in de kelder terechtkwam. De priester keek afwezig naar het raam.

'Hij gebruikte drugs, verkocht drugs, wist u dat?' vroeg Shaw, geïrriteerd door de korte preek van de priester.

'Ja. Maar Aidan streefde ernaar, had zich vast voorgenomen zelfs, zichzelf en zijn leven te beteren. Dat moedigden we aan. En we geloofden erin.'

Voordat Shaw opnieuw een vraag kon stellen ging de priester verder. 'Het was, en is, Liams verantwoordelijkheid om de mensen uit te kiezen aan wie hij het voorrecht van een kamer in het pension biedt. De meesten slapen in de kerk – we hebben daar een opvangcentrum. Ik heb het heel druk met de parochie, zoals ik al zei. Ik heb die taak altijd vol vertrouwen aan Liam overgedragen.'

Het viel Shaw op hoe behendig hij liet doorschemeren dat hij het in de toekomst wel eens met minder vertrouwen zou kunnen doen.

'Maar u moet bedenken dat bijna alle mensen die bij ons om hulp aankloppen een strafblad hebben.'

'Dus Holme is intelligent; verder nog iets?' vroeg Shaw. 'Hij was bang voor de dood, nietwaar? Waarom?'

Martin zocht naar de juiste woorden. 'Dat is geen ongewoon gevoel, toch, inspecteur? De angst dat juist wanneer we in het leven bereikt hebben wat we willen, het ons zal worden afgepakt. Aidan had zijn redding gezien. Hij was bezorgd, nee, hij was doodsbang dat die hem weer zou worden ontnomen. En het was niet alleen maar…' Hij zocht opnieuw naar een woord. '... psychisch. De drugs die hij had gebruikt, hadden sterke fysieke effecten. Angst bijvoorbeeld.'

'Juist ja. En Bryan Judd?'

'Hem ken ik minder goed. Zijn moeder is een paar jaar geleden overleden, voordat ik hier was. Ze was kennelijk een steun en toeverlaat geweest; mijn voorganger vond het een groot verlies. Marie, geloof ik. Het is een gebroken gezin. De vader nog het ergst. Maar hij is gelovig. Andrew. Wel een gekweld man.' Hij knikte in zichzelf, tevreden dat hij hun namen uit zijn geheugen had weten te vissen.

'En Bryan ... ?' vroeg Shaw.

'We kennen Alison, zijn vrouw.' Hij zweeg en Shaw voelde dat hij zichzelf in een lastig parket had gebracht. En het gebruik van het koninklijk meervoud begon te schuren.

'Waar kent u haar van?' vroeg hij.

De priester bevochtigde zijn lippen. 'Alison doet de was voor ons, en voor het pension en de kerk. En wat huishoudelijke dingen. Ze zingt ook, als we een koor bijeen kunnen krijgen.' Hij haalde zijn schouders op, in gedachten misschien nog steeds bij zijn gesprek met de bisschop. Shaw dacht aan de eerste keer dat ze Alison hadden gezien, zoals ze met een zwabber en een emmer uit het donker kwam. Hij vroeg zich af hoe efficiënt dat was, schoonmaken tijdens een stroomstoring.

'Maar Bryan?' vroeg hij, zich realiserend dat dit al de derde keer was dat hij het vroeg.

'Nee. Het spijt me ... Alleen maar een gezicht. Hij kwam in elk geval nooit naar de mis.'

'Het is mogelijk dat Aidan Holme iets te maken heeft met de dood van Bryan Judd,' zei Shaw.

Zwijgen was vast een grote deugd voor een priester, dacht Shaw. De pastoor keek Shaw strak aan. 'Hoe dan?'

'Te vroeg om te zeggen,' zei Shaw, die vond dat het nu zíjn beurt was om onvolledig te zijn.

Martin liep naar het bureau, schroefde de beker van een kleine metalen thermosfles en schonk die vol zwarte koffie. Het aroma in het muffe vertrek was intens exotisch. Hij liep naar het erkerraam en keek uit over straat.

'Ik ben teleurgesteld in de mensen hier; velen van hen kennen we, velen van hen komen hier naar de kerk. Dat ze zoiets doen ... brandstichten in het pension. Ze zeggen dat het Andrew Judd was...' Hij lachte, alsof het van een onmogelijke ironie was.

Shaw bestudeerde de muren. Er hing een ingelijste bul van de Universidade Federal do Paraná. En een ingelijste poster in een taal die hij niet herkende: een energieke, kleurrijke Christus, gewapend met een pistool, op een barricade in een straat; rode vaandels wapperden boven de menigte achter hem.

'Een meute,' zei Shaw terwijl hij de lijst betastte.

'Een kruistocht,' zei Martin met een blik op de afbeelding. Hij wees naar buiten. 'Dát was een meute.'

Shaw keek op zijn horloge; hij wilde door. Pastoor Martin ontspande zijn schouders bij het vooruitzicht dat hij met rust zou worden gelaten.

'U bent ver van huis, pastoor,' zei Shaw terwijl hij naar de hal liep.

'Ik ga waar ik nodig ben. In mijn eigen land ben ik niet nodig,' zei Martin, die hem volgde.

Shaw bleef staan en liet de stilte voortduren.

'Brazilië,' zei Martin ten slotte.

'Er zullen in Brazilië vast ook arme parochies zijn,' zei Shaw.

'Dat is zo, maar ik geloof dat Christus wil dat we voor de armen vechten, inspecteur. Vechten. Ik geloof dat Christus wil dat we de rijken omverwerpen en dat geld zondig is. Ooit was die theologie populair. Een revolutionaire theologie. Nu niet meer. Dus ga ik waar ze me nodig hebben.'

'En uw universitaire studie? Theologie of politicologie?'

Martin haalde diep adem. 'Medicijnen.'

'Hebben de armen geen dokter nodig?'

'Christus wilde dat ik dit zou doen,' zei hij en Shaw bedacht wat een zelfingenomen antwoord het was.

Hij had nog één vraag. 'En Neil Judd, de jongste. Hij lijkt me geen kerkganger.'

'Nee. Kerstmis... met zijn vader. Ze hangen aan elkaar. Volgens Ally is hij degene die het gezin bijeenhoudt. Dat is soms de rol van de jongste. Ik weet niet waarom.'

Shaw knikte verheugd en hij vroeg zich af of de priester zijn verspreking had opgemerkt: in plaats van het stijve, formele 'Alison' het familiaire 'Ally'.

15

SHAW STAPTE OPZIJ OM een van de ziekenhuiskarretjes te laten passeren. De elektromotor zwoegde en de bestuurder sloeg ritmisch met de muis van zijn hand op de claxon. Acht wagentjes, allemaal volgeladen met gele zakken, bestemd voor de verbrandingsoven. Hij hield zijn adem in om ervoor te zorgen dat hij geen spoor van de geur oppikte, en zag het treintje vijftig meter lang steeds kleiner worden terwijl het naar het hart van Niveau 1 schommelde, tot het scherp links afsloeg en verdween.

Hij keek naar het scherm van zijn mobiele telefoon. Hij had zojuist een kort gesprek gehad met Valentine, die hem met een vijftig woorden tellende samenvatting had bijgepraat over wat hij over de verdwijning van Norma Jean Judd te weten was gekomen. Was het relevant? Misschien. Maar ze hadden meer informatie nodig en hij had Valentine gevraagd de brigadier van Jack Shaw in die zaak, Wilf Jackson, op te sporen. Jackson was met pensioen en woonde in een bungalow aan de kust in Snettisham. Maar hij had een geheugen als een pot en had zich de zaak herinnerd alsof het gisteren was. Shaw had een specifieke vraag: waar was Bryan Judd geweest op de avond waarop zijn zus in 1992 werd vermist? En Neil, de jongste? Valentine moest naar de kust gaan, het verhaal uitzoeken en terug zijn voor de teambespreking om halfelf.

De commandocentrale was bij Kruising 24. Shaw duwde een dubbele deur open met het opschrift 'BIOMECHATRONICA: OPSLAG'.

Hij genoot altijd van dit moment aan het begin van een moordonderzoek: de plotselinge duik in een vertrek vol geconcentreerde energie. Agent Twine, de afgestudeerde hoogvlieger, had die nacht grondig werk verricht en een indrukwekkende commandocentrale opgezet. Zes computers tegen een van de wanden waren al online en op alle schermen flikkerde het korpsembleem. De rest van het vertrek werd in beslag genomen door drie groepen bureaus, een thee- en koffieautomaat, een fax, twee fotokopieerapparaten en drie schakelpanelen aan de muur tegenover de computers. Er waren al een stuk of zes rechercheurs aanwezig, van wie de meeste zich bezighielden met het zich toedienen van de eerste cafeïnestoot van de dag.

De oorspronkelijke inrichting van het vertrek – een reeks metalen rekken met protheses – was tegen een van de muren geschoven. Shaw zag rijen armen, onderbenen, op klauwen lijkende handen en voeten; in plastic dozen verpakte protheses met roze kunsthuid, een wirwar van kabels en katrollen, oogbollen en -kassen in ziekelijk wit en perspex. En een rek met stokken en krukken, sommige van metaal, maar vele van versleten hout. Tegen de muur stond een glazen kast met vakjes als in een postkamer. Op elk ervan lag, op watten, een glazen oog. Hij moest zijn blik afwenden. Hij had geen glazen oog willen hebben, maar het bleef een mogelijkheid; zijn arts had hem gewaarschuwd dat een gezond oog vaak verslechterde uit medeleven met de gewonde partner als die op zijn plaats bleef zitten.

Shaw trok zijn jack uit, rolde de mouwen van zijn hagelwitte overhemd op en knikte naar de toekijkende ogen. 'Kijken ze allemaal naar mij?' vroeg hij.

Twine overhandigde hem een kort verslag met een samenvatting van de ontwikkelingen sinds ze elkaar kort na zes uur mobiel hadden gesproken. De meeste leden van het rechercheteam kwamen in een goedkoop pak naar hun werk, maar Twine droeg een goed passend overhemd met open kraag, een spijkerbroek en zacht leren laarzen.

'Brigadier Valentine vroeg om een grondig verhoor van Potts en Bourne, de arbeiders bij de verbrandingsoven die er waren toen het slachtoffer werd gevonden,' zei Twine met een stapel verklaringen in zijn hand. 'Potts is de laatste die Judd in leven heeft gezien, om vijftien minuten voor acht, maar hij was niet alleen. Er was een derde die vroege dienst had, Kelley. Die heeft hem ook gezien. Overigens, het was ze allemaal opgevallen dat hij onlangs een blauw oog had opgelopen, maar ze kunnen zich niet herinneren wanneer precies.'

Het was tijdens Twines samenvatting stil geworden in het vertrek, maar zijn stem veranderde niet. 'We weten dat Judd dood was om acht uur eenendertig, toen Bourne de oven uitzette. Tussen vijftien voor acht en de komst van Darren Wylde waren Potts en Bourne met Kelley in de controlekamer. Ze zetten thee op een gaspit nadat de stroom was uitgevallen. Bourne belde de energiemaatschappij om te vragen wat er aan de hand was en Potts belde mobiel in de generatorruimte om te controleren of ze aan de vraag konden blijven voldoen. Daarna ging Potts naar beneden om te kijken hoe het ervoor stond bij de transportband. Dus tenzij ze er alle drie bij betrokken zijn, gaan ze allemaal vrijuit.'

Shaw zat op de rand van een bureau en las de verklaringen nogmaals, zoekend naar lacunes. Die waren er niet. Valentine had er goed aan gedaan aan te dringen op een snelle check, want de kans dat de persoon die het lijk vindt de moordenaar is, is verrassend groot. Iets wat in de eerste jachtige uren van een moordonderzoek bijna steevast over het hoofd werd gezien.

De kern van het rechercheteam was al sinds halfzes ter plekke. Nu waren er acht agenten in het vertrek en vier andere waren bezig met een buurtonderzoek. Het burgerpersoneel om de telefoons te bemannen zou om negen uur komen. Agent Mark Birley was de hele nacht hier geweest met Twine, die had aangeboden de videobeelden te bekijken. Hij had de beschikking over zes kleine schermen en een breedbeeldscherm, waar hij elk van de kleinere beelden naar kon overbrengen. Rafelige beelden kwamen en gingen, een legpuzzel van zonlicht en schaduw.

'Iets gevonden?' vroeg Shaw.

Birley draaide zich om; hij had zijn één meter vijfentachtig lange, vijfennegentig kilo zware, gespierde rugbylijf in een plastic stoel gewurmd. Zijn polsen leken uit te puilen waar ze uit zijn mouwen staken. Hij had tien jaar uniformdienst gedaan en zijn pak zag er nog steeds splinternieuw uit. Hij had een pleister voor één oog.

'Wedstrijd?' vroeg Shaw.

'Ruzie met de schoen van de fly-half. Ik verloor, maar u had hém eens moeten zien. Hij zou best zo'n stok kunnen gebruiken.' Birley knikte naar het rek. 'En nee, nog niets.' Birley had eerder tijdens een groot onderzoek in Shaws team gezeten en had al vroeg één goede stelregel geleerd: als je niets te melden hebt, hou het dan kort.

Twine overhandigde Shaw een beker koffie en een uitdraai van de teamleden. 'Dat zijn ze allemaal, met gsm.' De jonge agent was een goede keus geweest als 'spits'– een sleutelrol, de spil tussen Shaw en het team, die informatie doorsluisde, alles verzamelde, uitzocht wat moest worden gedeeld en de informatie doorgaf. Het had iets weg van een menselijke minirotonde.

'Goed, wat we moeten uitzoeken, Paul, is dit... Het is heel goed mogelijk – aannemelijk – dat Bryan Judd grote hoeveelheden drugs uit het ziekenhuis kon ontvreemden die door de autoriteiten waren aangewezen voor vernietiging. Als dat inderdaad zo is hebben we een motief dat Aidan Holme in beeld brengt voor de moord op Judd. Men heeft ons verteld dat ze ruzie hadden. Men heeft ons verteld dat er dreigementen werden geuit. Maar alles hangt af van de vraag of Judd kon leveren...'

Twine tikte met een vulpen tegen zijn handen en wekte het scherm van zijn pc tot leven. 'Ik dacht dat we het hele verbrandingssysteem wel zouden willen bekijken... de afvalzakken. Van boven tot onder. Daar kunnen we mee doorgaan en bekijken waar de drugsleveranties erin passen. Ik heb de man die belast is met menselijke resten klaarstaan voor een snelle rondleiding. Dokter Gavin Peploe, Niveau Tien, Mary Seacole-afdeling.'

'Goed werk,' zei Shaw. Dat was wat hij van zijn team verlangde, de soort rechtlijnige logica waardoor een moordonderzoek gesmeerd liep. Hij legde twintig pond op het bureau. 'Laat iemand intussen naar Costa Coffee in de centrale hal gaan om voor iedereen fatsoenlijke koffie te halen – dit hier is bocht.' Hij mikte zijn lege beker in een prullenbak drie meter verderop.

'Nog één ding,' zei Twine. Hij klikte op het scherm. 'Het wachtboek...' De receptiebalie van St James's hield een onlinedossier bij van alle criminaliteit. Het behoorde tot de standaardprocedure dat te raadplegen over de laatste achtenveertig uur. 'Bekende litanie,' zei Twine. 'Twee inbraken in Gayton, naast elkaar... Dat is nog eens brutaal. Een beroving in Greyfriars Gardens, relletjes bij de Matilda, wat vandalisme in het centrum tijdens een van de stroomstoringen – zes etalageruiten gesneuveld in de Arndale. De plaatselijke krant wil weten of dat plundering is; een goeie vraag. Verder een lijk in de haven; nog geen identiteit, geen duidelijke doodsoorzaak.'

'Hou die drenkeling in de gaten,' zei Shaw. 'Wiens zaak?'

'Creake,' zei Twine. Inspecteur William Creake was een zwoeger die de naam had zaken op te lossen door puur voetenwerk. Geïnspireerd rechercheren was niet zijn sterke kant. 'Ik zal hem de basale feiten vragen en ervoor zorgen dat hij ook door ons wordt bijgepraat,' voegde Twine eraan toe.

'Bezorg me een kopie, Paul. En ik wil een samenvatting over de Arndale, alles wat met de stroomstoringen te maken heeft dat wij ook moeten zien. Oké – afdeling Voorlichting? Wat vertellen we de Britse media over Bryan Judd?'

'Onopgesmukte details voor het communiqué.' Twine sloeg een toets aan en er gleed een A4'tje uit de printer. 'We hebben het beperkt tot "dood onder verdachte omstandigheden in het Queen Vic"; nog geen naam of adres. De brandweer heeft de basale feiten over de brand in Erebus Street vrijgegeven en die als verdacht aangemerkt. Als iemand een verband vindt ontkennen we voorlopig.'

'Mooi zo,' zei Shaw. Hij nam niet de moeite om het perscommuniqué te lezen. Dat was een van zijn vaders lijfspreuken geweest: vertrouw mensen tijdens een groot onderzoek, want als je alles zelf probeert te doen mislukt het. 'Verder, Paul, wil ik de initialen op de zaklamp – MVR – achterhouden. Hij is niet van Judd, dus de kans is groot dat hij van de moordenaar is. Als zich mafkezen melden die beweren dat zij het hebben gedaan, wil ik iets hebben om ze mee klem te zetten. Dat is alles. En ik wil niet dat de moordenaar zeker weet dat hij hem op de plaats delict heeft achtergelaten.' Hij zag Twines linkerwenkbrauw een millimeter omhooggaan. 'Of zij, wat dat betreft.' Twine glimlachte. 'En iets voor het buurtonderzoek in Erebus Street, Paul. Zoek uit of er geroddeld wordt over het huwelijk van de Judds. Er zit daar iets scheef – zie eens of ze iets kunnen opvangen. George hoorde gisteravond een paar hatelijke opmerkingen. Ze schijnt op goede voet te staan met de pastoor – maar laat dat nog niet merken. Eens zien of ze het op straat te horen krijgen.'

Nu de huishoudelijke vergadering achter de rug was nam Shaw de lift naar de tiende verdieping van het hoofdgebouw van het ziekenhuis. Het uitzicht over de stad ging al verloren in warmte en smog, een giftige laag van vervuiling als een deken, dik genoeg om alles aan het oog te onttrekken, op Lynns eigen wolkenkrabber na, de Campbell's Soup Tower langs de rivier. Een sleepboot danste op het getij dat door de Cut van zee kwam opzetten, met een kielzog als een slakkenspoor. Hoog boven zee dreef een zomerse onweerswolk als een reusachtige koksmuts naar het oosten. Het zou een mooie stranddag worden, dacht Shaw terwijl hij naar de verre branding tuurde.

De Mary Seacole-afdeling was voor besmettelijke ziekten, dus hij spoot kwistig gel op zijn handen voordat hij naar binnen ging. Dokter Peploe ontmoette hem bij de verpleegpost. Hij was kinderchirurg en woordvoerder van de Lynn Primary Care Trust op het gebied van het verwerken van menselijk weefsel, een functie die volgens de wet op de besmettelijke aandoeningen verplicht was. Dokter Peploe, een keurige Schot uit Glasgow met een v-vormige spuuglok, had het asymmetrische gezicht dat de Kelten eigen schijnt te zijn: één oog ietsje verder open dan het andere, de mond niet precies horizontaal. Best knap, met een strakke, gezonde huid over een krachtig gezicht. En er was niets Hebridisch aan zijn huidskleur, die Italiaans gebronsd was. Streng maar speels – een beeld dat werd versterkt door de kleine knuffel die uit een van zijn zakken stak.

Hij lachte om zichzelf en duwde de kop van de teddybeer uit het zicht.

'Sorry; menselijk weefsel is niet mijn dagtaak. Het is om de peuterklanten tevreden te houden, hoe klein ze ook zijn.' Hij glimlachte en Shaw zag dat hij een litteken had van een hazenlip.

'We denken dat iemand op de een of andere manier het afvalsysteem is binnengedrongen om op straat in beslag genomen drugs te stelen voordat ze werden verbrand,' zei Shaw. 'Zendingen van de politie, de douane, noem maar op. Kan dat?'

Peploe dacht na en zuchtte diep. 'Goed. Wilt u de hele rondleiding of een kort overzicht?'

'Voorlopig alleen de basale feiten,' zei Shaw.

Peploe haalde een lege gele afvalzak uit het vertrek achter de verpleegpost. Aan elke verzegelde zak hing een metalen plaatje. Op dit plaatje stond: NHS: W 10.

'Dit spreekt voor zich,' zei hij. 'Elke afdeling heeft zijn eigen zakken.'

Op de zak zelf zat een plastic etiket waarop een tweede code was geprint: 1286. NON-R. NON-C. I.

Peploe legde het uit: het etiket was ingevuld door een verpleger, 1286 was het nummer van een patiënt. Non-R – niet-radioactief materiaal. Non-C – geen resten van chemotherapie. I – infectueus.

De zakken werden twee keer per dag door een afdelingshulp naar de metalen stortkoker in de ruimte van de schoonmakers gebracht. Door het openen en sluiten van een lade werd de zak door de zwaartekracht door een buizenstelsel gevoerd. Ze luisterden hoe hij ritselend verdween.

'Laten we hem gaan halen,' zei Peploe, lichtvoetig. Terwijl ze door de gang liepen, stak hij zijn hand in zijn zak en haalde er een klein, plastic en kleurig ding uit. Hij tikte er twee keer achter elkaar mee op de palm van zijn andere hand en slikte snel door wat hij zichzelf had toegediend. Zelfmedicatie, dacht Shaw, of een zoetekauw.

In de lift zette Peploe zijn virtuele rondleiding voort. 'Het systeem in de operatiekamers is uiteraard anders. Ze zijn allemaal bezet, anders had ik u mee naar binnen genomen. Maar het principe is hetzelfde; alleen de hoeveelheid is anders. Alle lichaamsdelen of andere resten volgen deze route.'

'De jongeman die het lichaam heeft gevonden, zei dat hij met een afvalzak naar Niveau 1 was gestuurd,' zei Shaw.

Dokter Peploe knikte, alsof het paste in het systeem dat hij zojuist had beschreven, wat niet het geval was.

'Alles wat in het systeem blijft steken, of breekt, wordt persoonlijk weggebracht – maar nooit via de openbare ruimten van het ziekenhuis.'

De lift daalde naar Niveau 1 en Shaw volgde Peploe door de doolhof van gangen van het sleepwagendepot, onder de grote ziekenhuishal. Een metalen stortkoker, halverwege afgesloten, leidde naar de depotruimte, zodat ze in het donker naar boven konden kijken. Ze hoorden een zucht, toen gerammel en er viel een gele zak uit het donker in een schuinstaande bak eronder, die de klap opving en van waaruit de zak over een metalen hellingbaan in een gereedstaand karretje gleed.

'Zo simpel is het,' zei Peploe. Hij liep naar de trekker, zocht tussen de gele zakken en haalde er de zak uit die ze op de Mary Seacole-afdeling in de stortkoker hadden gegooid. 'De sleepkarretjes brengen alles naar de oven. We controleren wat er in termen van chemische samenstelling in de schoorsteen verdwijnt. We kunnen – ruim genomen – invoer en uitvoer op elkaar afstemmen. Het is een goed systeem.'

'Zeg me alstublieft dat ze de drugs niet gewoon in de stortkokers gooiden,' zei Shaw.

Peploe grijnsde. 'Ik weet dat we onder het ziekenfonds vallen, maar zo stom zijn we nou ook weer niet. Nee, dat systeem kruist dit systeem pas in de verbrandingsruimte.'

Ze liepen door Niveau 1 naar Kruising 57. Shaw was voorbereid op een kakofonie toen ze door de deuren kwamen, maar toch voelde het als een klap met een hamer; het dreunen bracht een van de botjes in zijn oor aan het trillen. En de lucht was bezwangerd van wit, levenloos stof.

Maar ze bleven niet staan.

'Hier kunnen we niet praten,' riep Peploe. 'Kom mee.' Hij ging Shaw voor tot voorbij de transportband, waar een man met oorbeschermers en een plastic masker aan het werk was, naar een deur met het simpele woord CONTROLE erop.

Shaw wilde juist naar binnen gaan, toen iemand zijn naam riep. Hij draaide zich om en zag Tom Hadden, die bij de band stond en hem wenkte. Hij beduidde Peploe met gebaren dat hij kon doorlopen – hij zou hem wel inhalen. Hadden streek zijn schaarse roodblonde haren van zijn bleke voorhoofd, haalde adem en riep: 'Ik heb alle metalen voorwerpen hier op vingerafdrukken laten onderzoeken. Noppes, maar we hebben wel dit gevonden.'

Naast de band en vlak bij het kantoortje van Bryan Judd was een controlepaneel van gehamerd metaal. Een paar ronde meters, een ledscherm met, vermoedde Shaw, de temperatuur op verschillende niveaus in de oven, en een reeks koperen schakelaars met aan het eind een metalen knop, als een kleerhaak. Een ervan was donkerder dan de andere, besmeurd.

'Bloed,' zei Hadden in Shaws oor. 'En hersenweefsel en bot. De schakelaar heeft een klap gehad.' Hadden opende zijn handpalm en deed alsof hij op de schakelaar sloeg. 'Ik denk dat die in Judds schedel is gedrongen.'

Shaw wilde iets zeggen, maar hij kreeg stof in zijn keel en moest zich, zwaar hoestend, omdraaien. 'Dus ... wat ... geen val?' vroeg hij ten slotte met de rug van zijn hand voor zijn mond.

'Nee, nee. Misschien een gevecht.' Shaw kwam naar voren. 'Judd was van gemiddelde lengte,' zei Hadden. 'Ik denk dat zijn aanvaller hem bij zijn hals greep en tegen de muur smeet – de schakelaar zit op precies de juiste plek voor hier...' Hij wees naar zijn schedelbasis. 'Er is veel kracht gebruikt, kijk maar, het hele ding is gedeukt.'

Shaw stapte opzij zodat het licht op het metaal viel. Een deuk, rond de schakelaar, en lager nog een, waar Judds heupen het metalen paneel hadden geraakt.

'En nog iets,' zei Hadden. Hij gaf Shaw een stukje karton waar NHS: W 22 op stond.

'Dit zat op het metalen plaatje van de zak die met het slachtoffer de oven in is gegaan.'

Shaw pakte het aan. 'Tom,' – hij klopte hem op zijn rug – 'bedankt.'

Hij liep achter Peploe aan en beklom een dichte wenteltrap tot hij in een ruimte kwam met een glazen wand, die uitzicht bood op twee grote turbines, die, lichtte Peploe toe, werden gebruikt om lucht door de oven en door de zestig meter hoge schoorsteen te blazen. De chirurg wees naar boven en Shaw legde zijn hoofd in zijn nek. Het plafond was eveneens van glas en ze konden door de uit roosters bestaande vloer van de oven naar boven kijken.

Shaws mobiel trilde. Het was Valentine. 'Ik heb net contact gehad met Twine; slecht nieuws. Hendre, van boven nummer 6? Hij is 'm vannacht gesmeerd.'

'Wat?' Shaws stem gonsde van frustratie. 'Was er iemand bij hem?'

'Ja, maar die ging pissen. Ze zeiden dat meneer diep onder zeil was, geen vin kon verroeren. Toen hij terugkwam was-ie verdwenen, compleet met zijn smerige pak. Voor het laatst gezien terwijl hij over de parkeerplaats rende.'

'Laat Paul een signalement verspreiden; we moeten hem vinden voordat hij onderduikt.' Een nietig detail, maar het was Shaw niet ontgaan. Valentine had hem de naam kunnen noemen van de agent die het verprutst had, maar hij had het voor zich gehouden. Later zou er een praatje worden gemaakt, een reprimande, niks bureaucratisch, geen papierwerk, alleen een notitie toegevoegd aan de geheugenbank van Valentine.

'Ik kom naar de bespreking,' zei Valentine en hij verbrak de verbinding voordat Shaw de kans kreeg te informeren naar zijn vorderingen met oud-brigadier Wilf Jackson aan de kust.

Er waren twee monteurs in het vertrek, die een reeks meters en ledschermen in de gaten hielden, maar Peploe nam vriendelijk het heft in handen. Hij scheurde een uitdraai af. 'Goed, u wilt weten hoe de drugs hierin passen ...' Hij tikte op de uitdraai. 'Als er een zending onderweg is reserveren we een uur in het rooster. Daar betalen ze voor, en ze betalen per minuut. De drugs komen aan met een certificaat van het lab van Binnenlandse Zaken, waarop de inhoud van de lading wordt vermeld. De drugs zitten in verzegelde metalen trommels – ouderwets, maar effectief en simpel. De zegels zijn van was. Ze worden beneden aan ons overgedragen. Meestal is er een hogere officier van de politie, of met welke instantie we ook te maken hebben, bij de overdracht aanwezig. Hij of zij komt hierheen terwijl het hoofd van onze beveiliging beneden blijft en elke trommel persoonlijk – persóónlijk – op de band zet.' Hij tikte opnieuw op de uitdraai. 'Dit is de chemische samenstelling van wat er uit de schoorsteen komt. De allernieuwste technologie. Elke drug heeft een chemische handtekening. Terwijl het spul verbrandt kunnen we die vergelijken met de uitdraai. Het is supergevoelige apparatuur. Als de uitstoot bijvoorbeeld in strijd is met de EU-richtlijnen, schakelt de oven zichzelf uit. Zo strikt is het; geen ruimte voor fouten. De auto's op de ringweg anderhalve kilometer verderop stoten koolmonoxide uit alsof er geen morgen is – een schoolvoorbeeld van een zelfvervullende voorspelling. Maar hier... Als er een paar milligram giftig gas door de filters glipt, kunnen we de tent sluiten.'

'En het is een bedrijf,' zei Shaw.

'Natuurlijk. Elke cent die we verdienen gaat terug in de gezondheidszorg. Maar deze apparatuur kost miljoenen, dus moeten we net als elk ander bedrijf met onze middelen woekeren. We draaien vierentwintig uur per dag. Stilleggen is te kostbaar, dus moeten we ervoor zorgen dat we onafgebroken inkomsten kunnen genereren. We hebben verscheidene contracten – dierenartsen, privéklinieken, artsenpraktijken, dierencrematoria – en het hele scala aan wettelijke instanties: politie, douane enzovoort, de Britse spoorwegpolitie, noem maar op. En natuurlijk niet alleen West Norfolk, maar ook een aantal andere korpsen die niet over dit soort faciliteiten beschikken. Maar het maakt niet uit hoe druk we het hebben, inspecteur: alles wat op de band wordt gelegd, gaat op in rook. Geloof me. U kunt het zelf zien...'

Hij ging Shaw voor naar een deur met een patrijspoort, een soort luchtsluis. Een van de monteurs draaide een slot om en het sprong open. Ze kwamen in een rond vertrek en keken omhoog. De lucht was dertig meter boven hen, blauw, met witte wolken, maar trillend als een permanente luchtspiegeling.

'De gassen komen een meter of tien boven ons naar buiten,' zei Peploe. 'Wat achterblijft is levenloze as.' Ze zagen de pijpen waar de gassen uit kronkelden, kleurloos maar vervormend, als een lachspiegel.

'U had het over het hoofd Beveiliging,' zei Shaw. 'Naam?'

'Nat Haines.' Shaw kende hem, een gepensioneerd inspecteur van de recherche met wie hij ooit had samengewerkt aan een gastarbeiderszaak, een illegale koppelbaas die een prostitutiebedrijf runde vanuit een kippenboerderij.

'Wanneer wordt de volgende zending verwacht?' vroeg Shaw.

'Morgenmiddag om vijf uur. Niet uit Norfolk overigens; uit Cambridgeshire. Met laadbrief.'

'Hoelang van tevoren hoort u het gewoonlijk?'

'Tien dagen,' zei Peploe. 'Meestal langer. Het is geen goedkope manier van afvalverwerking, maar grote hoeveelheden drukken de prijs. De meeste korpsen slaan in beslag genomen drugs een maand, soms zes weken op en daarna verbranden we alles in één keer.'

'Kan Judd geweten hebben dat er een zending aan zat te komen?'

Peploe knikte. 'Ja. Bryan Judd had tot taak de afvalverwerking te coördineren, dus ze moeten hem op tijd hebben verteld dat hij moest zorgen dat er ruimte was en dat alles wat verbrand moest worden, verbrand werd voordat het beveiligingsbusje aankwam. Dus als er bijvoorbeeld iets radioactiefs was van de kankerafdeling, zou hij ervoor zorgen dat dat geregeld was. We kunnen dat soort afval niet laten rondslingeren.'

Een meeuw doorsneed de cirkel van lucht boven hen. 'Bryan Judd was geregistreerd als drugsverslaafde... Was dat wel verstandig?' vroeg Shaw. Hij had de vraag vermomd door zijn stem luchtig te houden. Peploe kwam achterwaarts terug door de deur en Shaw vroeg zich af of hij tijd wilde rekken.

'Neem me niet kwalijk, wat was de vraag?' vroeg Peploe.

Shaw herhaalde hem, hoewel hij zeker wist dat het niet nodig was.

'Tja, indertijd leek het in orde te zijn. Het ziekenhuis heeft verantwoordelijkheden als werkgever,' zei Peploe. Zijn pieper ging en hij las het bericht.

'Moet u weg?' vroeg Shaw.

'Nee. Nee, het is goed. Ik moet naar de OK, maar dit is belangrijk.' Hij raapte zijn gedachten bij elkaar en keek naar zijn schoenen. 'We bieden mensen met een strafblad kansen. Judd was zo iemand. Gezien het feit dat het verbranden van drugs zo nauwlettend wordt gevolgd, vonden we niet dat het riskant was hem de transportband te laten bedienen. Het is geen prettig werk hier beneden. Hij deed het prima.'

'Ik heb een notitie gekregen over het metalen plaatje op de zak die we bij het slachtoffer hebben gevonden. Kunt u dat voor ons traceren? Ons forensisch lab test het afval, maar we zijn er tamelijk zeker van dat het een menselijk orgaan is. Maar dit zou helpen.'

Hij liet hem de notitie zien: NHS: W 22.

'Dat kan niet kloppen,' zei Peploe terwijl hij zijn handen in de keurig witte zakken van zijn jas stak.

'Waarom niet?'

'Dat is de kinderafdeing. Daar worden geen chirurgische ingrepen gedaan... nooit.'

'Maar er zaten lichaamsresten in die zak,' zei Shaw. 'Het lab van de recherche onderzoekt het nog, maar we zijn er tamelijk zeker van dat het menselijk weefsel is.'

Peploe knikte. 'Goed. Dan hebben we een probleem, inspecteur. Een groot probleem.'

16

SHAW LEIDDE DE BESPREKING van halfelf in de commandocentrale bij Kruising 24. Het gaf zowel hemzelf als het team de gelegenheid enkele stukjes van de legpuzzel uit te spreiden, een stap terug te doen en te zien of zij hetzelfde plaatje zagen als hij. De stemming was geladen, want ze wisten allemaal dat dit de paar cruciale uren waren, de eerste dag die het hele onderzoek kon maken of breken. Stemmen gonsden van de adrenaline en er sloeg een golf van gelach door het team als een elektrische stroom.

De digitale klok sprong naar 10:30. Er was nog geen spoor van Valentine, maar Shaw mikte een beker van Costa Coffee in de prullenmand en stond op. Achter hem stond een perspex bord, leeg op een vergrote afdruk van Bryan Judds gezicht na: hun slachtoffer. Donkere, Keltische trekken, gezwollen vlees, de krullende haren ongekamd, de huid vlekkerig.

'Oké, aandacht graag.' Ze zwegen toch al. Ze kenden allemaal Shaws reputatie: een hoogvlieger die het ver zou schoppen. Niemand zou er bezwaar tegen hebben op de slippen van zijn jas mee te liften. In het team opgenomen worden was de eerste stap. Nu moesten ze het waarmaken. Opgemerkt worden. Boven de anderen uitsteken, zonder zich uit te sloven, want ze wisten allemaal dat dat fataal was.

Shaw deed zijn uiterste best om de rijen levenloze armen, benen en handen te negeren die achter in het vertrek tegen de muur lagen... en de ogenparen, elk in hun eigen vakje. Hij besloot dat hij iemand van het burgerpersoneel zou vragen wat lakens over die dingen te hangen wanneer zij de ruimte gebruikten. Hij merkte dat zijn stem galmde, tegen de betonnen muren kaatste, alsof ze in een crypte waren.

'We hebben een scenario en het werkt. Dat betekent niet dat het het juiste scenario is. En het is heel beslist niet het héle scenario. Maar laten we het afdraaien, voor wat het waard is.

Ons slachtoffer...' Hij mepte op het portret. 'Karakter: zwijgzaam type, stuurs zelfs, maar met een droog gevoel voor humor, alsof hij de wereld stiekem uitlachte. Volgens zijn collega's en de jongen die hem in de oven vond, was hij gek op muziek: new country, Johnny Cash. Hij luisterde altijd naar zijn iPod, hoewel dat tegen de regels was, en hij zong mee. Zijn vrouw maakte een lunch voor hem klaar, dus hij kwam niet in de kantine, maar één keer per week ging hij met de anderen een biertje drinken in de personeelsbar. Volgens de voorman hield hij daar onlangs ook mee op.

Zijn jongere broer zegt dat hij drugsverslaafd is, een gebruiker. En geen ouderwets spul – Green Dragon, skunk met pure alcohol. Hij krijgt zijn spul van deze man ...' Shaw hing een politiefoto van Aidan Holme op het bord, afkomstig uit de mappen in de afgesloten kast in het vertrek achter het altaar van de Sacred Heart. 'Hij woont in het pension in Erebus Street. Ex-verslaafde, nu afgekickt, maar een serieuze dealer. Moet volgende maand voor de rechter verschijnen wegens zijn derde tenlastelegging; hij zegt onschuldig te zijn. Hij is twee keer eerder aan gevangenisstraf ontsnapt; misschien is driemaal scheepsrecht.

Ons slachtoffer, Judd, betaalt voor zijn drugs door Holme te helpen bij het stelen van grote hoeveelheden drugs die door verschillende instanties in beslag zijn genomen en in het ziekenhuis hier verbrand moeten worden. Dat zei hij tenminste tegen zijn familie. Het probleem is dat we het niet zeker weten, en na mijn rondleiding door het afvalverwerkingssysteem denk ik dat we het misschien nooit zullen weten. Anderzijds heeft hij misschien gelogen tegen zijn familie.'

Agent Fiona Campbell, achter in het vertrek, stak beide handen op.

Eén meter vijfentachtig lang, op platte hakken, schouders gekromd om kleiner te lijken. Veelbelovende agent uit een familie van politieagenten: haar vader was commissaris in Norwich. Ze was met genoeg kwalificaties afgestudeerd om in het leven te doen wat ze wilde... en dat was dit. Niet alleen maar slim, maar ook een goed, moeizaam verworven straatimago. Het litteken van een twintig centimeter lang mes liep van onder haar oor langs de zijkant van haar hals. Een eervolle vermelding door een korpschef was haar enige beloning geweest voor haar poging het leven te redden van een gewelddadige man die niet wilde leven.

'Ik snap het niet,' zei ze. 'Hij helpt die Holme aan een partij ter waarde van duizenden ponden in ruil voor een fles van dat groene spul ter waarde van – hoeveel – een paar honderd?'

'Goed punt. Maar het kán, als ons slachtoffer alleen maar de andere kant op hoeft te kijken. En er zijn geen aanwijzingen dat Judd ooit crack, lsd, poppers of heroïne of zo heeft gebruikt. Green Dragon is enorm verslavend, maar lang niet zo erg als de gewone cannabisderivaten die we van de straten halen. Het is een gemiddelde drug en we weten allemaal dat we die handel niet kunnen aanpakken. Ik denk dat het een deal was die Judd goed uitkwam. Door zich nergens mee te bemoeien – meer hoeft hij misschien niet te doen – krijgt hij wat hij wil. Maar op een dag concludeert hij dat het leven zónder beter zou zijn en hij zegt tegen Holme dat hij ermee kapt. Iemand vermoordt Judd. Holme? Misschien.' Shaw haalde diep adem, in het besef dat zijn hart sneller klopte door de adrenaline. 'Bewijs? De verklaring van Neil Judd geeft ons de basis voor een motief. We weten op dit moment niets over de gelegenheid, aangezien we niet weten waar Holme op de desbetreffende tijdstippen was; dat is een prioriteit. De forensische aanwijzingen zijn vaag. Holmes verblijfplaats is een en al as en rookschade, dus verwacht er niet te veel van. We hebben de rijst op de plaats delict, die een link zou kunnen zijn met de kerk waar Holme at. Maar het is flinterdun.'

Twee handen, agent Campbell weer.

'Sorry,' zei ze onder veel gelach. 'Ik snap het nog steeds niet. Als Holme zelf geen drugs gebruikt, maar een aanvoerlijn heeft via Judd, waarom eet hij dan in de gaarkeuken van een kerk? Waarom woont hij in een pension? Waar zit de adder onder het gras?' Opnieuw gelach.

'Ik denk dat het daar nog te vroeg voor is,' zei Shaw. 'Neil Judd zei dat zijn broer er een jaar mee bezig was, misschien korter. Het pension is een schitterende dekmantel. Bovendien weten we dat Holme werd gepakt wegens dealen. We hebben het rapport van de afdeling Drugszaken opgevraagd, maar ik heb ze al gesproken. Toen ze hem oppakten had hij spul ter waarde van bijna honderdvijftigduizend pond in een rugzak. Hij probeerde het in de haven te verpatsen. Dat was zes weken geleden, dus misschien is het daarbij gebleven. Dat zou verklaren waarom hij de volgende zending zo graag in handen wilde krijgen. Misschien was het zijn pensioen. Misschien dacht hij dat hij verschut zou gaan en dat dit hem zou opvrolijken terwijl hij in zijn cel de dagen afvinkte op de kalender. Wie weet?'

Agent Campbell sloeg haar armen over elkaar. Ze had antwoord gekregen, maar was er niet blij mee.

'Goed,' zei Shaw. 'De dingen die niet kloppen. We hebben afval van menselijk weefsel gevonden in de oven, naast het lichaam van Judd, dat niet te herleiden is tot een operatie of een procedure op de afdeling die werd aangegeven op het metalen plaatje dat ongedeerd uit de oven is gekomen. Hoe zit dat? Een administratieve vergissing? Niet waarschijnlijk. We moeten het uitzoeken... Judd stierf met deze gele zak met menselijk weefsel onder zijn lichaam. Is hij daarvoor gestorven?

Vervolgens hebben we de brandstichting in het transformatorhuis in Erebus Street. In tegenstelling tot die in het pension is deze van voor de moord. Is er verband met de dood van Judd? Het zal wel toeval zijn, temeer doordat de stroomstoring het net ontwrichtte en uiteindelijk ook de stroom in het ziekenhuis liet uitvallen – al is dat volgens de elektriciens een willekeurig gevolg, dat je onmogelijk kunt plannen. Het is geen kwestie van oorzaak en gevolg – dat kan niet. En denk eraan, toeval bestaat, dus laten we ons niet blindstaren op een verband dat er niet is. Hoewel... er is een gebroken lucifer gevonden op de plek in het ziekenhuis waar Judd altijd rookte, en een tweede in het transformatorhuis. Een mogelijk verband, maar meer ook niet.'

Shaw pakte een markeerstift en schreef met rode letters CONCENTREREN op het bord. 'Zo simpel is het. Blijf de eerste vierentwintig uur scherp. Zie niets over het hoofd. Ga grondig te werk, sla niets over en hou niets voor jezelf. Als ik merk dat iemand de show probeert te stelen, zal ik hem of haar voordragen voor het eenrichtingsverkeer in de stad en dan kunnen ze er de rest van hun carrière voor zorgen dat dat in beweging blijft.'

Ze lachten allemaal, blij dat ze een team vormden, dankbaar dat niemand tot dusver Shaws afkeuring had geoogst.

'Er is iets voorlopigs binnengekomen van de TR,' zei Twine. 'Tom vroeg of ik wilde doorgeven dat ze meer weten over de met bloed doordrenkte lap die is gebruikt in de molotovcocktail in het transformatorhuis. Varkensbloed. Maar er is een abattoir op de hoek. Misschien een verband dus met de mensen die daar werken?'

De deur van de winkel zwaaide open en Valentine kwam binnen, met een *Daily Telegraph* in de ene hand en een sandwich met spek in de andere.

'Sorry,' zei hij terwijl hij naar voren liep. De rest van het team wachtte op de reactie, wetend dat er vonken zouden overspringen. Iedereen kende het verhaal van Valentines carrière: hij was teruggekomen van de kust om de rang terug te verdienen die ze hem dertien jaar geleden hadden afgepakt. En ze wisten dat hij de partner van Jack Shaw was geweest tijdens die laatste, rampzalige zaak. De vraag was of hij zijn cynisme, zijn verbittering en vooral de drank lang genoeg kon vergeten om indruk te maken op de korpsleiding.

'Het was de moeite waard,' zei hij tegen Shaw en hij klapte zijn notitieboek open.

'Oké. Vertel,' zei Shaw. Hij zag dat zijn brigadier een nieuwe goededoelensticker op zijn revers droeg: Wood Green Animal Shelter.

Valentine vertelde hun over Norma Jean Judd, het verhaal dat hij die ochtend op de brandtrap had gerepeteerd. Het was een vlekkeloos optreden, zonder een spoor van zenuwen of twijfel aan zichzelf. Wat ze niet wisten was waaróm hij het had gerepeteerd – niet alleen om indruk te maken, maar ook om op tijd extra ademhalingen in te lassen, zijn longen gevuld te houden, zodat hij niet zou hijgen. Alles wat hij eraan toe te voegen had was wat hij van Wilf Jackson had gehoord. Hij had de oud-inspecteur gevonden in een oververhitte broeikas in een zanderige tuin, blij dat hij op een kampeerstoel kon gaan zitten om te praten, terwijl hij het zweet van zijn gezicht veegde en brokken gedroogde klei verkruimelde tussen zijn vingers.

'Wilf Jackson herinnert zich de zaak goed,' zei Valentine. 'Hij zei dat ons slachtoffer, Bryan Judd, de tweelingbroer van Norma, een van de verontrustende facetten van het onderzoek vormde. Altijd "Bry" overigens, nooit iets anders.' Hij hapte naar adem. 'Ze lieten het hele gezin komen om het verhaal van Andy te checken. Wilf zei dat Bryan loog, iets achterhield. Hij zei dat hij die dag iets had gedronken op het braakliggende terrein achter de huizen en dat hij, toen hij naar huis ging, zijn vader naar buiten had zien komen. Hij had boven gekeken of Norma Jean er was, want hij wilde haar spreken – hij wist niet meer waarover. Wilf zei dat hij dat niet geloofde... en nog steeds niet gelooft.'

Valentine viste een pakje Silk Cut uit zijn zak en stopte een sigaret tussen zijn tanden. 'Bryan zei dat haar kamer leeg was. De badkamer ook. Hij zei dat hij weer naar buiten ging omdat hij die avond een afspraak had. Het rare was dat er een buurvrouw was – de vrouw die Marie Judd hielp in de wasserette – die zei dat ze rond halfzeven naar huis was gegaan en had gehoord dat Bryan Judd op het braakliggende stuk grond de naam van Norma Jean had geroepen. Dus, vraag: waarom zocht Bryan zijn zus minstens een uur voordat iemand dacht dat ze vermist werd? Toen ze hem daarnaar vroeg, hing hij een lulverhaal op over haar willen vinden, dat ze heel dik waren met elkaar en dat hij dacht dat ze hem nodig had. Wilf zei dat ze het gezin tien dagen lang hebben laten observeren, maar dat niemand iets verdachts deed. Waren ze er allemaal bij betrokken? Misschien. Andy kan haar vermoord hebben, Marie geeft hem een alibi en Bryan gaat naar buiten om te doen alsof ze zich zorgen maakten. Misschien... maar ze vonden geen enkele aanwijzing. Het gezin vormde één front.

Dus gingen ze terug naar Orzsak. Een jaar na de verdwijning, in drieënnegentig, lekten ze een verhaal naar de *News* dat de recherche over nieuwe aanwijzingen beschikte. Een arrestatie was ophanden. Gelul natuurlijk, maar we hebben het allemaal wel eens gedaan. Nog steeds niks. Een halfjaar later sloten ze de zaak af: dood spoor, zo dood als maar kon. Theoretisch gesproken kon ze zelfs nog in leven zijn. Maar er is sindsdien niets meer gebeurd, op één twijfelachtige signalering na. Nee, ze is dood. Kan niet anders.' Valentine ging zitten en probeerde te doen alsof dat geen opluchting was. 'Eén toevalligheid is het vermelden waard: Orzsak woonde indertijd op nummer 6, het huis dat tot gisteren het pension was waar gisteravond brand is gesticht.'

Het bleef stil in het vertrek. 'Bedankt, George. Foto's?'

Valentine haalde de kopieën tevoorschijn die Timber Woods had gemaakt van de originelen in het archief.

Om te beginnen Norma Jean Judd. Donker Iers uiterlijk. 'Komt ze jullie bekend voor?' zei Valentine terwijl hij de foto naast die van het slachtoffer hing. Hij keek het vertrek rond en het licht viel bij uitzondering in zijn diepliggende grijze ogen. Shaw bekeek de gezichten van de tweeling. De botstructuur was eender, de teint identiek en er was iets met de teruggetrokken intensiteit in de donkere ogen die zelfs nu duidelijk maakte dat ze een tweeling waren.

Ten tweede Jan Orzsak. Een kinderlijk gezicht, verzonken in een volle maan van wit vlees. Een hals die schuilging achter een dubbele kin, kwabbige wangen, de ogen verzonken als rozijnen in een cake. En iets wat Shaw niet beviel: een vage blauwe plek rond één oog en bloeddoorlopen oogwit. Aan de codeletters en de achtergrond kon je zien dat het een politiefoto was. Datum en tijdstip van de foto stonden in een van de hoeken.

Ten derde Ben Ruddle, de vader van het kind van Norma Jean. De gelijkenis met zijn vriendin was verbluffend: dezelfde Keltische teint, het ondeugende gezicht met de verfijnde botstructuur. Het verschil lag in de ogen: die van Ruddle waren klein en doods. De blik waarmee hij in de camera keek had iets cynisch, iets wetends.

'George,' zei Shaw terwijl hij opstond. 'Schitterend werk.' Hij liet het bezinken; het team moest weten dat, ondanks hun persoonlijke onenigheden, George Valentine deze laatste kans had gekregen om zijn carrière te redden omdat hij vroeger een eersteklas diender was geweest.

'We moeten dit alles híér houden,' zei Shaw, en hij tikte tegen de zijkant van zijn schedel. 'Het geeft ons op zijn minst een beeld van het gezin Judd. Maar misschien is er nog iets. Het lijkt erop dat Bryan Judd meer wist over de verdwijning van zijn tweelingzus, iets wat hij ons niet wilde vertellen. Dacht hij dat zijn vader haar had vermoord? Wíst hij dat die haar had vermoord? Er is een geheim; kan dat verklaren waarom Bryan Judd dood is? We moeten die mogelijkheid tijdens het onderzoek in gedachten houden. Een paar losse eindjes dus om te checken. Weten we zeker dat Andy Judd de hele dag in Erebus Street was? Laten we dat checken. En ik wil weten wat er is geworden van Ruddle, haar vriend.'

Valentine maakte een aantekening.

'En het adres, chef?' vroeg Birley. 'Toeval?'

De spanning in het vertrek werd doorbroken, er werd eendrachtig gekucht, want niemand hield van dat woord: *toeval.*

Agent Jackie Lau probeerde het plotselinge geroezemoes te overstemmen. Er lag een vibrerende spanning in haar stem, net als in haar kleine, compacte lichaam. 'Zomaar een ideetje, chef. Als ze nog zou leven – Norma Jean – zou ze eenendertig zijn, en het kind achttien.'

Ze had hun aandacht. Daar had niemand aan gedacht: een kind, een jonge man, een jonge vrouw. Shaw keek naar de foto van Norma Jean, herschikte de lijnen, probeerde mogelijke andere gezichten uit dezelfde genenpool te zien. Toen keek hij naar Riddle en probeerde de pools in één stroom te laten samenvloeien.

'Maar gegeven het feit dat ze waarschijnlijk dood is, en het kind ook: waar is Orzsak?' gooide Birley het over een andere boeg.

Valentine haalde zijn schouders op. 'Hij zou nu zesenzestig zijn – we zullen hem via zijn pensioen opsporen als hij nog leeft.'

‘Chef?’ Dat was agent Fiona Campbell. ‘Ik heb het kiezersregister voor het buurtonderzoek deze ochtend. Er woont een zeker D.J. Orzsak in Erebus Street, op nummer 47, naast de havenpoort, tegenover de pub.’ Iemand floot en er werd gemompeld. ‘De hoofdverdachte woont dus nog steeds op de plaats delict.’

Shaw keek naar de foto’s op het bord en had zojuist de geprinte datum op de politiefoto van Orzsak gezien.

‘Wacht eens...’ Hij legde een vinger op de datum. Valentine verstrakte toen hij besefte dat hij iets had gemist wat hij niet had mogen missen. ‘Dat is een toeval dat we niet kunnen negeren. De dag waarop deze foto is gemaakt – waarschijnlijk de dag dat het meisje werd vermist: 5 september 1982. Gisteren, op de dag dat haar broer stierf, was het op de kop af achttien jaar geleden.’

17

DE VOORDEUR VAN EREBUS Street 47 was ouderwets keramisch blauw geverfd. Het raam op de begane grond was dichtgetimmerd en de brievenbus afgesloten met een metalen plaat. Iemand had met iets scherps één woord in het blauwe hout gekrast: PEDO. En op de zijkant van een groene stationcar recht voor de voordeur zat een loom gekraste streep.

Shaw keek op zijn getijdehorloge: het was elf uur eenenveertig in de ochtend en laagtij bij Brancaster. Hij stond bij Orzsak op de stoep en zag hoe dicht het huis bij het transformatorhuis stond dat de avond tevoren was vernield. Nummer 47 was het laatste huis van de rij: een hoge, met meidoorn overwoekerde schutting scheidde de achtertuin van het monumentale gebouw. Er stond nog een busje van de elektriciteitsmaatschappij in de straat en achter de meidoorns klonk het geluid van een pneumatische boor die het beton openbrak terwijl de elektriciens de installatie vervingen.

Valentine klopte één keer aan. Hij wilde juist opnieuw kloppen, toen de deur met een gezoem van een elektrisch slot openging en de ketting werd losgemaakt. Daar stond Jan Orzsak, in pyjama en op afgetrapte pantoffels, waarvan er een was platgedrukt, alsof hij zijn hele gewicht op één been liet rusten. Zijn mond hing open, zijn tong was iets te groot achter de smalle lippen. Het opvallendste kenmerk aan een zo merkwaardig gezicht als dat van Orzsak was de leeftijdloosheid: het was bijna identiek aan dat in het dossier van bijna twintig jaar geleden.

'Meneer Orzsak?' Valentine toonde zijn politiepas. Vlak bij de stoep rook het naar hond; de stank was in de deur gedrongen.

'Is dit gisteravond gebeurd?' vroeg Shaw terwijl hij het schilderwerk aanraakte en naar de auto knikte.

'Ja.' Het was het eerste woord dat hij zei en het klonk onduidelijk. De tong weer, die vocht om ruimte te vinden om de woorden te articuleren.

'Mogen we binnenkomen, meneer?' vroeg Shaw. 'We onderzoeken de dood van Bryan Judd. U hebt het misschien gehoord?' Orzsak meed zijn blik, maar hij knikte, zodat het vlees rond zijn hals kwabberde. 'Gewoon een paar vragen...'

Orzsak draaide zich zonder een woord te zeggen om en liep door de gang naar een suite. Een zijmuur van wat vroeger de achterkamer was geweest, werd aan het oog onttrokken door een rij aquariums in een houten frame. Alle aquariums waren kapotgeslagen, het hoogpolige tapijt was bezaaid met glassplinters. De lucht was koel maar vochtig en Shaw rilde voor het eerst sinds weken.

Orzsak liep naar het dichtstbijzijnde aquarium, tilde het deksel op, waaraan een soort elektrische verwarming was gemonteerd, en legde het op de tafel eronder. Hij draaide zich naar hen om met een dode vis in zijn hand, een prachtige vis, met zwartfluwelen schubben en een regenboogvlek van mandarijnkleurig oranje en citroengeel. Hij had de vorm van een ruit, zo dun als papier: een schitterend lijk.

Orzsak liep naar het tweede aquarium. Hetzelfde beeld. In het laatste aquarium was het glas niet helemaal uit het frame geslagen, en één vis had het overleefd – tweeënhalve centimeter doorschijnend zilver met een roze sportstreep, die tussen de glasscherven door ondiep water gleed.

Shaw en Valentine keken elkaar aan. 'Wanneer precies is dit gebeurd, meneer Orzsak?' vroeg Valentine.

'Mijn buurvrouw, Elspeth, zei dat ze ze om één uur heeft gehoord; haar man zat naar het voetballen te kijken.' Hij raakte een van zijn wangen aan en er stroomden plotseling tranen uit zijn oog. Shaw voelde een vlaag van medelijden, veroorzaakt door een visioen van hoe het innerlijk leven van deze man eruitzag.

Orzsak draaide zich om en ging naar de keuken. Ze vonden hem met een beker thee aan een eenvoudige houten tafel. Valentine herkende de keuken van een eenzaam man. Shaw zag dat ook het achterraam was dichtgetimmerd en dat de achterdeur voorzien was van eenzelfde elektrisch slot als de voordeur. Op het afdruiprek stond een bord vol verkoolde kruimels. Een zwarte vuilniszak lag ingevallen als een lijk in de hoek. Er stond een wijnrek, niet zo'n gammel ding voor twaalf flessen, maar een degelijk zelfgemaakt meubelstuk. Shaw schatte dat er zo'n honderd flessen in hadden gelegen. Nu misschien twintig.

Hij kreeg een vaag beeld voor ogen, een vage schim, van de krassen in de muur van de ondergelopen kelder van het mannenpension.

'Wat is hier gebeurd?' vroeg Shaw. 'Hebt u dit aangegeven?'

'Afgelopen zondag,' zei Orzsak. 'Ze weten dat ik 's zondags de hele dag weg ben. Naar de mis in de St Casimir. Daarna de Poolse Club. Ik ben meestal om tien uur thuis, soms later. Ik trof het zo aan. Ze hadden de stroom afgesneden, zodat de sloten opensprongen. Het is een oud systeem, goedkoop. Tegenwoordig zijn ze beter.'

'Denkt u dat iemand de stroom heeft afgesneden om u dit aan te doen?'

'Ik leef voor de vissen,' zei Orzsak. Het was een verklaring zonder een zweem van ironie. Hij opende zijn vuist, die hij gebald had, en ze zagen dat hij de tropische vis nog vasthad. 'En ze hebben zichzelf op de wijn getrakteerd.' En spottende grijns vervormde zijn gezicht. 'Maar ze zien geen verschil tussen de goede flessen en de andere...' voegde hij er met een blik op het wijnrek aan toe. Hij slurpte van zijn thee. 'Vorig jaar probeerden ze in te breken en toen heb ik de sloten en de grendels gekocht. Ik wilde hier niet zijn om te kijken of het genoeg was. Een van hen zei op straat dat ik gecastreerd moest worden.' Hij schudde zijn hoofd. 'Met een broodmes.'

'Wie heeft dit gedaan?' vroeg Shaw, nog steeds ongelovig. 'En waarom hebt u geen aangifte gedaan?'

Orzsak lachte geluidloos, zodat de vetplooien om zijn hals schudden. 'Altijd hetzelfde. Elk jaar, op die dag. De hondenpoep door de brievenbus. Het rottende afval over de schutting in de tuin. De gebroken ruit. De telefoontjes als er niemand is.' Hij bestudeerde zijn beker en Shaw zag dat er een foto van paus Benedictus op stond.

'Op die dag?' vroeg Shaw. 'De dag dat Norma Jean verdween?'

Ditmaal ging zijn mond open toen hij lachte en ze zagen melktanden. 'Ja. Achttien jaar geleden.'

'Waarom bent u niet naar ons toe gekomen?' vroeg Shaw.

De verandering in Orzsak was angstaanjagend snel. Hij sprong bijna over de tafel heen, zodat de stoelpoten over het zeil schuurden; zijn gezicht liep rood aan.

'Nooit.' Hij sloeg op tafel, zodat de thee uit de beker klotste. 'Ik ga daar nooit meer naartoe.' Hij schudde een vinger naar Valentine. 'Mannen zoals u,' zei hij, Valentine aankijkend. 'Ja. Misschien u. Vier, en daarna maar één.' Hij stak zijn rechterhand op en spreidde zijn vingers, zodat ze konden zien dat minstens twee ervan ooit gebroken waren geweest en daarna slecht gezet. 'Ze sloegen me,' zei hij terwijl hij zich op de stoel liet zakken. De woede ebde weg, als lucht uit een kapot geprikt kinderzwembadje. Hij nam een slok thee en keek naar alles behalve hen. Shaw dacht aan de vage blauwe plek aan de zijkant van Orzsaks hoofd op de politiefoto.

'U bent ondervraagd... over de verdwijning van Norma,' zei Shaw.

Orzsak wendde zijn blik af.

'Wie doet dit?' vroeg Shaw. 'Zijn het de Judds – Andy, de jongens?'

Maar Orzsak was zo dom nog niet. 'Ik heb de jongen niet vermoord.' Hij lachte. 'Hij wist – net als ik – wie Norma Jean heeft vermoord.' Bloed steeg naar zijn gezicht. 'Andy Judd wéét wie Norma Jean heeft vermoord.' Zijn ogen puilden uit. 'Toen we vrienden waren, Norma en ik, praatten we.' Hij legde zijn ene hand op de andere om te laten zien hoe hecht ze waren geweest. 'Hoe hij haar sloeg. De jongen sloeg. Ik kende ze allebei. Hun vader heeft Norma Jean vermoord. Ze vochten – ik weet het. Ik heb het hem in zijn gezicht gezegd.'

Orzsak klopte met een worstvinger op de tafel. 'Bryan wist het ook. En ik denk dat hij me ooit zou hebben verteld hóé hij het wist.'

'Waarom zegt u dat?' vroeg Shaw.

'Hij had niets te maken met de ruzie tussen zijn vader en mij. Nooit. Hij stond er los van. Ik denk dat het elk jaar moeilijker voor hem werd om te zwijgen. Maar nu...' Zijn hand sneed als een bijl door de lucht. 'Nu zwijgt hij voorgoed.'

Het keukenraam stond een paar centimeter open en ze hoorden het doffe dreunen van een vrachtwagen op de kade.

Orzsak hield zijn grote hoofd schuin en keek Valentine aan. 'Op een keer, achttien jaar geleden, namen jullie, mensen zoals jullie, me mee naar een politiebureau en sloegen me. Ze zeiden dat ik het meisje had vermoord. Ik heb toen de waarheid gesproken en ik spreek nu de waarheid. Ik heb haar niet vermoord.'

Shaw klemde zijn kaken op elkaar. 'We hebben een verklaring nodig, meneer Orzsak,' zei hij. 'En we moeten mensen spreken die kunnen bevestigen waar u gisteravond was.'

Maar Orzsak luisterde niet. 'De mensen hier willen me wegjagen omdat ik de waarheid vertel. Zoals anderen ons hebben weggejaagd...

de Russen, de nazi's, altijd… ons verdreven hebben.' Hij sloeg op tafel en zijn beker danste op het formica blad. 'Maar dit is mijn huis.'

'Maar dat is het niet altijd geweest,' zei Valentine glimlachend. 'U hebt vroeger op nummer 6 gewoond.'

Orzsak keek naar zijn handen en Shaw zag dat hij iets uitrekende voordat hij sprak. 'Moeders huis. Toen ze stierf had ik er geen leuke herinneringen aan en het was gehorig. Dus verhuisde ik zodra ik kon. Maar niet weg. Ik wil niet weglopen.'

Orzsak bevochtigde zijn lippen en Shaw voelde dat hij nog iets had willen zeggen, maar zich inhield. Hij trok een gezicht en nam een slok thee om zijn verbittering te verdrijven.

Valentine stond bij het keukenraam. Hij keek naar de met afval bezaaide tuin, de hoge schutting van het transformatorhuis, een vijgenboom met in het zonlicht glanzende, plakkerige bladeren. Hij tikte met zijn potlood op zijn notitieboekje. 'Namen, meneer. En dan vooral gisteren tussen zeven en negen.'

Orzsak hield zijn hand voor zijn gezicht en Shaw zag dat zijn kleine vingers trilden. 'Ik maak een wandeling – na het eten en vóór het dansen. De stad, daarna de kade.'

'Alleen?' vroeg Shaw.

'Alleen.' Hij dronk uit de beker.

'Hebt u bekenden gezien?' drong Valentine aan.

Hij scheen de vraag niet te begrijpen. Shaw vermoedde dat Jan Orzsak geen vage kennissen had.

'Meneer Orzsak, we zullen u opnieuw moeten spreken,' zei Shaw. 'En ik zal ons forensisch team vragen uw huis te doorzoeken, niet het minst om te zien of we vingerafdrukken kunnen vinden van de mensen die dit gedaan hebben… met de vissen. En de auto. Hebt u er bezwaar tegen dat we dat ook checken?'

Orzsak stond op en zocht met een hand houvast aan de tafel. Hij schudde zijn hoofd en ging hun toen voor naar de voordeur.

'Alvast één vraag,' zei Shaw. 'Bidt u ooit in de kerk aan de overkant?'

Ze zagen dat hij worstelde met de vraag, probeerde te bedenken hoe het antwoord moest luiden. Ten slotte knikte hij. 'Niet vaak. Vanwege Andy Judd. Hij is er, soms, biddend als een christen.' Hij schudde zijn hoofd.

Shaw kon zichzelf er niet van weerhouden om voor Judd op te komen.

‘Hij wilde dat Norma Jean haar kind hield. Wat dat betreft waren jullie het waarschijnlijk eens?’

Orzsaks kaken bewogen, kauwden op voedsel dat er niet was, worstelend met die tegenstrijdigheid.

‘En de pastoor…’ Hij liet een of andere beschuldiging onuitgesproken. ‘Ik mag hem niet. Maar inderdaad, ik ga soms – een gebed – ’s morgens, voor de overledenen.’ Hij verstrengelde zijn vingers. ‘En soms speel ik op het orgel, als ik de kans krijg. Muziek is een geschenk van God.’

18

VALENTINE STAK OP HET TROTTOIR een sigaret op. De zon stond nu hoog en hun schaduwen verdrongen elkaar rond hun voeten. De straat rook naar de stad: hete trottoirs, kooldioxide en iets wat rotte in de riolen. Hij spuugde op de grond. Zette hij zich schrap voor de onvermijdelijke vraag, dacht Shaw, of dacht hij dat Orzsaks terloopse beschuldigingen van politiegeweld tussen hen in zouden blijven hangen?

Shaw keek in de verte, naar de T-kruising en het abattoir. 'Goed, George – ze hebben hem hard aangepakt. De eerste avond van wat een onderzoek naar een kindermoord leek, kribbige stemming, veel druk van bovenaf, ja, om een veroordeling te krijgen, de pers van ons af te houden. Wat stelde een paar gebroken vingers voor tegenover de kleine kans dat Norma Jean nog leefde? Misschien was je erbij...'

Valentines ogen bevonden zich in de schaduw. Zijn blaas deed pijn en hij wilde niets liever dan naar de Crane gaan om het toilet te gebruiken. En een glas bier te drinken.

'Het was niet mijn zaak. Ik was er niet bij. Ik geloof dat ik daags daarna wat buurtonderzoek heb gedaan... misschien.' Maar hij wilde het er niet bij laten. Waarom zou hij? Hij keek Shaw in diens gezonde oog. 'Maar als ik erbij was geweest,' zei hij, dichterbij komend, zodat Shaw de as kon zien die in zijn dun wordende haren was gewaaid, 'zou ik met even veel genoegen als zij zijn pinken hebben omgedraaid tot ze braken.'

'En mijn vader? Het was zijn zaak. Denk je dat hij erbij was?'

'Ja. Natuurlijk was hij erbij, verdomme. Norma Jean kon daar wel ergens liggen...' Hij wees naar de haven en daarna naar het braakliggende terrein waar Bryan Judd die avond in 1992 klaaglijk haar naam had geroepen. 'Daar. Dood, stervende, ze wisten het niet, wel? Dus zeg jij maar of het dat waard was... chef.'

Shaw stapte in en liet Valentine zijn sigaret oproken. Toen de brigadier zich bij hem voegde haalde hij diep adem en probeerde zich voor te stellen dat het gesprek van zojuist niet gevoerd was. Valentine wilde erover doorpraten, omdat hij nog niet tot de kern was doorgedrongen, tot het feit dat Jack Shaw een neus voor tuig had, voor het soort man dat een gezin een meisje van vijftien zou afpakken, haar vermoorden – waarschijnlijk erger – en daarna de rest van zijn leven zou toekijken hoe dat gezin verscheurd zou worden in de nasleep van het ene moment in hun leven dat ze niet konden vergeten – het moment waarop ze wisten dat ze niet terug zou komen.

'Jack ...' zei hij, maar Shaw stak zijn hand op.

'Laat maar.' Ze zwegen dertig seconden. 'Laten we nadenken. Laten we bedenken met welk moordonderzoek we ons bezig moeten houden. Als Orzsak Bryan Judd gisteravond heeft vermoord, wat zeggen we dan dat er gebeurd is?'

'Ik gok erop dat hij om een uur of zeven thuiskwam,' zei Valentine. 'Hij weet dat het de dag van Norma Jean is. De dag waarop ze verdween. Dat gelul over de hele dag weg zijn slaat nergens op. Hij zou teruggaan om te controleren.' Hij maakte zijn autogordel los om zichzelf ruimte te geven om zich uit zijn regenjas te worstelen. 'De timing klopt precies. Judd en zijn maten zetten om twaalf uur 's middags het transformatorhuis in de hens om er zeker van te zijn dat er geen stroom is en halen dan het huis overhoop. Tegen de tijd dat Orzsak thuiskomt zijn zijn vissen allang dood. Hij is totaal van streek.' Hij keek naar de voordeur van nummer 47. 'Want het is een nachtmerrie en hij leeft erin. Hij wil dat het stopt. Het moet stoppen.'

'Maar waarom Bryan? Hij zou het op Andy gemunt hebben ...'

Valentine schudde zijn hoofd, haalde extra diep adem. 'Andy zit voor de Crane. Straalbezopen. Te midden van zijn maten. Ze zouden hem verscheuren. Trouwens, hij zou niet eens luisteren, wel dan? Nee, hij denkt dat Bryan degene is tot wie hij kan doordringen. Dus gaat hij naar het ziekenhuis om het te proberen. Hij zei het zelf: Bryan dacht dat zijn vader Norma Jean had vermoord.'

Hij draaide zich opzij om Shaws gezicht te zien, maar zag alleen het blinde oog. Ze hoorden een koe loeien op de binnenplaats van het abattoir, en andere haakten in. Een soort jammeren.

'Hij had het achttien jaar verdragen,' zei Valentine. 'Behandeld worden als een stuk stront. Kinderen die hem uitjouwen. Spugende mensen. Die de straat oversteken om hem te ontwijken.' Valentines stem klonk scherp en Shaw vroeg zich af of hij zich zo soms voelde, een verschoppeling.

'Maar nu heeft hij er genoeg van. Hij smeekt Bryan eindelijk de waarheid te vertellen... maar Bryan is loyaal. Ze wordt al achttien jaar vermist. Als hij het ons, of wie ook, wilde vertellen, had hij het inmiddels wel gedaan. Dus Orzsak krijgt zijn zin niet en het komt tot een gevecht. Het is een potige vent, ik zou niet graag tegen zijn vuist op lopen. Jezus, als hij er zijn hele gewicht tegenaan zou gooien, zou hij je doodslaan.'

Hij probeerde te lachen, ging toen door. 'Orzsak doodt hem – misschien per ongeluk, in de hitte van de strijd – en legt zijn lichaam op de transportband. Hij gaat terug naar de stad en naar de Poolse Club voor een stevige borrel.'

Valentine draaide het raampje omlaag. 'Dat klopt allemaal.' Hij was tevreden over zichzelf, temeer omdat hij wist dat hij daarmee Shaw op de kast kreeg.

'Heb je ook bewijzen voor dat scenario, of moeten we je maar op je woord geloven, George? En hoe zit het met Andy? Weten we zeker – echt zeker – dat hij de hele dag op straat was? Misschien wilde Bryan uiteindelijk met ons praten; misschien is Andy naar het ziekenhuis gegaan om het hem uit zijn hoofd te praten.'

'Nah,' zei Valentine, en hij wendde zijn blik af. 'Als het niet Holme en de drugs is, is het Orzsak en Norma Jean. Judd is het niet – de vete is te oud, het bloed afgekoeld.' Het was een merkwaardige beeldspraak, voor Valentines doen, en ze wachtten zwijgend tot hij de draad weer zou oppakken. 'Andy had Bryan elk moment een pak slaag kunnen geven; waarom zou hij naar het Queen Vic gaan terwijl de straat op zijn kop staat?' Hij kneep in zijn neus om een nies te onderdrukken. 'Nee, hier moest hij wezen. Op straat. Tegen de tijd dat wij hier aankwamen, was het hem in zijn verwrongen bol geslagen, blij dat hij ervoor had gezorgd dat zijn vendetta nog een jaar voorthobbelde.'

'Misschien,' zei Shaw.

Aan de overkant van de straat zagen ze Fiona Campbell met twee agenten voor de deur van wasserette Bentinck staan.

'Bel Twine,' zei Shaw. 'Laat hem Orzsaks alibi checken. En wij gaan met de familie praten.'

19

HET HUIS VAN DE Judds had dezelfde indeling als dat van Jan Orzsak en het was dan ook een merkwaardige sensatie om over de drempel te stappen, alsof ze jaren later hetzelfde huis waren binnengekomen, opnieuw ingericht, de stank verdrongen door de scherpe geur van waspoeder, zelfs hier, naast de machines. Brigadier Campbell overhandigde Shaw een map met de uitdraai van de verklaring die Andy Judd tijdens zijn hechtenis in St James's de avond tevoren had afgelegd. Agent Twine had even geleden een sms'je gestuurd dat het OM nog steeds een aanklacht overwoog, maar dat de kans op een veroordeling op dit moment minimaal was en dat Judd in de vroege ochtend op borgtocht was vrijgelaten. Geen enkele getuige had een verklaring willen afleggen. Shaw had gezien dat Judd een baksteen in het brandende huis had gegooid, maar meer ook niet.

Ally Judd kwam door de keukendeur de gang in met een dienblad met een pot thee, een fles melk en een pak suiker. Ze knikte naar Shaw en Valentine en ging hun voor naar de woonkamer. Ze was in één nacht tien jaar ouder geworden, maar verdriet was niet een van de vele uitdrukkingen die elkaar op haar gezicht verdrongen. Als Shaw het een naam had moeten geven, zou hij 'angst' hebben gezegd. Hij zag opnieuw de uitgeputte blik, de bijna kleurloze lichtgrijze ogen. Aan de andere kant van de muur hoorden ze wasdrogers draaien in de wasserette.

De voorkamer was doorgebroken tot aan de dubbele deuren die uitkeken over de tuin, met daartussenin een Moors aandoende toog uit de jaren zestig. Achterin stond een akoestische gitaar op een standaard. Aan de voorkant hing boven de haard een ingelijste en gesigneerde hoes van *At Folsom Prison* van Johnny Cash.

De drie Judds zaten apart, de vrouw, de broer en de vader van het slachtoffer. Andy Judd had de stoel van het alfamannetje gekregen, gecapitonneerd leer, recht tegenover een breedbeeld-tv. Hij leek niet gelukkig met de eer. Naast hem op de grond, zag Shaw, stond een lege melkfles, nog half doorschijnend van de volle melk. Ally zat op de bank, Neil op blote voeten op het vloerkleed, benen soepel gevouwen in een yogahouding. Hier, bij daglicht, naast zijn vader, zag Shaw hoe sterk Neil op zijn moeder leek, met zijn veel fijnere trekken dan de zware Keltische clichés van zijn vader. De mouwen van zijn sweater waren opgerold tot op zijn overontwikkelde spierballen.

Andy Judd keek naar zijn handen, die groot en onhandig waren en om zijn beker thee heen zaten gevouwen. 'Ik heb u gezien,' zei hij voordat Shaw het woord kon nemen. 'Bij die pedofiel thuis.' Zijn huidskleur, bij daglicht, was bijzonder, als van ranzige boter. Leveraandoening, dacht Shaw.

'We onderzoeken de moord op uw zoon, meneer Judd, en de vernielingen waardoor de stroomvoorziening werd platgelegd, plus die op nummer 47 – het huis van meneer Orzsak. Drie incidenten waartussen misschien verband bestaat.' Shaw zweeg, keek hen om beurten aan, maar keerde terug naar de vader. 'Meneer Orzsak kan verantwoording afleggen over zijn doen en laten gisteravond. We checken het. Ik wil me even concentreren op úw doen en laten.'

'Wat betekent dat?'

Ally Judd schonk thee in en Neil gaf zijn vader een verse beker en deed er melk en suiker in. 'Papa voelt zich de laatste tijd niet lekker,' zei hij. 'Hij heeft problemen... Hij heeft medicijnen nodig.' En dat, dacht Shaw, was de taak van Neil Judd. De vredestichter binnen het gezin. Hij zat met gekruiste benen op de grond, als een hond aan de voeten van zijn vader, en stelde met één hand zijn gehoorapparaat in.

'De stroomstoring gisteren is veroorzaakt door een brandstichtend instrument – een molotovcocktail – in het transformatorhuis,' zei Shaw. 'Een geslaagd instrument, neem ik aan, als het de bedoeling was de stroom te laten uitvallen, zodat de elektrische sloten op het huis van meneer Orzsak opengingen en iemand er rond één uur kon binnendringen. Ik denk dat u die iemand was,' voegde Shaw eraan toe. 'Maar laten we wachten op het forensisch verslag. Tussen haakjes, hebt u een auto?'

'Alsof ik me een auto kan permitteren...' Hij liet de thee ronddraaien in de beker. 'Ik heb een fiets. Hoezo?'

'Omdat ik wil weten waar u was, meneer Judd, op het moment dat uw zoon stierf. Dat was gisteravond tussen zeven uur vijfenveertig en acht uur eenendertig. Hoelang doe je erover naar het Queen Vic – vijftien minuten?'

Judd antwoordde niet.
'Hebt u uw zoon gedood, meneer Judd?' vroeg Shaw. Valentine spande zijn spieren. Hij moest het Shaw nageven: hij had lef.
Neil Judd keek naar zijn vader en toen naar zijn handen. Ally sloeg haar hand voor haar mond en veranderde de beweging toen in een achteroverstrijken van haar dorre haren. Andy Judd stond stijf op en liep naar een glazenkast uit de jaren vijftig. Hij haalde er een glas en een fles Johnnie Walker uit en schonk zichzelf twee vingers in, die hij met zijn rug naar hen toe opdronk.
'Nee,' zei hij.
Toen draaide hij de dop weer op de fles. Hij ging weer zitten, haalde een pakje sigaretten uit zijn zak, stak er met één hand een op, brak de lucifer tussen duim en palm nonchalant doormidden en knipte hem in de open haard.
Valentine knielde neer en gebruikte zijn Silk Cut-pakje om de gebruikte lucifer uit de as te vissen. Hij hield hem voor Shaw tegen het licht.
'Meneer Judd, we hebben precies zo'n zelfde lucifer gevonden op Bryans rookplek in het ziekenhuis.'
'Dat deed Bry ook altijd met lucifers,' zei Neil. 'Het is een familietrekje, hij heeft het van pa. Pa heeft het van Humphrey Bogart.' Ze lachten, heel even weer een gezin.
'Uw broer had een aansteker,' zei Valentine.
Neil Judd haalde zijn schouders op en Shaw bedacht hoe makkelijk de broze zelfverzekerdheid van de jongeman kon worden gebroken.
'Ik was buiten, op straat, de hele avond, de hele dag,' zei Andy Judd. De rook kringelde uit beide neusgaten. 'Een stuk of wat stamgasten van de Crane breken hun lucifers doormidden. Jezus, is dit een geintje?' Hij ging terug naar de fles voor een tweede glas. 'Denkt u dat ik Bry heb vermoord? Heeft hij u dat verteld, die viezerik? Neil heeft u verteld wie hem vermoord heeft: die klootzak in het pension.'
'En uw dochter, meneer Judd? Norma Jean? Wie heeft haar vermoord?' vroeg Shaw. Valentine keek naar de deur en dacht dat als het zo doorging, ze geüniformeerde assistentie nodig zouden hebben. Judd, dacht hij, stond op het punt te breken.
De naam van het vermiste meisje had onmiddellijk effect op het gezin; ze verstarden, als een bevroren video-opname.

'We hebben gesproken met de rechercheurs die dat onderzoek hebben geleid, meneer Judd, en ze zijn het erover eens dat uw zoon Bryan in de periode na haar verdwijning informatie achterhield. Dat hij iets wist over wat er met haar was gebeurd. Misschien, dachten ze, wist hij wie haar vermoord had.' Shaw probeerde spottend zijn schouders op te halen. 'Waarom zou hij Jan Orzsak beschermen? Of beschermde hij u? Zou hij u blijven beschermen – of dreigde hij uiteindelijk te praten? Het was de gedenkdag van Norma's dood. Dat moet een moeilijke tijd voor u zijn, voor het gezin. De stroom viel uit, het drinken begon, de nacht viel. Ik vraag u nogmaals: hebt u uw zoon gedood?'

Zelfs Valentine moest toegeven dat Shaw de beschuldiging uitstekend had ingekleed. Andy Judd leek terug te deinzen.

'Jan Orzsak heeft mijn dochter vermoord.' Hij zei het met opeengeklemde kiezen. 'Als er íémand bang was dat de waarheid aan het licht zou komen, was hij het wel. Hij woont in mijn straat.' Hij kwam op Shaw af en bleef net binnen diens persoonlijke ruimte staan, maar toen hij sprak was het fluisterend. 'Het enige wat ik ooit heb gewild, is haar begraven.' Hij snikte bij het woord 'begraven' en de whisky steeg weer naar zijn keel, zodat hij kokhalsde. 'Ik wil alleen maar dat hij zegt waar ze is.'

'Zal ik eens zeggen wat me echt dwarszit, meneer Judd?' vroeg Shaw. 'Dat niemand van dit gezin het zelfs maar vaag voor mogelijk houdt dat Norma Jean is weggelopen. Dat ze nog leeft. Misschien heeft ze het kind toch gekregen – zoals u wilde. Waarom is dat zo ondenkbaar?'

Neil wreef over de tatoeage op zijn onderarm. 'Bry zei dat ze dood was – daarom wisten we het, hebben we het altijd geweten. Bry...'

Andy legde zijn jongste zoon het zwijgen op met een blik van minachting, omdat hij het waagde, dacht Shaw, over Norma Jean te praten, hoewel hij nauwelijks een herinnering aan haar kon hebben. 'Bry en Norma hadden een soort band,' zei hij terwijl hij zijn hand op zijn borst legde. 'Elk moment dat ze leefde kon hij haar hier voelen. Maar die dag ging ze weg. Hij heeft altijd gezegd dat ze dood was, en dat is voor mij goed genoeg. Het is goed genoeg geweest voor ons allemaal.' Hij keek rond naar zijn gezin. 'Dat wil niet zeggen dat we haar niet zien, wij allemaal. Als een geest op straat, in een rij in het postkantoor, terwijl ze uit de bus stapt, in de menigte in de Arndale. We zien haar, maar ze is het nooit. Ze zal het nooit echt zijn.'

Andy Judd pakte de beklede armleuningen van zijn stoel beet. 'Jezus, denkt u dat dit alléén over Norma Jean gaat?' Hij stond weer op en pakte een foto die op de schoorsteenmantel stond, onder Johnny Cash en naast een klok uit de jaren vijftig en een doosje Swan-lucifers. Judd woog de foto op zijn hand, alsof hij de waarde schatte. Het was een gezinsfoto, allemaal op de bank, met achter hen de lichtjes van een kerstboom. De tweeling, Bryan en Norma Jean, jonge tieners die elkaar omarmden, wang tegen wang, Andy Judd met gitzwart haar, één arm om een vrouw met een diep uitgesneden blouse die een indrukwekkende boezem benadrukte.

Andy Judd stopte Shaw de foto in handen.

'Dit is wat die viezerik ons heeft aangedaan.' Hij spuugde terwijl hij het zei, een dun straaltje speeksel op zijn kin. 'Dit zijn wij – 1991. Marie stierf in negenennegentig; ze was vijfenveertig. Borstkanker – maar ze vocht er niet tegen, wilde er niet tegen vechten. Norma Jean weg. En nu Bryan...'

'Wie heeft deze foto genomen?' vroeg Shaw om tijd te winnen. Judds agressie had hem van zijn stuk gebracht en de klank van zelfbeklag was bijna ondraaglijk.

'Mijn oudste. Sean. Hij was op zee toen Norma Jean vermist werd. Treilers vanuit de Bentinck. Toen hij terugkwam vond hij dit...' Hij spreidde zijn handen om hen allemaal te omvatten. 'Hij is niet gebleven en ik kan het hem verdomme niet kwalijk nemen.'

Andy griste de foto terug, wankelde licht en liet zich weer in de fauteuil ploffen. 'Hij had altijd voor Norma gezorgd, Sean... meer dan Bry. Als een engelbewaarder. Ze was dood omdat hij haar had verlaten – zo zag hij het. En nu ze weg was had blijven geen zin. Hij zei dat hij niet terug zou komen, en hij is niet teruggekomen. Dat brak wat er nog van Maries hart over was. Ze heeft het hem nooit vergeven, heeft elke foto van hem die we hadden verbrand.' Hij keek Shaw aan. 'Als hij gebleven was, had hij gedaan wat ik had moeten doen. Hij had Jan Orzsak vermoord.'

'We zouden de smeerlap moeten vermoorden,' zei Neil.

Zijn vader lachte hem uit en Shaw vroeg zich af hoeveel voldoening het hem schonk zijn jongste zoon te vernederen. 'Ja, precies,' zei hij.

'Waar ben jij, Neil? Je staat niet op de foto,' zei Shaw.

Neil keek zijn vader aan. 'Hij ligt in zijn wieg.' Andy lachte en trok aan zijn grote bos zilvergrijze haren. 'Dit heeft niets met hem te maken.'

Neil wist niet waar hij moest kijken. Zijn hoofd schokte opzij, als van een bokser.

'En waar is Sean nu?' vroeg Valentine.

'Hij schrijft me niet – vraag het hun maar,' zei Andy, weer vol zelfmedelijden. Hij was klaar met dit gesprek, of Shaw het daar nu mee eens was of niet.

'Ik krijg kaarten,' zei Neil. 'Bry ook. Hij is bij de marine gegaan – walpersoneel, als kok in Portsmouth. Hij komt niet terug, zoals papa zei. Hij heeft het gehad met ons.' Hij voelde een reactie op wat hij had gezegd, stelde een van zijn gehoorapparaten bij en Shaw vroeg zich af hoe luid zijn stem kon klinken. Er viel een stilte, die hij haastig verbrak. 'Papa heeft Norma niet vermoord,' zei hij. 'Mama heeft altijd gezegd dat hij de waarheid sprak – ze had Norma Jean gezien, terwijl ze door de tuin liep.' Hij keek naar de tuindeuren, waarachter ze de bakstenen achtermuur konden zien. 'Maar Bryan voelde dingen ...' Hij zocht naar de juiste woorden. 'Hij kon vóélen wat Norma Jean voelde. Hij gaf papa de schuld toen ze verdween ... We weten niet waarom. Hij heeft me nooit verteld wat hij voelde. En toen ze weg was voelde hij ... niets.'

Ally glimlachte naar Neil. 'Daardoor weten we allemaal dat ze dood is,' zei ze. 'Als ze nog had geleefd, had Bry het geweten. Andy heeft gelijk. Ze leeft niet meer.'

Shaw probeerde het nog één keer. 'Meneer Judd. Hebt u Bryan gisteren gezien, in het ziekenhuis?'

'Ik zei nee. Ik zeg het niet nog eens. Ik heb u verteld wie Bry heeft vermoord; het was Holme. Hij had hem verslaafd gemaakt aan die groene troep die hij dronk. Daarna liet hij hem stelen. Toen Bry zei dat hij ermee wilde stoppen, heeft Holme hem vermoord. U hebt uw moordenaar; hij ligt in een bed in het Queen Vic. Laat hem er niet mee wegkomen.'

Shaw stond op. 'We moeten verder. Ik wil dat u allemaal in Lynn blijft, alstublieft. Meneer Judd, u zult nog een keer formeel over de gebeurtenissen van gisteravond worden ondervraagd, nadat we het forensisch onderzoek hebben afgerond. Als u van plan bent op reis te gaan, stel St James's dan op de hoogte. We zullen u allemaal opnieuw moeten spreken.'

Andy Judd spuugde in de haard.

Bij de deur draaide Shaw zich om. 'Nog twee dingen: heeft iemand van u ooit gehoord van een man die bekendstaat als de Organist?'

Neil schudde zijn hoofd. 'Die zie je niet meer, wel? Niet hier. Net zoiets als voddenboeren. Ze zijn er niet meer.'

Andy Judd had zijn ogen gesloten en zat hijgend in zijn stoel.

'En u moet allemaal weten dat we op de transportband menselijk weefsel bij Bryans lichaam hebben aangetroffen – in een vuilniszak. We kunnen er niets over vinden. Misschien is het door zijn moordenaar daar neergelegd. Weet een van u wat het zou kunnen zijn?'

De leden van het gezin Judd wisselden blikken uit, een afneemspel van blikken. Toen stond Andy Judd op, liep naar het raam en keek de straat in. 'Menselijk afval,' zei hij. 'Dat tuig in het pension. Dát waren ze.'

20

DE ARK STOND VLAK bij de ringweg, een brede laan van dwarrelend koolmonoxide en stoffige platanen rondom het middeleeuwse centrum. De voormalige non-conformistische kapel was in de jaren negentig verbouwd tot forensisch laboratorium van het korps van West Norfolk. Zoals de meeste victoriaanse, uit rode baksteen opgetrokken gebouwen in de stad, leek het de hitte op zomerse dagen op te zuigen. De eenvoudige architecturale lijnen trilden licht in een door uitlaatgassen veroorzaakte luchtspiegeling. Shaw parkeerde de Land Rover bij St James's en ze staken over voor hun afspraak met de patholoog, dr. Justina Kazimierz.

Het licht in de Ark was zeegroen, gefilterd door de oorspronkelijke victoriaanse ramen. Het rechthoekige, op een doos lijkende middenschip met zijn eenvoudige schuine dak – waaraan het gebouw zijn bijnaam ontleende – werd door een bijna twee meter hoge scheidingswand in tweeën gedeeld. Erachter was het laboratorium van de patholoog: een klein mortuarium, zes ontleedtafels en het enige oorspronkelijke beeld dat in het gebouw was achtergebleven: een stenen engel, tegen de muur geplaatst, zijn handen voor zijn gezicht. Aan deze kant van de wand was het domein van Tom Hadden: zes computerterminals, twee laboratoriumtafels vol met rekken reageerbuisjes en allerlei forensische instrumenten. Langs één muur, door de scheidingswand heen, liep een dik beklede horizontale buis: een gesloten schietbaan voor het analyseren van kogels. In een van de drie zuurkasten zagen ze wolken groen gas.

Hadden zat aan een bureau, een laptop opengeklapt, de schermbeveiliging een zwerm moerasvogels boven een strand in Norfolk.

'Dus de speelgoedwinkel is open,' zei Shaw.

'Justina is klaar,' zei Hadden terwijl hij zijn ogen sloot, zoals hij altijd deed als hij nadacht. 'Daarna heb ik iets voor jullie. Jullie zullen het leuk vinden – niet alles, maar een deel.'

Dr. Kazimierz kwam binnen door de klapdeuren, schonk zich een beker koffie in en trok zich zonder een woord te zeggen weer terug.

Ze volgden haar. Het verkoolde lijk van Bryan Judd lag op de middelste autopsietafel. Ernaast lag een wit laken over een tweede lijk, waarvan twee ledematen gedeeltelijk zichtbaar waren: een voet met blauw gemarmerde aderen en een arm met een hand, opzijgevallen, naar buiten, alsof het slachtoffer aangaf dat het links afsloeg.

Dr. Kazimierz zag Shaws belangstellende blik. 'Dat is de drenkeling. Een van Rigby.' Dr. Lance Rigby was een gepensioneerd patholoog uit Manchester, die naar de noordkust van Norfolk was verhuisd om dicht bij zijn boot te kunnen zijn. Hij deed routineklussen, privéopdrachten en adviezen. Dr. Kazimierz had Shaw tijdens het kerstfeest van de recherche in St James's te kennen gegeven dat ze verscheidene slagers kende die beter gekwalificeerde pathologen waren.

Iets had Shaws aandacht getrokken. Hij knielde neer bij de hand. De huid rondom de pols was geïrriteerd, rood, en vertoonde de onmiskenbare afdruk van een of andere band. 'Horloge?' vroeg hij.

'Misschien,' zei Kazimierz, die haar plaats achter het hoofd van Bryan Judd niet wilde opgeven. 'Rigby denkt dat het een zelfmoordenaar van hogerop langs de kust is – kleren en waardevolle spullen achtergelaten op het strand. Vandaar – waarschijnlijk – dat er geen horloge is.'

Shaw keek nogmaals. Hij dacht niet dat de afdruk was gemaakt door een horlogeband.

Hij zette het detail van zich af en voegde zich bij hen. Een mortuariumassistent was druk bezig met het klaarleggen van instrumenten op een aluminium zijtafel. Valentine zocht een plekje aan de kant, waar hij het lichaam van Judd kon zien, maar ook de klok die aan de muur van de kapel hing. Hij concentreerde zich op de secondewijzer, de schokkerige, metronomische beweging. Als hij misselijk werd keek hij er altijd naar, dacht aan het uurwerk en stelde zich de in elkaar grijpende raderen voor, schoon, beslist, en onmenselijk.

'Goed, eerst het uitwendige,' zei de patholoog. Ze tikte met een metalen pincet op de tanden. 'Tussen haakjes: exacte overeenkomst met Judds gebitsgegevens, dus er is geen enkele twijfel, als die er ooit is geweest.'

Ze had de gebroken schedel gereconstrueerd, zo keurig als een driedimensionale legpuzzel voor een kind, bijeengehouden met plastische lijm. Het kleine gat in het achterhoofd, vlak bij de bovenkant van de ruggenwervel, was duidelijk zichtbaar.

'Dit is een raakpunt,' zei ze. 'Vraag me niet waarvan; ik weet het niet. Tom zei dat je een bolle schakelaar hebt? Nou, die zou ik niet kunnen uitsluiten. Maar verder wil ik niet gaan.

Verrassend is dit hier...' Ze had een grote loep op een statief, die ze boven de borst bracht. De geblakerde huid was strak, maar vlak onder het sleutelbeen aan de linkerkant was een klein gat. Ze stak het pincet in de wond. 'Ik moet door het weefsel hier snijden om te zien hoe diep hij is, maar zelfs van hieruit zou ik acht tot vijftien centimeter zeggen.'

'Mes?'

'Ja. Misschien. Maar geen gewoon keukenmes, of een stiletto. De punt is heel smal, bijna als van een degen – het zwaarste schermwapen. Iets heel scherps en smals dus. Niet fataal; dat was de schedelfractuur en daarna de oven. Maar wel traumatisch. Zijn bloeddruk zou pijlsnel zijn gedaald als er een slagader was doorgesneden.

Nu het inwendige.' Ze ging aan de slag en opende de buik om de belangrijkste organen te kunnen bereiken. Het uitwendige van het lijk was volkomen uitgedroogd, maar de borstholte was grotendeels intact gebleven. Het geluid van druppelende lichaamssappen werd begeleid door het zoeven van auto's op de ringweg.

'Ik heb bloedtests gedaan,' zei Kazimierz. 'We hebben het over hoge alcoholpromillages – twee keer het maximum om te mogen rijden, plus cannabis.'

'Echt waar?' zei Shaw. 'Wanneer gebruikt?'

Ze schudde de maaginhoud in een metalen kom. 'Dit is de boosdoener,' zei ze terwijl ze met een pipet een monster nam van de plas felgroen vocht. Ze verwijderde een stuk darm, sneed die nauwgezet in de lengte door en onderzocht de inhoud.

'Nou, het meeste zit nog in de maag. Laten we zeggen tachtig procent, en de rest in de dunne darm. Niets in de karteldarm...' Ze hield een stuk van de dikke darm tegen het licht en Valentine keek naar het schokken van de secondewijzer.

'Dus... hooguit twee uur.'

Shaw en Valentine keken elkaar aan. Had Aidan Holme een fles Green Dragon meegenomen naar het ziekenhuis om Judd ervan te overtuigen dat zijn dagen als drugsleverancier nog niet voorbij waren? De eerstvolgende grote, voor verbranding bestemde zending werd binnen vierentwintig uur verwacht. Holme zou alles op alles hebben gezet om die te onderscheppen voordat die in vlammen opging.

'Zeggen we dat hij dood was op het moment dat hij de oven in ging?' zei Valentine, op een ander onderwerp overstappend terwijl hij probeerde te doorgronden wat er, zonder het technische jargon, was gebeurd. Hij riskeerde een blik op de geblakerde snijtanden.

'Ja. Of reddeloos verloren. De longen...' Met haar in handschoenen gestoken handen spreidde ze het weefsel uit op een metalen afdruipblad. 'De longen bevatten gifstoffen, lijkt me, maar daar moeten we op testen. En wat geïnhaleerde stoffen van de binnenkant van de oven. As, even heet als alle as in elk vuur. Hij zal een halve teug hebben binnengekregen, misschien minder. De hitte heeft het weefsel verzengd.'

Shaw stelde zich voor hoe het moest zijn om half bewusteloos te zijn gedurende die folterende seconde terwijl het lichaam over de transportband schokte en door de opening naar het fornuis. Duisternis, dan hitte, met een soundtrack uit de hel.

'Wat een hel,' zei Valentine, die hetzelfde beeld zag.

Dr. Kazimierz verwijderde de belangrijkste organen, trepaneerde de schedel en legde de restanten van de hersenen in een glazen schaal. Vijfendertig minuten later was ze klaar. Valentine leidde de bestorming van de koffieautomaat. Terwijl ze zich omdraaiden ving Shaw de beweging van de rechterhand van de patholoog op. Een kruisteken.

Ze volgde hen naar haar bureau tegen de scheidingswand en las in sneltempo een pagina met de hand geschreven aantekeningen door.

'Verder niets. De kleren waren grotendeels in de huid gebrand. Munten in een zak, een aansteker, een zakmes. Mobiel in de borstzak. De resten van een kartonnen pakje – sigaretten, maar we kunnen je geen merk noemen voordat zij hun werk hebben gedaan...'

Ze knikte naar Shaw en toen naar Tom Hadden. 'Dat was het.' Ze draaide zich zonder verder iets te zeggen om.

Hadden nipte aan een kopje espresso uit de Italiaanse koffiemachine op het bureau. 'Geen mazzel met de gebroken lucifer, vrees ik. Gortdroog. Ik hoopte dat we wat speeksel zouden vinden, als hij hem tussen zijn tanden had gehouden, maar niks hoor.'

Er lag een bewijszakje op Haddens bureau, met daarin de zaklamp die ze naast de als asbak fungerende wieldop hadden gevonden. 'Eerst het slechte nieuws. Ik heb op internet naar MVR gezocht en het is geen bedrijf. We praten met de fabrikant van de zaklamp... een Finse onderneming.'

Dat was een detail dat Shaw beviel, dus hij sloeg het op.

'Maar het interessante is het stof op de zaklamp...' Hij sloeg een toets aan op zijn laptop en er verscheen een microscoopopname op het scherm. Een massa vezels, onuitsprekelijke griezelbeesten, schilfers materiaal.

'Dit is tienduizend keer vergroot. Alle stof is anders, als een vingerafdruk. Dit monster bevat heel weinig menselijk weefsel – huid en zo. Maar wel twee andere dingen...'

Hij riep een andere foto op. 'Dit is een of andere vezel, van menselijke makelij, een soort polytheen. Ik weet het niet, misschien een of andere wikkel of verpakking. En dit...'

De derde foto. Splinters van iets roods.

'Het is houtstof – zaagsel. Maar heel, héél fijn. Maar het rare is het hout: muirapiranga. Bloedhout. Een Zuid-Amerikaanse hardhoutsoort, duur spul. Ik heb op internet gezocht en het wordt veel gebruikt voor dure vloeren. Geïmporteerd uiteraard. Als je een bloedhoutboom in zijn natuurlijke omgeving wilt zien, zou je de oevers van de Amazone kunnen proberen. Als je het als keukenvloer wilt hebben, kost het je vijf pond per vierkante meter.'

'Oké,' zei Shaw. Opnieuw een detail dat nergens paste. Of toch wel? Hij dacht aan pastoor Thiago Martin, een Braziliaanse banneling. Hij zou Twine de achtergrond van de priester laten natrekken.

'Andere resultaten...' Hadden sloeg een map open. 'Het bloed op de transportband is van Judd, en alleen van hem. De rijst die je hebt gevonden in de Sacred Heart of Mary komt overeen met de korrels op de plaats delict. Maar het is een doodgewone langekorrelvariëteit uit de VS – de Tesco heeft het op voorraad. Zelfbedieningsgroothandels ook. Het helpt dus, maar ik zou er niet over peinzen om het aan de rechtbank voor te leggen. En we zijn nog bezig met de vuilniszak onder het lichaam. Nog vierentwintig uur, misschien minder. O, en ik heb de melkfles verstuurd, die uit het transformatorhuis. Er zit een speekselspoor op de hals.'

Shaw dacht aan Andy Judd en zijn alfamannetjesfauteuil, de lege melkfles naast zijn voet.

Hadden glimlachte, een even zeldzaam gezicht als een zijn van geliefde visarenden. 'Maar waar we mazzel mee hadden was dit.' Hadden scrolde door zijn fotomap op de laptop tot hij bij een foto kwam van de metalen stoel die ze op het balkon naast de wieldop hadden gevonden. 'Deze was bezaaid met vingerafdrukken van Judd, en van zijn collega's die de andere twee ploegendiensten draaien. Maar er was één afdruk die niet klopte, en die zat óp die van Judd ... Heel moeilijk te liften; we moesten een nieuwe techniek gebruiken, waarmee ik je niet zal vervelen, al zul je er nog wel meer over horen dan je lief is, Peter, want jij zult de factuur bij de korpsleiding moeten verdedigen. Achtduizend pond.'

Valentine floot, blij dat hij het niet hoefde te doen.

'Maar goed, toen we hem eenmaal hadden, heb ik hem door de database gehaald die Twine heeft gemaakt van alle tot nu toe in deze zaak genomen vingerafdrukken. Verdachten, getuigen, slachtoffer. Ik heb een complete match.' Hadden liet hen een volle seconde zweten. 'Hij is van Aidan Holme.'

Valentine klapte één keer in zijn handen en ging op zoek naar een Silk Cut. Eindelijk een degelijke aanwijzing dat een van de hoofdverdachten op de plaats delict was geweest. Shaw schakelde zijn van nature tegendraadse aard in: die ene vingerafdruk bewees tenslotte alleen dat Aidan Holme er was geweest. Hij bewees niet dat Holme een moordenaar was. Maar toen hield hij zichzelf voor dat een doorbraak een doorbraak was en dat hij er dankbaar voor zou moeten zijn.

'Laten we hopen dat Holme nog leeft,' zei hij.

21

IN EREBUS STREET GINGEN drie teams van uniformagenten van deur tot deur en een ploeg bouwvakkers was de bouwval van nummer 6 aan het stutten. Agent Jackie Lau stond op het trottoir op hen te wachten toen Shaw de Land Rover parkeerde in de schaduw van de Sacred Heart.

'Chef. Sorry, maar ik weet heel zeker dat u dit moet zien.' Ze ging hun voor de kerk binnen, uit de zon; het middenschip was als een koel toevluchtsoord te midden van de rode bakstenen van North End. Valentine bleef achter en probeerde of zijn mobiel een fatsoenlijk signaal kreeg, zodat hij naar de toestand van Holme in het Queen Victoria kon informeren.

Binnen controleerde agent Lau een aantekening. 'Volgens de beheerder – Kennedy – waren hier gisteren veertien dakloze mannen,' zei ze tegen Shaw. 'Nu zijn er dertien. Alle verklaringen die we hebben afgenomen komen met elkaar overeen, op één na. De meesten gebruikten om halfzeven een volle maaltijd en gingen toen naar bed omdat er geen licht was. Enkelen van hen werden wakker van de herrie op straat en een paar mannen gingen naar buiten om te kijken. Daarna gingen ze allemaal weer naar bed. Maar één van hen vertelt een ander verhaal. Hij werd enige tijd voor de aanslag op het pension wakker. Hij zegt dat hij zag dat er een man werd ontvoerd.'

Ze liet het Shaw even verwerken. 'De getuige is niet echt honderd procent betrouwbaar, chef, maar ik denk dat hij de waarheid spreekt. Ik zie tenminste niet in waarom hij zou liegen.'

'Laten we met hem praten,' zei Shaw.

Valentine voegde zich bij hen. Hij bestudeerde een sms-bericht op zijn telefoon. 'Holme is er nog steeds slecht aan toe,' zei hij terwijl hij de lucht opsnoof, bezwangerd van de geur van opeengepakte mensen.

Het team had enkele tafels voor het altaar geplaatst en twee uniformagenten namen verklaringen af. De daklozen zaten in de banken, dronken thee uit een kartonnen beker of lazen de krant. Lau ging hun voor naar de sacristie die ze de avond tevoren hadden gezien. Er zat een man aan de tafel, waarop een lege beker en een grote schaal met één enkele cracker stonden. De deur naar de boilerruimte en Kennedy's zit-slaapkamer stond open. 'Dit is John William,' zei ze. 'Hij komt uit Londen, enige tijd geleden met een vrachtwagen naar Cambridge gelift. Hij zegt dat hij zijn achternaam niet weet. Maar misschien komt dat later.'

Shaw gaf de oude man een hand. Het viel hem zoals zo vaak op dat ouderdom ledematen zwaarder leek te maken, alsof ze een plaats zochten om te rusten.

'Het was zijn eerste nacht hier in de kerk,' zei Lau. 'Hij is doodmoe doordat hij te voet van Cambridge is gekomen. Hij denkt dat hij er een maand over heeft gedaan en hij heeft in de openlucht geslapen.'

John William knikte en pakte de laatste cracker.

'Kun je het ons nog eens vertellen, John William?' vroeg Lau terwijl ze een hand op zijn schouder legde. Shaw keek in zijn groene, moskleurige ogen die als plompenbladeren in waterige kassen dreven. Het was de enige kleur die hij nog had; zijn huid en zijn dunne haren waren net perkament en zijn overhemd, helemaal kapot gewassen, was zakdoekgrijs.

'Ik sliep,' zei hij. 'Ik was moe, zoals ze zei. En het eten was lekker.' Hij opende zijn handen en Shaw zag de lichte rand om zijn ringvinger, waar ooit een trouwring had gezeten. 'Lever en spek. Maar 's avonds moest ik plassen. Dat doe ik altijd. Rond tien uur.' Zijn gedachten dreven even weg van zijn verhaal en keerden weer terug. 'Toen ik terugkwam zag ik een lucifer opflakkeren; er rookte iemand. Dat is tegen de regels. Hij zag me niet en buiten was lawaai, dus hij hoorde me ook niet. Ik dacht: er is iets.' Hij keek hen onderzoekend aan om te zien of dit was wat ze wilden horen. 'Dus ging ik erheen – in de schaduwen.'

Hij grijnsde zijn rotte tanden bloot.

'Wat heb je gezien, John William?' vroeg Shaw geduldig.

'Er stond een man naast een van ons, iemand die ik tijdens de maaltijd had gezien. Iedereen noemde hem Deken vanwege dat oude grijze ding, een soort paardendeken, die hij droeg als een poncho.' Hij schudde zijn hoofd, nog steeds verbolgen over de ongepastheid. 'Hij had lange haren, zodat je zijn gezicht nauwelijks kon zien. Ook dat is tegen de regels, dus ik weet niet wat er gaande is.'

Het was Valentines beurt om voor aangever te spelen. 'En praatten ze, die twee?'

'Ja. Hij zat in elkaar gedoken, Deken, en hij rookte. En toen zei die vreemdeling, die buitenstaander...'

John William staarde voor zich uit en probeerde de juiste woorden te vinden. 'Hij zei: "Dat is de deal – graag of niet. Iets beters zul je niet krijgen."'

'En toen?' vroeg Shaw.

'Die Deken rookte zijn peuk en toen die op was, wendde hij zijn hoofd af en zei: "Dan niet." – Nee. "Dan niet – en jij zou ook..." Ja, zo was het. En hij wilde weer onder de wol kruipen, maar toen zag ik dat die ander iets uit zijn zak haalde – een moersleutel? Ik weet het niet. In elk geval, hij sloeg hem. Niet hard, maar hard genoeg...' Hij legde zijn hand op zijn achterhoofd. 'Toen pakte hij hem onder zijn armen en sleepte hem naar buiten, door de zijdeur, het donker in.'

'En wat deed jij?'

'Ik was bang,' zei hij. 'Doodsbang. Ik ging terug naar de wc en verstopte me. Ik dacht dat hij misschien terug zou komen, en Liam, de beheerder, is altijd...' Hij boog zich naar voren en dempte zijn stem. 'Hij gebruikt...' zei hij terwijl hij met één vinger kleine ronddraaiende bewegingen bij zijn slaap maakte. 'Hij slaapt altijd, dus ik ging weer naar bed, maar vanmorgen, aan het ontbijt, heb ik het hem verteld.'

Hij keek Shaw aan, de plompenbladeren trilden. 'Ik had gisteravond iets moeten doen; nu heb ik er spijt van dat ik niets heb gedaan.'

Shaw stond op. 'Laat me eens zien waar je het licht van de zaklamp zag.'

John William schuifelde naar het schip en hield zijn broek met één hand op, hoewel hij een riem had. Hij ging hun voor naar de zijbeuk en toen naar de kant waar op een klein altaar een albasten Maagd stond. Op de grond lag een van de dekenrollen van de kerk.

'Hier,' zei hij.

Shaw zag dat zijn handen trilden en zijn lichaam boven zijn middel ritmisch heen en weer wiegde.

'Bedankt, John William. Kun je ons verder nog iets vertellen over wat je gezien hebt, iets ongewoons misschien over die buitenstaander?' vroeg hij. 'Lengte? Leeftijd?'

De zwerver schudde zijn hoofd. 'Ik heb hem niet gezien – niet meer dan een schim in het donker. Hij had de zaklamp in zijn hand, dus al het licht scheen soortement van hem weg.'

'Kleren?' hielp Valentine hem.

'Ik hoorde iets,' zei John William, de vraag negerend. Hij leefde plotseling op bij het idee dat hij al met al toch ergens goed voor kon zijn. 'Zijn schoenen; het viel me op omdat hij verder zo stil deed. Maar toen hij Deken naar buiten sleepte hoorde ik ze, op de houten vloer, als van een tapdanser.'

'Metalig?' vroeg Shaw bijna fluisterend.

'Precies ja. Ja... Ik zou er gek van worden, van zulke schoenen, alsof je overal door jezelf wordt gevolgd.'

Shaw en Valentine trokken zich terug en probeerden te bedenken of het mogelijk was, of de man die Bryan Judd in het ziekenhuis had vermoord tijd had gehad om terug te gaan naar Erebus Street en de dakloze Deken te ontvoeren. En áls het mogelijk was, en dat was het, waarom dan?

Lau leidde John William weg, met één arm onder zijn elleboog om hem overeind te houden, en zette hem bij de andere mannen. Toen kwam ze terug, liet een zilveren armband om haar pols rinkelen en ging op één knie naast de dekenrol zitten. Onder de bank lag een Tesco-tas en ze deed een chauffeurshandschoen aan en trok hem tevoorschijn. Maar er lag nog iets, iets zo lichts dat het bijna wegfladderde toen ze de tas verschoof – een briefje van vijftig pond op de parketvloer.

Ook Shaw liet zich op zijn knieën vallen en Valentine deed een stap terug om het ook te kunnen zien.

'Oké, laten we Tom erbij halen,' zei Shaw. 'Doe dat om te beginnen in een bewijszakje. Ik neem aan dat Deken niet zijn echte naam is?'

'Het zou best eens kunnen, chef,' zei Lau. 'We weten het gewoon niet. Om voor een slaapplaats in aanmerking te komen moeten ze een formulier invullen. Maar Kennedy – de beheerder – is blijkbaar geen pietje-precies. Dat van Deken was grotendeels blanco. Hij vulde zesendertig in als leeftijd, Middlesbrough als geboorteplaats en Newcastle als vorige verblijfplaats.'

Ze keek in de Tesco-tas. Voor het kleine zijaltaar was een met tapijt beklede trede en ze stalde de vijf voorwerpen uit de tas erop uit.

Een foto met het formaat van een paspoort, in een houten lijstje zonder glas. Een kind, bleek, zwart haar, op de knie van een man. Deken had het gezicht van de man blijkbaar vaak betast, want het was uitgesmeerd tot een bleek, gezichtloos ovaal.

Lau knikte. 'Ik schat hem een jaar of tien, elf – het kind. Er staat een datum op de achterkant: april 1984. Het zou hem dus kunnen zijn.' Vervolgens: een vissersmes van Franse makelij, Opinel, met een versleten heft. Daarna een busboekje van National Express, een pak Nice-koekjes en een boek, *Moby Dick*. Binnenin zat een bibliotheekkaart, verloopdatum over een week.

De deken annex jas hing nog aan de provisorische haak. Hij was smerig en zat vol zand. Shaw haalde hem van de haak, zodat ze allemaal konden zien dat er iets op de achterkant stond, met krijt geschreven, een verticale rechthoek, smal, met een kleine ellips er vlak boven, als een dikke punt op een brede letter 'i'.

'Dat is ook raar,' zei Shaw. 'Iemand heeft dat getekend.'

'Het is een kaars,' zei Valentine.

Liam Kennedy liep door het middenpad naar het altaar met een dienblad met bekers. Hij had een schoon T-shirt aan, nu met een VSO-logo.

Hij nam bestellingen op, deelde toen thee uit en deed er suiker en melk naar smaak bij. Hij bleef erbij staan, een beker in de ene hand, de andere in de zak van zijn spijkerbroek. Shaw vond dat hij er nu, bij daglicht, na een nacht slapen, jonger, frisser uitzag. Een tiener. Hij had Shaw een beker thee overhandigd, met melk en suiker. Shaw dronk zijn thee altijd zonder melk en suiker. Hij had het gevoel dat Kennedy een van die verschrikkelijke mensen was die, volkomen ten onrechte, zwelgen in aanvallen van totale zelfverzekerdheid.

'U regeert hier niet bepaald met ijzeren hand, meneer Kennedy. Geen fatsoenlijke documentatie voor de vermiste man. En geen melding van zijn gewelddadige ontvoering, voornamelijk omdat de mannen hier blijkbaar denken dat ze u 's nachts niet mogen wekken. Wás u wel hier?'

Kennedy's goede humeur bevroor op zijn gezicht, maar hij leek de opwelling om Shaws beschuldiging met iets anders dan onderdanigheid te beantwoorden te onderdrukken.

'Het spijt me. Ja. De administratieve kant is nooit mijn sterkste punt geweest en Deken was een lastig geval. Hij wilde zijn naam niet zeggen, dus als ik de regels had opgevolgd, had ik hem een bed, of eten, moeten weigeren, en dat leek me niet eerlijk.'

Kennedy zag John William nog in de bank zitten, wachtend tot hij een verklaring kon afleggen, zijn hoofd tussen zijn handen. Kennedy zei dat hij zo terugkwam, ging naast John William zitten en sloeg een arm om diens schouder. Ze hoorden snikken en wendden hun blik af. Shaw bedacht hoe vaak onverdienstelijke mensen een verdienstelijk leven leiden.

Toen Kennedy terugkwam herhaalde Shaw zijn vraag, maar hij sloeg onwillekeurig een meer verzoenende toon aan. 'Het is rond een uur of tien gebeurd – John William denkt blijkbaar dat u toen sliep, maar dat was niet zo, nietwaar?'

Kennedy keek naar zijn schoenen. 'Niet helemaal, al zou het meestal wel kloppen. Ik gebruik medicijnen.' Het was alsof de bekentenis hem vernederde en hij zag er nóg jonger uit. 'Ik was buiten, bij het abattoir om precies te zijn, en hield de straat in de gaten. Het was te voorspellen, niet dan? Dat er iets zou gebeuren. Dus dronk ik buiten een kop koffie en keek toe. Op de hoek van de straat is een lage muur; daar zit ik vaak voordat ik ga slapen. Meestal om een uur of negen, of wat later, maar inderdaad, ik was opgebleven. Toen ik de vlammen in het pension zag ging ik kijken of ik kon helpen en ik ging langs de pastorie, want ik wist dat pastoor Martin thuis was en hij moest het weten. Hij belde de brandweer. Toen de ambulance kwam ben ik met Aidan naar het Queen Vic gegaan. Daarna ben ik teruggekomen en heb ik beneden met u gesproken.'

'Hoe wist u dat pastoor Martin thuis was?' vroeg Valentine.

'Ik had even tevoren licht gezien en dat was me opgevallen, vanwege de stroomstoring. Pastoor Martin heeft zo'n oude lantaarn, op olie. Een familiestuk, geloof ik. Veelkleurig licht.'

Valentine schuifelde met zijn instappers over de parketvloer. 'Waar brandde dat licht?'

Kennedy slikte. 'Slaapkamer.' Hij roerde door zijn thee en deed er suiker in uit kleine papieren zakjes die hij had leeggegooid in een kom.

'We moeten die man vinden, meneer Kennedy, de man die Deken wordt genoemd,' zei Shaw. 'Kunt u ons iets meer over hem vertellen, iets wat niet op zijn formulier staat?'

Kennedy ging zitten en vermande zich, alsof hij een gevangene in de beklaagdenbank was. 'De meeste van die mannen zijn kort van stof, inspecteur. Ik geloof niet dat ik hem ooit drie woorden achter elkaar heb horen zeggen. Hij wilde niet zeggen hoe hij heet, zoals ik al zei; vandaar de bijnaam. Hij raakte duidelijk geen alcohol aan. Hij had een goed stel hersenen en las veel – we hebben een bibliotheekbus. Goede boeken ook. Ik probeer er altijd op te letten, zodat we iets hebben om over te praten: Buchan, Innes, Greene. Raar is dat: áls ze lezen, die mannen, is het vaak het beste.' Hij lachte en haalde zijn schouders op.

'En hoelang was hij hier al?' vroeg Valentine.

'Twee weken; ik kan het nakijken, maar zoiets.'

'Signalement?'

Kennedy lachte. 'Tja, dat is een teer punt. Als de mannen hier eenmaal een paar dagen zijn, staan we erop dat ze hun haren laten knippen; een kwestie van hygiëne. De meesten van hen zwerven al jaren over straat, dus ze hebben allerlei huidaandoeningen, luizen, dat soort dingen. Maar Deken zei dat hij niet wilde, dat hij zou weggaan als we hem dwongen. We kwamen er niet echt uit, maar ik hoopte dat hij zou toegeven. En hij was heel proper, hij gebruikte de douches in het badhuis. Maar het haar bleef, en de baard. Hij leek Ben Gunn wel, uit *Schateiland*.'

Opnieuw een verborgen gezicht, dacht Shaw.

'Maar Middlesbrough – zo'n accent?' zei Valentine.

'Eigenlijk niet. Vraag maar aan de mannen, ze zullen hetzelfde zeggen. Er zijn er een paar uit het Noorden en die zeiden dat hij zeker niet uit Teesside kwam, en ook niet uit Tyneside. En er was nog iets. Iets raars.' Hij klemde zijn magere knieën tegen elkaar. 'Hij kwam rond het midden van de ochtend aan, en we sluiten de kerk tussen tien en vier, meestal tenminste. Maar hij belde aan en ik ging naar buiten. Ik zei dat hij om vier uur terug moest komen, maar het formulier meteen kon invullen. Het spaart tijd en mensen worden boos als ze alleen nog maar een bed en een maaltijd willen en ze moeten een vragenlijst invullen. Ik keek hem na. Hij liep over het grindpad achter om de kerk, waar een bank staat, smeedijzer, victoriaans. Maar goed, het punt is dat je die vanaf de straat niet kunt zien. Maar hij liep er récht opaf. Ging in de schaduw zitten, vulde zijn formulier in en ging toen liggen slapen. Ziet u, hij wíst het. Maar hij zei dat hij hier nooit eerder was geweest. Dat zei hij vaak.'

22

SHAW STOND NAAST DE Land Rover, een piepschuimen beker op het dak, toen zijn mobiel ging. Hij keek wie er belde; het was Tom Hadden, via de vaste telefoon in de Ark. Hij nam op en keek naar Valentine, die verderop de buurtonderzoeksteams bijpraatte over wat ze in de Sacred Heart hadden ontdekt.

'Peter. Luister, ik heb enkele testuitslagen over de afvalzak die onder Judds lichaam is gevonden.'

Shaw zei niets en probeerde zich opnieuw te concentreren op het tafereel in de verbrandingsruimte van het Queen Victoria, het geblakerde lijk dat sidderend uit de oven kwam.

'Het is een menselijke nier, Peter, tenminste, wat ervan over is.'

Shaws hand gleed onwillekeurig naar zijn rug.

'Maar het meest raadselachtige is dat, voor zover Justina en ik er zeker van kunnen zijn, die nier absoluut niet is aangetast. Hij zou erop los moeten werken om iemand in leven te houden. Maar dat doet-ie niet. Hij is weggegooid, en ik denk niet dat dat ergens op slaat.'

'Tenzij...'

'Goed. Laten we stap voor stap teruggaan. Iemand heeft met opzet de documentatie over de afvalzak vervalst om dit orgaan in de verbrandingsoven te krijgen. Of iemand heeft een zak op de band geopend en de inhoud verwisseld. Dit orgaan is operatief verwijderd en de enige mogelijke reden daarvoor – als het een gezond orgaan is – is dat het werd klaargemaakt voor transplantatie. Een transplantatie die niet is doorgegaan.'

Het woord galmde door Shaws hoofd. *Orgaantransplantatie.* Hij voelde dat ze een Rubicon waren gepasseerd, maar het beeld was in kleur, de rivier rood.

'Bryan Judd stierf met dat ding onder zijn lichaam,' zei Shaw. 'Hij hield het vast en liet het niet los, óf het is met opzet bij zijn lichaam gelegd.' Het was een uitspraak, geen vraag, en Hadden beantwoordde die met stilzwijgen.

Shaw huiverde, ondanks de middagzon, en zijn nekharen gingen overeind staan, want zijn gedachten hadden nog maar net de grote sprong gemaakt. Hij dacht aan de verstikkende rook in de slaapkamer in Erebus Street nummer 6, de gassen die door de kieren tussen de kale vloerplanken drongen, de gestalte van Pete Hendre, als een foetus opgerold onder de vensterbank, en zijn gefluisterde smeekbede ervoor te zorgen dat zijn gezicht verborgen bleef, voorgoed verborgen, voor de Organist.

Hij bedankte Hadden, vertelde hem wat ze in de kerk hadden gevonden en vroeg of hij een team ter plekke kon krijgen zodra de middelen dat mogelijk maakten.

Twintig minuten later stond hij in een lift naar de achtste verdieping van het hoofdgebouw van het Queen Victoria. Hij stapte uit toen er een bel klonk en ontsnapte aan Bach en aan een brancard waarop een man lag die naar de OK werd gereden en wiens gezicht de hulpeloosheid weerspiegelde die hij moest voelen. Shaw bedacht hoe goed van vertrouwen je moest zijn om op een brancard te gaan liggen, onbekenden te laten beslissen waar ze je naartoe brachten en je door hen in slaap te laten brengen – toch het toppunt van weerloosheid. En dan dat afschuwelijke, dubbelzinnige 'in slaap brengen'.

Mevrouw Jofranka Phillips, het hoofd van de OK, had een kantoor in de directiesuite. De hele verdieping was voorzien van airco en de plotselinge kilte maakte Shaw ongemakkelijk. De deur stond open, het kantoor was een keurig opgeruimde glazen doos, leeg, op een bureau na, een dossierkast en een levensgroot skelet dat aan een aluminium standaard hing. Phillips stond één meter vijfentachtig hoog op haar kousenvoeten. Ze gaf hem een hand en hij bedacht dat chirurgen altijd zulke handen hebben, met onnatuurlijk lange, slanke vingers. En die rust, het vermogen om kalm te blijven juist wanneer gewone mensen zouden beginnen te trillen terwijl ze de eerste incisie maakten.

Shaw nam plaats en zag dat het skelet ook zulke handen had.

'Bedankt dat u me zo snel kunt ontvangen,' zei hij. 'Heeft mijn forensisch team de details doorgegeven...?'

Ze knikte. 'Ik vond dat we moesten praten,' zei ze. Ze keek hem rechtstreeks aan en zag voor het eerst het blinde oog, maar haar vertrouwdheid met verwondingen reduceerde haar reactie tot een nauwelijks merkbaar knipperen van haar oogleden.

'Neem me niet kwalijk.' Shaw hief een hand op. 'Ik realiseer me dat u verantwoordelijkheden hebt in het ziekenhuis, maar we hebben te maken met moord, en nu met de vondst van een menselijk orgaan zonder de bijbehorende documenten. Ik heb mijn superieur in St James's gesproken, commissaris Warren, en de voorzitter van de inspectie voor de Volksgezondheid...'

Hij bladerde door zijn aantekeningen, maar daar had ze het geduld niet voor.

'Sir John Falcon,' zei ze.

'Inderdaad. Die. En we zijn het erover eens dat deze twee zaken nu onlosmakelijk met elkaar verbonden zijn.'

Phillips keek geschrokken en sloeg onwillekeurig een hand voor haar mond.

'Dus ga ik al die dingen als het ware tot op de bodem uitzoeken... met uw hulp. Kan ik daarop rekenen?'

Het was grof, maar het was de enige manier. Het had geen zin te doen alsof iemand anders dan hij de leiding had over dit onderzoek. Wat hij er niet bij zei was dat Sir John Falcon duidelijk had gemaakt dat bij een onderzoek in het ziekenhuis specialisten uit andere ziekenhuizen betrokken zouden moeten worden. Phillips zou vragen beantwoorden in plaats van stellen – al had hij er een lofzang aan toegevoegd die erop neerkwam dat ze een van de beste chirurgen van het land was en dat ze zich gelukkig mochten prijzen dat ze tot de medewerkers behoorde. Verkijk je niet op het 'mevrouw', had hij erbij gezegd; het betekende niet dat ze getrouwd was, het betekende dat ze chirurg was. 'Noem haar dus geen dokter,' had hij lachend gewaarschuwd, 'want dat is écht een belediging.'

'Uiteraard,' zei Phillips. Ze legde een hand op de telefoon op haar bureau en Shaw vermoedde dat ze had overwogen met Falcon te overleggen, maar geconcludeerd had dat het zinloos was. 'Ik zal doen wat ik kan.' Ze had een zwaar accent, Cypriotisch misschien. Haar weelderige zwarte haren waren uit haar gezicht naar achteren gekamd en vormden een contrast met de witte doktersjas en de licht olijfkleurige huid. Ook haar sieraden waren zwart: een armband van zwarte barnstenen en een zwarte hanger. Zwart en wit, licht en donker – Shaw vermoedde dat ze iemand was die met zekerheden werkte, ze opzocht. Maar de ogen, opvallend lichtgrijs, zorgden ervoor dat licht de overheersende kracht was, en het waren haar ogen waarin Shaw een verfijnde intelligentie waarnam.

'Wat hebt u al gedaan?' vroeg hij.

'Ik heb de Nationale Weefselbank op de hoogte gesteld, het Medisch Centrum en het ministerie van Volksgezondheid. Een team van de weefselbank zal de eerstkomende achtenveertig uur onderzoek doen naar onze weefsel- en orgaanbank. In afwachting daarvan heb ik hem laten sluiten. De sloten zijn verzegeld. Niemand mag er naar binnen zonder mijn schriftelijke toestemming. De afdeling Voorlichting heeft een persbericht opgesteld, maar dat wordt pas gepubliceerd als ik het zeg.'

Elke eventuele klank van wrok over het feit dat Shaw het onderzoek naar zich toe had getrokken, was uit haar stem verdwenen. Hij voelde een vrouw met een stevige dosis zelfverzekerdheid, en allesbehalve fragiel.

'Mooi. Dat is snel. Bedankt. Neem me niet kwalijk... twee dingen. Ik moet die toestemming ook ondertekenen, voor toegang tot de orgaanbanken. Kunt u dat veranderen? En de afdeling Voorlichting moet het nieuws voor zich houden tot ik het zeg. Ik wil niet dat dat aspect van het onderzoek openbaar wordt gemaakt.'

Ze knikte.

'Nu meteen, graag,' zei Shaw. Ze bladerde door een geplastificeerd intern telefoonboek en voerde enkele gesprekken.

Toen ze daarmee klaar was hield ze het telefoonboek in haar hand en schudde haar hoofd. Toen legde ze het op haar schoot. 'Neem me niet kwalijk,' zei ze terwijl ze met een hand door haar zwarte haren streek tot die bleef steken en haar vingers in de dichte, weelderige lokken verdwenen. 'Stom van me. Stom van ons allemaal. Een van uw medewerkers vroeg of een van ons de initialen herkende – MVR.' Ze legde een ongelakte vingernagel op een van de namen in de telefoonlijst, stond op en liet hem aan Shaw zien. Motor Voertuig Reparatie: MVR. 'Er is een garage achter de Eerste Hulp. Sorry, we hadden eraan moeten denken.'

'Het geeft niet,' zei Shaw. Maar het gaf wel, en sorry was het meest overschatte woord. Ze hadden een forensisch team aan het werk kunnen zetten in de garage terwijl Judds lichaam nog nasmeulde. De kans dat ze nu nog belangrijke aanwijzingen vonden was klein. Hij stond op, liep naar de glazen wand van het kantoor, belde Valentine op diens mobiel en vroeg hem met assistentie naar de MVR te gaan. Toen ging hij weer zitten.

'De nier die we op de transportband hebben gevonden,' zei hij. 'Hoe zeker kunnen we ervan zijn dat hier een misdaad is gepleegd? Wat is het gunstigste scenario en wat is het doemscenario?'

Dokter Gavin Peploe kwam zonder kloppen binnen. Hij liet een glimlach ontstaan aan de ene kant van zijn scheve gezicht en naar de andere kant glijden terwijl hij Shaw een hand gaf. Hij liet zijn verfomfaaide, in een pak van vijfhonderd pond gestoken lichaam op een stoel zakken en zijn over elkaar geslagen benen en armen verraadden geen spoor van bezorgdheid.

'Bedankt, Gavin,' zei mevrouw Phillips, haar gezag behendig bekrachtigend door duidelijk te maken dat ze hem had ontboden. 'De eerste vraag van inspecteur Shaw is een goede vraag, als ik het zeggen mag. Kan dit niets te betekenen hebben – eenmalig zijn?'

Peploes kleine voeten schuifelden. 'Daar heb ik over nagedacht,' zei hij. 'We hebben op dit moment geen enkele aanwijzing voor illegale handel, niet-goedgekeurde procedures of het zonder toestemming achterhouden van organen of weefsels. Onze dossiers zijn volledig wat betreft het verwerken van weefsel en organen van zowel levende patiënten als kadaverresten.'

Shaw bevochtigde zijn lippen, onaangenaam getroffen door het afschuwelijke eufemisme.

'Dus. Dit is een mogelijkheid. Als die nier inderdáád is aangetast – ik geloof dat de patholoog nog steeds tests doet – zou het bijzonder moeilijk aantoonbaar kunnen zijn in een orgaan dat gedeeltelijk verbrand is. Glomerulosclerose bijvoorbeeld. Stel dat zo'n nier door een eerdere administratieve fout in het systeem is blijven steken en niet – achteraf – kan worden geverifieerd? De OK's van alle openbare ziekenhuizen draaien bijna op topcapaciteit – iedereen maakt fouten. Wijzelf hebben dit jaar al haast tweehonderd niertransplantaties uitgevoerd. Orgaan- en weefselverwerking hebben prioriteit, maar het is niet meer dan menselijk dat er wat meer tijd wordt besteed aan het zorgen voor de levende patiënt. Dus... een fout. Iemand raakte in paniek, knoeide met het etiket of verwisselde een zak en probeerde die in de oven te krijgen.'

'En hoe groot is de kans dat het zo is gegaan?' vroeg Shaw.

'Nul,' zei Peploe glimlachend, zodat zijn hagelwitte tanden afstaken tegen zijn kostbare bronskleur. 'Eén op een miljard. De chirurg, en na hem het hoofd van de OK, is verantwoordelijk voor de orgaanverwerking. Beiden zijn vooraanstaande professionals. Als er eerder een fout was gemaakt, hadden ze dat gewoon kunnen melden. Het is een misdrijf. Waarom zou je je carrière op het spel zetten om dat te verdoezelen? Het slaat nergens op, tenzij het een paniekreactie was. En het enige wat ervaren OK-medewerkers niet doen is in paniek raken, inspecteur.'

'En in het ergste geval?'

Phillips stond op, liep naar haar dossierkast en liet het antwoord over aan Peploe. Shaw zag nu voor het eerst dat er een foto op stond in een vergulde, barokke houten lijst. Een formeel portret van een zittende man voor een fotografische achtergrond met bomen en een heuvel en een juist zichtbare kerktoren. Het leek Midden-Europa, vóór de oorlog. Het beeld van een man die zijn achtenswaardigheid wilde bevestigen. Een man die erbij wilde horen.

'De wereld,' zei Peploe, zijn handen spreidend, 'is verdeeld in armen en rijken. De armen leveren menselijke organen, de rijken ontvangen.' Hij gooide een dikke map naast Shaw op de grond. 'In 2002 maakte *The Washington Post* melding van een klein dorp in Moldavië, waar veertien van de veertig mannen lichaamsdelen hadden verkocht. We hebben het over levers, nieren, longen, alvleesklieren, karteldarmen, hoornvliezen, huid, botten en weefsels zoals achillespezen – zelfs merg.

Het is een wereldwijde handel. De armen verkopen aan de rijken. Een Turkse boer kan zevenentwintighonderd dollar krijgen voor een nier die hij niet nodig heeft. Iemand die hem wel nodig heeft betaalt er honderdvijftigduizend voor. Stelt u zich de winstmarge eens voor. In 2000 werd op eBay een nier geveild, waarvoor honderdduizend dollar werd geboden voordat de FBI zich ermee bemoeide. Er zijn ook volop aanwijzingen dat er Oost-Europese en Russische kinderen zijn verkocht omwille van lichaamsdelen – voornamelijk via weeshuizen die zijn opgericht om een bloeiende zwarte markt te voorzien.

Er bestaan dúísterder hoeken van deze markt,' voegde hij er lachend aan toe. 'Een compleet menselijk lichaam is zo'n kwart miljoen dollar waard. Het duurde niet lang voordat de markt zich realiseerde dat als mensen geen lichaamsdelen willen doneren of verkopen, systematisch moorden een bron zou kunnen zijn. Weefselmakelaars, die leveren aan de grote biomedische bedrijven, zijn niet altijd even zorgvuldig in het nagaan van de herkomst van lichaamsdelen.'

Shaw haalde diep adem.

'En nog zoiets geraffineerds...' ging Peploe verder. 'De Chinese overheid gebruikt ter dood veroordeelde gevangenen als bron van weefsel en organen. Gevangenen ondergaan soms verscheidene operaties voordat ze nutteloos worden bevonden. Tot dat moment worden ze in feite in leven gehouden om verse lichaamsdelen te leveren. Ze worden geëxploiteerd, met regelmatige oogsten. Daarna worden ze geëxecuteerd. Die dingen gebeuren. Er zijn fragmentarische, anekdotische aanwijzingen dat het ook elders plaatsvindt.'

Ergens, dertig meter lager, hoorden ze een autoalarm.

'Ik moet hier meer over lezen,' zei Shaw terwijl hij de map opraapte.

'Meer heb ik vanmorgen niet kunnen downloaden,' zei Peploe. 'Een VN-rapport, wat achtergrondmateriaal van de Nationale Weefselbank en een paar casestudy's van Organ Watch, een actiegroep. Laat het me weten als u meer wilt hebben. Het is mijn specialisatie... Althans, dat wordt het.'

'Over illegale operaties gesproken, zouden die hier kunnen gebeuren? In het Queen Vic?' vroeg Shaw.

'Dat is ondenkbaar,' zei Phillips, tegen de dossierkast geleund.

Haar stem klonk scherp, te scherp, en ze besefte het. 'In geen enkel openbaar ziekenhuis kan een orgaantransplantatie plaatsvinden zonder dat het opvalt.' Ze gaf Shaw een lijst. 'Dit zijn alle chirurgen die in dit ziekenhuis werkzaam zijn. Achtentwintig namen. Stuk voor stuk zouden ze zo'n operatie kunnen uitvoeren. Maar zoals ik zei: ik kan onmogelijk geloven dat het hier gebeurde.'

'Waar dan wel?' vroeg Shaw onomwonden. 'Hoe makkelijk is het om in een afgelegen operatiezaal een geslaagde niertransplantatie te verrichten?'

Peploe zette zijn vingertoppen tegen elkaar. 'Nou, veel makkelijker dan vroeger. Nieuwe medicijnen betekenen dat je geen identiek bloed nodig hebt, of identiek weefsel. En de kans op orgaanafstoting is aanmerkelijk kleiner. Plus dat je tegenwoordig kijkchirurgie hebt voor verwijdering, zodat de donor enkele uren later weer op de been kan zijn. Tussen twee haakjes – het is maar dat u het weet – als je iemand een nieuwe nier geeft, verwijder je de oude niet. Dus als dit een transplantatie is, missen we het aangetaste orgaan niet. Het nieuwe orgaan wordt hier ingebracht...' – hij wees naar een plek in zijn kruis – '...en aan de urinebuis gehecht.'

‘Nou, we moeten ergens beginnen,’ zei Shaw, en hij hield het papier op dat Phillips hem had gegeven. ‘We beginnen met het ondervragen van iedereen op deze lijst.’

Hij stond op. ‘Voor de goede orde, ik moet u beiden deze vraag stellen. Heeft een van u iets te maken met illegale orgaanverwijdering in dit ziekenhuis, of met de dood van Bryan Judd?’

Er volgde wat een stomverbaasde stilte kon zijn. ‘Het spijt me, maar ik moet een antwoord hebben,’ zei Shaw.

‘Niets.’ Ze zeiden het samen, in volmaakte harmonie.

23

HET RED HOUSE WAS al bijna dertig jaar het bijkantoor van de recherche. De grootste oorspronkelijke attractie was de openbare telefoon geweest in de gang die naar de toiletten leidde – een vitale link met de buitenwereld vóór de opkomst van de mobiele telefoon. Nu had het geen enkele aantrekkingskracht meer. Er waren vier morsige vertrekken en een kleine bar in een hal naast de deur. De plaatselijke clientèle – voornamelijk kraamhouders van de twee markten in de stad – dromde bijeen in de voorste bar. De recherche zetelde in de grootste van de twee achterkamers, die werd gedomineerd door een litho van de Guildhall en een oude foto van de stadsmuren voordat die werden gesloopt om plaats te maken voor het hoofdbureau van politie, St James's.

Shaw kreeg altijd een kick als hij over de drempel stapte; hij had er als kind heel wat avonden op de stoep gezeten om, omgekocht met chips en limonade, op zijn vader te wachten. Het interieur was een deel geweest van zijn vaders geheime wereld. Nu was het zijn wereld.

Ze zaten op een kluitje in het vertrek. De tafels waren bezaaid met glazen bier en alcopop. Niemand dronk sap en iedereen zou naar huis rijden: een van de permanente ironieën van het politiekorps. Twine had iedereen een A4'tje gegeven met een overzicht van alle belangrijke ontwikkelingen.

Valentine leunde met zijn rug tegen het door nicotine vergeelde behang en koesterde zijn tweede glas.

Shaw zat op de brede vensterbank, met zijn rug naar de glas-in-lood-afbeelding van de pier van Hunstanton. Hij nam een slok Guinness en zag tot zijn ergernis dat de barman een klaverblaadje in de schuimkraag had getapt. 'Is er iets wat we moeten weten dat niet in het overzicht staat?' vroeg hij.

Agent Campbell zwaaide met een limoengeel flesje alcopop. 'MVR, Motor Voertuig Reparatie. De garage lijkt volkomen legitiem; ze verstrekken geen zaklampen. Dertien man personeel. We praten met iedereen die gisteren dienst had. Nog niets.'

'Oké, maar we hebben geen alternatief, Fiona, dus laten we dieper graven. Hoe zit het met de voertuigen zelf? Allemaal verantwoord? Eén verdwenen tijdens het weekend? Dat gebeurt. Leuk bijbaantje. Beetje zakgeld. Ze verhuren de ziekenhuisbusjes voor achtenveertig uur en niemand hoeft het te weten – zolang er maar iemand met de kilometerstand knoeit. Duik erin, oké?'

'We zullen het checken,' zei Campbell.

Checken. Enkele van de aanwezigen grinnikten in hun glas.

Twine strekte zijn benen onder een ronde ijzeren tafel en zijn leren laarzen schraapten over de houten vloer. 'Het buurtonderzoek heeft volop geruchten opgeleverd over Judds huwelijk. Er wordt druk geroddeld, voornamelijk omdat Ally Judd het grootste deel van haar vrije tijd besteedt aan het afstoffen van het slaapkamerameublement van Thiago Martin.' Er werd gelachen.

'Ik heb een steeds dikker wordend dossier over de priester. Het klopt dat hij in zijn eigen land niet welkom is. Hij heeft een strafblad. En hij liegt over zijn bevoegdheid als arts. Hij is in 1994 geroyeerd, wat tussen haakjes inhoudt dat hij in het Verenigd Koninkrijk niet mag praktiseren.'

'Waarom is hij geroyeerd?' vroeg Shaw.

'Hij probeerde aan te tonen dat vervuild water in een van de sloppenwijken loodvergiftiging veroorzaakte bij de kinderen. Hij deed onderzoek op basis van bloed- en urinemonsters. De ouders werkten voor het bedrijf dat het water leverde – vastgoedontwikkelaars. Ze gaven hem geen toestemming. Toen hij zijn onderzoek wilde publiceren, werden er juridische stappen ondernomen. Het grote geld sprak en hij werd geroyeerd. Ook de kerk was niet echt blij. Zijn eigen parochie, in een van de chiquere voorsteden, had hem in geen acht maanden gezien.

We checken zijn doen en laten gisteren. Vroeg in de avond heeft hij iemand helpen verhuizen, uit pastorale zorg, maar hij was om zeven uur weer thuis. Hij zegt dat hij een masteropleiding volgt aan de Open Universiteit en boven zat te studeren. Hij zegt dat hij alleen was. Ally Judd zegt dat ze vroeg in de avond naar de pastorie is gegaan om de vloeren te vegen en te dweilen zolang het nog licht was. Ze zegt dat ze haar spullen daar heeft achtergelaten in de veronderstelling dat de stroomstoring snel voorbij zou zijn, zodat ze terug kon gaan om verder te werken. Toen dat niet zo was ging ze haar spullen ophalen. Ze zegt dat ze de priester beide keren heeft geroepen, om halfacht en rond halfelf. Wat goed uitkomt, want het verschaft een sluitend alibi.'

Hij boog zich naar voren en zette zijn ellebogen op tafel. 'En we hebben het medisch dossier van Norma Jean. Haar baby zou begin 1993 worden geboren. Daarom hebben we alle in de steek gelaten baby's in de regio opgespoord – niets wat ook maar in de buurt kwam. En zeker geen melding van een reguliere, geregistreerde geboorte in een ziekenhuis. Ook bankrekeningen, rijbewijs en paspoort hebben niets opgeleverd – ze had er geen in 1992. Ze is verdwenen,' besloot hij, en hij spreidde zijn handen.

Er dreigde al een uur lang een stortbui en nu barstte die los, kletterde tegen de ramen en gorgelde in de regenpijpen. Het werd donkerder in het vertrek, de wandlampen gloeiden warmer en ze roken de zee.

'En één doodlopend spoor,' ging Twine verder. 'Volgens Bill Creake lijkt de drenkeling die gisteren in de haven in het stormrooster hing een zelfmoordenaar uit Cleethorpes te zijn. Zijn vrouw zegt dat hij vier dagen geleden een strandwandeling ging maken en niet terug is gekomen. Liet zijn hond vastgebonden aan een paal in de duinen achter, zijn schoenen en sokken keurig netjes. Leeftijd kan kloppen, midden vijftig. Er was juist alzheimer bij hem vastgesteld. Ze sturen zijn gebitsgegevens door.'

Shaw dacht aan het lijk in het mortuarium in de Ark, de ene arm die onder het laken uitstak, de afdruk in de pols. 'Oké, bedankt.'

Hij wilde al doorgaan, maar hield zich in, boos dat hij dat detail over het hoofd had gezien. 'Eén ding nog: zeg tegen Bill dat hij de vrouw moet vragen of hij een horloge droeg. Misschien heeft hij dat ook in de duinen achtergelaten? Maar er zit een afdruk in zijn pols – raar. Misschien zo'n koperen armband tegen de reumatiek. Laat het me weten.'

Twine maakte een aantekening, de Mont Blanc-pen kraste op het notitiepapier.

Het geroezemoes in het vertrek zwol aan en Shaw verhief zijn stem enigszins. 'Goed. George en ik hebben Aidan Holme zojuist ondervraagd in het ziekenhuis,' zei hij. 'Hij zat tot zijn strot toe vol pijnstillers, maar hij was helder van geest. Hij begreep dat we zijn vingerafdrukken hadden gevonden op de plaats van de moord. Ik denk dat hij de waarheid sprak, dus dat was het.'

De kamer op intensive care had wel een van Jan Orzsaks aquariums geleken. Slangen borrelden, zuurstoftanks sisten en het licht was ziekelijk blauw. Holme zag eruit alsof hij uit het Dal der Koningen was gesmokkeld: verband om zijn borst, keel en één helft van zijn schedel, de rechterhelft. De linkerhelft was rood van de warmte in de kamer, en het zichtbare oog zat vol slaapkorrels.

Holme sprak fluisterend, maar duidelijk genoeg, als Shaw zich als een priester naar zijn lippen boog. Valentine zat aan de andere kant, probeerde aantekeningen te maken en had niet één vraag gesteld.

'Ik ga dood,' zei Holme voordat Shaw iets kon zeggen. Ze waren op de gang bijgepraat door de behandelend geneesheer, die zei dat de vooruitzichten van de patiënt slecht waren. De brandwonden hadden zijn hart belast en dat had niet gereageerd op medicijnen. Hij had longontsteking, bloedvergiftiging en inwendige bloedingen in zijn schedel, waar zijn hoofd de grond had geraakt. Hij was te zwak voor een operatie om de druk op de hersenen te verlichten.

'U bent hier in goede handen, de beste,' zei Shaw, niet toegevend aan de neiging om zijn hand te pakken. Op het nachtkastje stonden twee kaarten, stijf en enigszins formeel, die de patiënt *Beterschap* wensten. Er stonden een fruitschaal en een flesje energiedrank, ongeopend.

Shaw schetste wat ze wisten. Holme luisterde met gesloten ogen en telkens als hij slikte kraakte zijn adamsappel.

Toen Shaw uitgesproken was realiseerde hij zich dat Holme zijn krachten had gespaard, want toen hij zijn oog opende was het helderder, stralender.

'Het was niet moeilijk... bij de oven,' zei hij. 'Het is mijn vak, nietwaar? Scheikunde. Ik heb er les in gegeven. Ik maakte een pakje voor elke drug om te verwisselen met de trommel. Ik wist wat er op de band lag, want Bry had inzage in de aantekeningen voor de monteurs over wat de zending bevatte. Neem nou crack. De chemische samenstelling is waterstof, koolstof, zuurstof en stikstof. Maar het belangrijkste waren de sporen natrium van het natriumbicarbonaat dat werd gebruikt om de crack te maken.' Hij glimlachte en kreunde van pijn toen het vlees van zijn gezicht bewoog. Zijn keel verkrampte en Shaw realiseerde zich pas na enkele seconden dat hij lachte.

'U stelde het samen in de kelder van het huis...' zei Shaw, die zich de scheikunde-uitrusting herinnerde. Hij bracht zijn lippen dicht bij Holmes oor. 'Maar hoe verwisselde u het?'

'Ik ging naar binnen. In de machine. Er is een onderhoudsdeur, je kunt over de band naar binnen glijden, dus je kunt vlak vóór de binnendeuren van de oven komen. Het is er heet – te heet om iets aan te raken. Maar het duurt maar een paar seconden. Als het spul doorkwam pikte ik een deel in – één trommel maar. Soms twee. Dat is de kunst: niet hebberig worden. Daarna legde ik het pakje dat ik had gemaakt op de band. Gewoon ruilen. Als de laatste partij op de band lag was de politie alweer weg, dus ik hoefde maar twee, hooguit drie minuten binnen te zijn. Bry klopte en ik glipte naar buiten. Ik heb hem nooit verteld hoe makkelijk het was – zo was het beter.' Hij probeerde te knipogen en het plakkerige oog ging trillend open.

'Hoe kwam u het ziekenhuis binnen?'

'Via de ladder, waar Bry rookte. Kon niet misgaan – je loopt gewoon vanaf de straat de binnenplaats op en wacht tot ze pauze hebben. Je hoeft niet lang te wachten. Ze schaften in een hut bij de poort. De ladder is vanaf de binnenplaats niet te zien.'

Hij sloot zijn ogen.

'Maar Bry wilde ermee stoppen? Zoals de familie zegt?'

Het oog ging open, boos. 'Stik. Nee.' Hij schudde zijn hoofd, ondanks de pijn. 'Dat zegt Bry omdat ze allemaal wílden dat hij stopte. Maar Bry – hij was gelukkig. Gelukkiger dan ooit. Nee. Ík wilde stoppen. We hadden er ruzie over; ik zei het al maanden. Maar er zat een grote lading aan te komen en hij wilde het doen. En hij wilde een smak geld, een volledig aandeel: fiftyfifty. Ik ben er die laatste dag naartoe gegaan om hém te vertellen dat ik niet meer meedeed.

Ik heb ooit een goed leven gehad. Ik wilde het terug. Ik ben zo'n anderhalf jaar geleden gestopt met gebruiken. Ik wilde met een schone lei beginnen – met wat geld om eruit en erbovenop te komen. Dus probeerde ik een paar keer te dealen en ik werd gesnapt. Ik zou verschut gaan, wat de advocaten ook zeiden. Ik ken genoeg mensen die in de bak hebben gezeten. Als je dealt is het oké. Maar als je ook gebruikt – niemand trekt dat. Ik dacht: als ik de bajes in ga, wordt het mijn dood.'

Hij lachte geluidloos, overweldigd door de ironie.

'De advocaat kan het u vertellen: we hebben het over een deal waardoor ik naar een open gevangenis ga. Een laatste kans. Dus zei ik tegen Bryan dat we ermee stopten. Ik gaf hem een fles Green Dragon en zei dat, als hij het spul wilde hebben, er een knaap in de haven was die eraan kon komen. Maar niet voor nop: topkwaliteit, tweeënvijftig pond, of meer. Zo veel geld heeft hij niet. Maar dat was zijn probleem, niet het mijne.'

'Hoe laat hebt u hem gesproken?'

'Drie uur, misschien halfvier. Ik trof hem op dat platform waar hij rookte. Ik zei opnieuw dat het voorbij was. Hij was er niet blij mee, maar wat kon hij eraan doen? Hij zei dat hij iemand anders zou zoeken. Ik zei dat het gevaarlijk was, maar als hij het zo wilde, het was zijn leven. Maar ik kapte ermee. Ik liet hem rond vier uur achter – net zo levend als u of ik. Nou ja, misschien alleen u.' De inspanning van het praten was hem te veel geworden en hij stikte bijna toen hij lachte. Toen deed hij zijn ogen dicht en viel in slaap.

Shaw dronk zijn Guinness op. Het was stil in het Red House.

'Dus er werd inderdaad in drugs gehandeld. Maar Bryan Judd is niet gestorven omdat hij ermee wilde stoppen. Hij wilde doorgaan, niet stoppen.'

'Geloven we dit?' Dat was agent Lau, met een flesje aan haar mond. 'Stel dat ze toch ruzie hadden? Misschien is Judd hem te lijf gegaan, ze vechten en *bám!*' Ze sloeg met het flesje op het tafelblad.

'Waarom zouden ze ruziemaken?' vroeg Shaw. 'Holme zou de bak in draaien, en ze hadden zijn expertise nodig voor de verwisseling. Bovendien hebben we zijn verhaal vergeleken met de akte van beschuldiging en het klopt allemaal. Ze hadden afgesproken dat hij schuld zou bekennen. Er was te veel hard bewijs: het OM heeft het dossier en ik heb het gezien. Nee, Holme was op strafvermindering uit en de kans was groot dat dat zou lukken. Daar kon Bryan Judd niets aan veranderen.'

Geroezemoes vulde het vertrek.

'Laten we de drugs opzijzetten,' zei Shaw en het werd stil. 'Ik zeg niet vergeten, ik zeg opzijzetten, voorlopig.'

Birley ging naar de bar voor een nieuw rondje en Shaw dronk van zijn Guinness en las enkele verslagen van het buurtonderzoek. En drie rapporten. Het eerste was een voortgangsrapport over het opsporen van Pete Hendre, de pensionbewoner die Shaw had gered uit de brandende bovenverdieping van Erebus Street 6 en die ondanks de politiebewaking uit het Queen Vic was ontsnapt. De recherche van Hunstanton had de kerk gecheckt waar hij als vrijwilliger werkte. Geen spoor, en niets in zijn appartement, een zit-slaapkamer in een beschermde woonomgeving in de stad. Maar Shaw herinnerde zich dat Kennedy had verteld dat

Hendre in de stad was om een advocaat te spreken over een testament. Misschien een afspraak die hij zich niet kon permitteren te missen. Hij krabbelde een aantekening om zichzelf eraan te herinneren dat hij een boodschap moest sturen naar de orde van advocaten om te vragen of die de juristen kon opsporen.

Het tweede rapport was van de recherche van Newcastle. Hij bladerde het door. Ze hadden Ben Ruddle gevonden, de tiener die Norma Jean in 1992 zwanger had gemaakt. Hij was in 1994 vrijgelaten uit Deerbolt, County Durham, na veroordeeld te zijn wegens inbraak. Het was niet bekend of hij naar huis was teruggekeerd. In 2000 was hij opnieuw de gevangenis in gegaan, opnieuw wegens inbraak. De zaak had gediend in Castle Barnard, County Durham, waarbij eenendertig andere vergrijpen van soortgelijke aard werden meegenomen. Anderhalf jaar geleden vrijgekomen uit Acklington, eveneens County Durham. De reclassering wist dat hij had gewerkt in een tuinderij bij Middlesbrough. Een halfjaar geleden was hij verdwenen, na zijn loon te hebben geïnd. De sociale dienst van Teesside wist dat hij in een tehuis van daklozen was gesignaleerd, zes nachten. Hij was ondervraagd en daags daarna uit beeld verdwenen.

'Middlesbrough,' zei Shaw terwijl hij Valentine het rapport gaf.

De derde was van Twine. Het Military Corrective Training Centre in Colchester, de laatste militaire gevangenis, had contact opgenomen met St James's. Ze hadden hulp nodig bij het opsporen van onderofficier Andrew Sean Judd, die uit hechtenis was ontsnapt terwijl hij een straf van anderhalf jaar uitzat die hem door een militaire rechtbank in Portsmouth was opgelegd. Hij had kantinevoorraden gestolen en aan kleine winkeliers in de stad verkocht. Judd werd al drie weken vermist. Zijn woonadres was nog steeds Erebus Street 14.

Valentine las ook dat rapport.

'Laten we wat meer over die twee te weten zien te komen,' zei Shaw. 'Dat laatste gesprek met Ruddle, door de sociale dienst... Probeer een transcriptie te krijgen. En foto's. Colchester zal wel een politiefoto van Sean Judd hebben en Acklington van Ruddle. Laten we ze alle twee nemen.'

'Wat denk je?' vroeg Valentine.

'Ik denk dat ik de gezichten wil zien.'

Shaw stond op, haalde een handvol punaises uit zijn zak en prikte een vel wit papier op het vergeelde behang. Iemand floot en enkele aanwezigen klapten. Het had een willekeurige tekening kunnen zijn, maar het leed geen twijfel dat het op zijn eigen manier een kunstwerk was. Shaws vaardigheden als forensisch kunstenaar waren hun allemaal bekend: hij gaf regelmatig les op Hendon, het opleidingscentrum van de Met, en was een van de slechts een half dozijn gekwalificeerde politiemensen in het land. Hij schreef artikelen voor *Jane's Police Review*. Maar in levenden lijve gezien, als het ware, was het resultaat verrassend. Dit was geen politieportret in potlood. Het was een levend persoon, een klassiek voorbeeld van het soort grafische animatie waardoor forensische kunst overal ter wereld deel uitmaakte van het gewone politiewerk en de verwarrende legpuzzel van de traditionele compositiefoto had verdrongen.

Het was inderdaad een opvallend gezicht. Het hoofdkenmerk was de kloof boven de neusbrug, die bijzonder breed was en de ogen uiteen drukte. Een van de voortanden was gebroken. De botstructuur was zwaar, het haar dicht en zwart, maar de kaak was afwijkend, ongewoon fijn, slap zelfs, en met kuiltjes. Het was geen gezicht dat je vergat.

Shaw was trots op deze tekening, want het was de eerste keer tijdens een onderzoek dat hij de verouderingstechniek had gebruikt om een portret te maken. En het was zijn eerste werkstuk sinds hij een jaar geleden zijn rechteroog was kwijtgeraakt. De bezigheidstherapeuten hadden hem verteld dat zijn vaardigheid in tekenen – en fotograferen – er met monoculair zicht juist op vooruit zou gaan. Hij hoefde nu niet één oog dicht te knijpen, de klassieke pose van de artiest. Wat hij nu zag, met één oog, was een tweedimensionaal beeld – precies het beeld dat hij op het tekenpapier wilde vastleggen. Hij had hen niet geloofd, maar nu zag hij het bewijs voor zich.

Shaw onderbrak het geroezemoes door met Twines Mont Blanc tegen zijn Guinness-glas te tikken. 'Oké. Ik kom later terug op onze vriend hier. Maar eerst het grote beeld. We hebben allemaal de instructies gelezen, dus ik zal jullie tijd niet verspillen. De laatste paar uren van het onderzoek hebben twee mogelijke wegen geopend. Ten eerste: Jan Orzsak en Andy Judd. Ze zijn beiden betrokken bij de zaak-Norma Jean. Is een van hen gisteravond naar het ziekenhuis gegaan, op de gedenkdag van haar verdwijning? We moeten het alibi van Orzsak van minuut tot minuut opnieuw natrekken; dat is een prioriteit voor morgen. De vader is nog steeds een bijkomende mogelijkheid; laten we wat dieper graven. George zal een team samenstellen. En laten we voorzichtig proberen of we Ally Judd en de priester aan het praten kunnen krijgen. Stel dat Bryan Judd op de hoogte was van hun verhouding? En nu we het daar toch over hebben: ís het een verhouding of gewoon geroddel?

Blijft over onze belangrijkste lijn van onderzoek: illegale orgaanverwerking. Er is een menselijke nier gevonden onder Judds lichaam in de verbrandingsoven van het ziekenhuis. Vraag: is dit een eenmalige illegale transplantatie, waarin Judd de sleutelrol speelde door het belastende weefsel te verbranden, of slechts een glimp van een wijdvertakt illegaal systeem van orgaansmokkel en -transplantatie, geleid vanuit het ziekenhuis? Als dat zo is, en daar moeten we rekening mee houden, zoeken we twee groepen mensen.

Ten eerste: de cliënten. De rijken, de gewetenlozen. We hebben tot dusver geen spoor gevonden. Laten we daarover nadenken. Ten tweede: de donoren, vrijwillig of onvrijwillig. Pete Hendre, de man die we uit de bovenverdieping van nummer 6 hebben gehaald toen de boel in brand stond, zei dat hij niet naar buiten wilde omdat er op straat iemand was voor wie hij bang was: de Organist. Precies zo. Ik zei "bang", maar "doodsbang" komt er dichterbij. Hendre is 'm gesmeerd; we moeten hem vinden. En we hebben een vermiste, met geweld ontvoerd. De man zonder naam, alleen Deken. Iemand heeft hem onder dekking van de duisternis gevonden. Iemand bood hem een "deal" aan, die hij afsloeg. De kans bestaat dat die iemand de moordenaar van Bryan Judd is. Voor de hand liggende vraag: was Deken, ís Deken een onvrijwillige donor? Zo ja, dan moeten we hem vinden, en snel.'

Shaw legde een vinger op de tekening. 'Ik denk dat hij er zó uitziet. We weten niet hoe hij heet. Hij is een zwerver die zegt dat hij het grootste deel van zijn leven in Middlesbrough heeft doorgebracht, maar niet het bijbehorende accent heeft en, volgens Liam Kennedy, opmerkelijk veel plaatselijke kennis. Hij is nooit zonder zijn dekenjas gezien. Afgelopen nacht is hij door een onbekende man bewusteloos uit de Sacred Heart of Mary gesleept. De jas – die werd achtergelaten – had op de rug een ruwe schets van een kaars. Ik herhaal: we moeten hem vinden. Laten we een paar gunsten invorderen, al onze contactpersonen proberen, de boel eens goed opjutten. Afzonderlijke vraag: wie is hij? We weten het niet, maar twee gokjes: Sean Judd – de oudere broer van het slachtoffer – is gevlucht uit de militaire gevangenis in Colchester. Is hij teruggekomen naar Erebus Street? In dat geval zou hij weten dat de militaire politie het huis in de gaten hield – of het door ons liet doen. Hield hij zich daarom verborgen in het pension? Of is het misschien Ben Ruddle, de vader van het kind van Norma Jean? Moest hij nog iets doen in Erebus Street? Immers, als Norma Jean werd vermoord, beroofde de moordenaar hem van twee dingen: een aanstaande vrouw, misschien, en een kind.'

Ze bestudeerden het gezicht van Deken. Campbell, met haar één meter vijfentachtig op een kleine kruk, stelde de vraag die ze allemaal beantwoord wilden hebben.

'Die tekening, waar komt die vandaan?'

'In de bezittingen van Deken vonden we een foto uit 1984 van een jonge jongen. De foto is, zoals de meeste uit die tijd, van heel goede kwaliteit. Ik heb hem uitvergroot en daarna vijfentwintig jaar ouder gemaakt. Je hoeft er geen raketgeleerde voor te zijn, maar ja, het hoeft ook niet te vliegen.'

Iedereen lachte, op George Valentine na.

'Hoe doet u dat?' vroeg Birley.

'De FBI loopt hierin voorop. Ze begonnen er in de jaren tachtig mee om vermiste kinderen op te sporen. Meestal worden er twee methoden gecombineerd. Aan de ene kant bestudeer je de familie om te zien of je genetische patronen kunt vinden. Aan de andere kant bestaan er algemene principes voor de ontwikkeling van schedel en gelaat... Heel gewone dingen; kijk maar naar je eigen kinderen, als je die hebt. Hun gezicht groeit omlaag en naar voren. Dat soort dingen. Maar het goede nieuws voor ons is dat de meeste gezichten in essentie levenslang gelijk blijven; voor wie aantekeningen maakt: dat wordt gnomologische groei genoemd. We hebben het allemaal wel eens gedaan: familiefoto's bekeken en in één oogopslag opa zeventig jaar geleden herkend. Het gaat erom dat je weet welke elementen van het gezicht gelijk zullen blijven.'

Hij nam een slok Guinness. 'Les afgelopen. Maar hou hier rekening mee: we hebben geen DNA-inbreng, geen ouders om in de combinatie te gebruiken en ik heb geen computerprogramma gebruikt om de ontwikkeling te zien, maar mijn intuïtie. Dat kan een pluspunt zijn, maar misschien juist niet.'

'Lijkt het op Sean Judd?' vroeg Twine. 'Ik bedoel: is er een familiegelijkenis?'

Ze keken allemaal of ze het gezicht van Bryan Judd zagen.

'Misschien,' zei Shaw. 'Misschien ook niet. We krijgen foto's van Sean Judd en Ruddle. Misschien hebben we mazzel. Sta tot dan toe open voor alles. Ik heb het Kennedy laten zien en hij zegt dat de gelijkenis goed is, maar ja, hij heeft niet echt veel gezien achter dat gordijn van haar, dus laten we er niet te veel van verwachten. Hoe dan ook, het is voor nu het beste portret dat we hebben. Morgen krijgen jullie allemaal een kopie. En ik geef het door aan de *Lynn News, Look East* en *Anglia Tonight*.'

Ze dronken in stilte.

'Paul zal een samenvatting maken van alle aanwijzingen,' ging Shaw verder. 'Verklaringen, alles waarvan we denken dat het relevant is, alles ingedikt tot één enkel onlinedossier. Duizend woorden, niet meer, elke dag. Ik wil dat jullie het allemaal lezen zodra het op het net staat. We werken het al doende bij. We zoeken naar verbanden, dus ik wil dat iedereen spoed maakt. De informatie over orgaantransplantaties blijft vertrouwelijk. Praat met niemand. Als ik het in de krant lees zoek ik uit wie er gelekt heeft. Dat is geen loos dreigement.'

Hij stond op en dronk zijn glas leeg. 'Mijn rondje.'

Hij bestelde voor iedereen iets te drinken, behalve voor zichzelf. De soms kleffe jovialiteit, de korpsgeest van de recherche, was niet echt iets voor hem. Hij kon zich voorstellen dat zijn vader tot laat bleef om na te praten, ideeën op te doen, maar dat was niet zijn stijl. Toen hij om halftien uit een dartscompetitie werd gegooid, bestelde hij nog een paar glazen en glipte toen naar het toilet op de achterplaats en van daaruit door een poort in de schutting de straat op. De ramen van de pub stonden open en de geluiden waaierden uit over de straat. Hij liep weg van het geluid van andere mensen.

24

HIJ HAD DE VIDEORUIMTE in St James's gereserveerd voor kwart voor tien. Een vertrek zonder ramen achter de receptie, dat stonk naar Flash en gebakken koffie. Hij deed de deur dicht en ging zitten, in het besef dat als Lena wist dat hij dit deed, ze moeiteloos de hogedrukboosheid zou ontketenen waarvan hij wist dat die onder het koele oppervlak van haar huid schuilde. Want dit was niet wat ze bedoelde toen ze zei dat hij de zaak-Tessier moest oplossen of ermee stoppen. De kans dat hij na dertien jaar iets nieuws op de videoband zou vinden was nagenoeg nul. Nee, dit was een obsessie en hij voedde die. Hij voelde zich stiekem, schuldig en vreemd opgewonden. Buiten probeerde de wachtcommandant een stel dronkaards in te boeken die op de kade waren opgepakt; ze praatten overdreven hard en deden overdreven coöperatief. Om zich heen hoorde hij de geluiden van St James's: het rinkelen van een niet-opgenomen telefoon, auto's die in de garage werden verplaatst, de boenmachines van de schoonmakers op de rechercheafdeling.

Hij stopte de band die hij bij het archief had opgehaald in de videorecorder en concentreerde zich op het zwarte, flikkerende scherm tot hij de witte tekst zag verschijnen:

i.o. Inspecteur Ronald Blake
Band eigendom van BC KL *&* WN
Zaak GV 5632 HH

Vervolgens een beeld, de gebruikelijke korrelige opname van een bewakingscamera, in zwart-wit, nog verergerd door het zwakke licht en de motregen.

Een T-splitsing die Shaw goed kende, waar de weg vanaf Castle Rising een lang, recht stuk van de B-weg kruiste die naar een van de vogelreservaten en enkele eenzame boerderijen leidde. Een gevaarlijke plek, ook nu nog, vanwege het dichte bos dat het uitzicht naar links en naar rechts blokkeerde als je de kruising naderde. Er waren ondanks de waarschuwingsborden diverse ongelukken gebeurd, niet het minst doordat het anderhalve kilometer lange, kaarsrechte stuk een magneet voor joyriders was. Het kruispunt werd verlicht door enkele hoge lantaarns, waar de bewakingscamera's aan hingen. De tikkende digitale klok gaf de tijd aan op het scherm: 00.31 uur. Geen datum. Maar die kende hij: 21 juli 1997.

Shaw merkte dat hij probeerde niet met zijn ogen te knipperen, bang dat hij het zou missen. Een vos huppelde vrolijk door het beeld, vanuit het bos naar het dorp. Toen de eerste auto op de tweebaansweg, die met een gestage negentig kilometer per uur en zwiepende ruitenwissers langszoefde.

Er rende een rat door de berm.

Toen gebeurde het, zo snel dat hij ervan schrok. Er reed een auto door het beeld op de tweebaansweg, met negentig kilometer per uur, iets sneller misschien. En uit het niets een tweede auto, vanuit het dorp, die het kruispunt met honderdtwintig, honderddertig kilometer per uur overstak. Hij raakte de eerste aan de zijkant en duwde hem naar de andere weghelft, waar hij één keer om zijn as draaide en toen op de vering wiegde. Daarna een onnatuurlijke stilte. De glassplinters op het asfalt schitterden in het licht van de straatlantaarns. De tweede auto, die het ongeluk had veroorzaakt, was uit het beeld verdwenen.

Shaw draaide de band tot dat punt vertraagd terug. Sinds de opname in 1997 voor het eerst was bekeken, maakten nieuwe technieken het mogelijk de beelden in afzonderlijke frames te bekijken, verbeterd, vergroot. Maar hij zag niets nieuws, afgezien misschien van de veeg steenslag en splinters op het punt van de botsing, als adem op een koude dag. Hij zette de band enkele keren stil en zoomde in op de kentekenplaat van de tweede auto, maar door de snelheid en de slechte kwaliteit van de film was die onmogelijk te lezen.

Toen liet hij de band verder terugdraaien, nog steeds vertraagd. De tweede auto, met gedeukte motorkap, kwam schokkerig weer in beeld, aan de rand van het blikveld, in de berm in de schaduw van enkele bomen. Vijfenveertig seconden lang bewoog er niets, toen stapten er drie jongelui uit, twee van de achterbank en een van de bestuurdersplaats. In de schaduwen waar de auto stond kon Shaw nog net de voorruit zien en de nog zwiepende ruitenwissers. De drie droegen een honkbalpet, T-shirt en spijkerbroek en ze hadden alle drie iets voor de onderkant van hun gezicht geslagen, een trui, een voetbalsjaal... Dat hadden ze in die stille vijfenveertig seconden gedaan; ze wisten dat er camera's hingen en hadden daarom hun gezicht verborgen. De drie liepen naar de andere auto en keken door de kapotte zijramen naar binnen. Een van hen gaf over op zijn schoenen, de andere twee begonnen te vechten, te duwen, elkaar bijna omhelzend. Toen bleven ze allemaal staan en keken naar een groter wordende zwarte vlek die was ontstaan onder de verkreukelde portieren aan de passagierskant.

Een van de drie liep naar de bewakingscamera die op de T-splitsing was aangebracht en keek naar boven tussen de klep van zijn pet en de sjaal om zijn hals en de onderkant van zijn gezicht. Koel, taxerend. Hij keek om naar de Mini onder de bomen, misschien om te controleren of de camera het kenteken kon lezen. Maar ze konden er niet zeker van zijn dat de camera het kenteken niet in het voorbijgaan had vastgelegd. Een andere van de drie liep om het wrak van de auto heen en opende een portier. Hij boog zich naar binnen en verscheen weer met iets in de holte van zijn arm. Iets breekbaars, iets wat ingepakt zat. Toen liepen ze alle drie terug naar hun auto. Die van het slachtoffer bleef alleen achter en Shaw keek ernaar tot hij iets zag bewegen achter de achterruit – een hand, die één keer gespreid werd en toen uit het beeld verdween.

Het schriftelijke rapport dat bij de video-opname was gevoegd, was de basis geweest van het artikel dat Shaw Lena had voorgelezen en het weidde uit over de details die ter plaatse waren gevonden: de twee dode gepensioneerden op de achterbank. De bestuurder, met gebroken nek, maar nog in leven. De bandensporen. En het bewijsmateriaal van de bewakingscamera zelf – een woordelijk verslag van de film die Shaw zojuist had gezien. De drie mannen waren niet geïdentificeerd, evenmin als de auto, hoewel het lakwerk op het voertuig karakteristiek was: een witte band over het midden van de portieren en het dak, en de kofferbak en de motorkap in een andere kleur, grijsblauw, zo te zien.

De film duurde acht minuten en Shaw bekeek hem zes keer. In het begin concentreerde hij zich op het breekbare bundeltje, dat niet werd vermeld in het rapport. Te klein voor een kind. Het was een vermoeden, en niet meer dan dat, maar de mogelijkheid bestond dat het rechercheteam indertijd had achtergehouden dat een van de jongelui iets uit de auto had gehaald, een detail dat ze konden gebruiken om valse bekentenissen te elimineren. Maar wat zat erin?

Hij bekeek de film nogmaals. Er klopte iets niet. Maar wat? Iets wat niet paste. Iets wat schuurde.

'Wie zat er naast de bestuurder?' vroeg hij zich af. Waarom zouden twee tieners gaan joyriden en dan achterin gaan zitten? Zat er iemand voorin – of lag er iets voorin?

Hij zocht het beeld van de voorruit op het moment dat de auto onder de bomen stopte. Hij trok een kader rondom het donkere deel aan de passagierskant en blies het beeld op, tienmaal, twintigmaal, vijftigmaal. Maar de oorspronkelijke slechte kwaliteit van de film maakte de beelden rommelig, een onlogische lappendeken van zwart en grijs.

Shaw maakte afdrukken van een half dozijn stilstaande beelden.

Hij keek naar een opname van de drie mannen die op de weg stonden. Kon een van hen Robert Mosse zijn? De jongeman van twintig die Shaws vader en George Valentine hadden gearresteerd wegens de moord op Jonathan Tessier? Hij was als tiener lid geweest van een bende jonge boefjes, voordat hij ging studeren. Een bende van *vier*. In de weken voor de moord op Tessier was hij thuis geweest, terug op het honk. Was hij van huis gegaan om te gaan joyriden, wat te drinken met oude vrienden en daarna een nachtelijke scheurpartij, zoals vroeger? Of – een andere mogelijkheid – was hij meegegaan, maar zo slim geweest om na het ongeluk in de auto te blijven? Zat hij daar, in de grijze en zwarte schaduwen, op de passagiersstoel?

Hij keek naar een stilstaand beeld van de Mini, de met regendruppels bespikkelde voorruit behalve daar waar die was schoongeveegd door de ruitenwissers. Er klopte nog steeds iets niet. Iets ánders niet.

Hij haalde de cassette uit het apparaat, stopte hem in de recorder erboven en maakte drie kopieën. Hij pakte zijn kopieën, en de foto's, en bracht het origineel terug naar de receptiebalie. Toen hij in de Land Rover stapte, bevestigde hij de foto van de Mini op het dashboard. Hij keek er tien minuten naar en gaf het toen op.

25

DINSDAG 7 SEPTEMBER

TWEE UUR NA DE dageraad en eb in Morston Creek; niets te zien, behalve de zandbanken en oesterrapers die in zwemvliezen gestoken voeten in de zuigende modder zetten. De boot baande zich door het netwerk van kreken een weg naar Blakeney Channel. De lucht was overdreven blauw, met enkele wolken die later zouden uitgroeien tot schoorstenen van verhitte, vochtige lucht. Maar de ochtend was nog koel, de geur van het getijdenwater zilt en fris.

Shaw zoog de zeelucht op alsof het een drug was. Hij was om halfzes gebeld door agent Twine vanuit de commandocentrale: een vissersboot had op een zandbank in de Wash een lichaam gesignaleerd. Tom Hadden was er met de sloep van de Harbour Conservancy en de rechercheur van dienst naartoe gegaan. Hij had Twine een sms gestuurd dat er verband was met de moord op Judd – geen nadere bijzonderheden. Shaw hoefde niet zelf de zee op te gaan, maar hij was wakker en hij hanteerde dezelfde formule als zijn vader: als je het zelf kúnt bekijken, bekijk het dan. En als hij te weinig slaap kreeg zag hij niet in waarom dat voor brigadier Valentine anders moest zijn.

De toeristenboot *Albatross* bereikte open water en volgde een door boeien gemarkeerde vaargeul langs de kleine boot die in het ondiepe water voor anker lag. Hadden had iedereen van de recherche opgeroepen die niet bezig was met de zaak-Judd. Er zaten er een stuk of zes in de boot, knorrig, met hun spullen op schoot, rokend en theedrinkend uit thermosflessen. Valentine stond achterin met de man aan de helmstok te praten, één oog gericht op het grauwe netgordijn van regen dat uit een eenzame, landinwaarts zeilende regenwolk viel.

Twine beschikte over de schaarse gegevens van de bemanning die het lichaam had gesignaleerd. De *Kittyhawk* had bij zonsopgang drie man aan land gezet bij Warham's Hole, een zandbank zo groot als een voetbalveld. Zonnebadende zeehonden waren uiteengestoven zodra ze aan land waren gegaan om een reeks krabbenfuiken op te halen die 's nachts waren losgebroken. Toen de zeehonden verdwenen waren, was er iets achtergebleven, zo'n industriële afvalzak, ongelooflijk sterk, die op bouwplaatsen worden gebruikt om puin of zand of ijzer te vervoeren. Er zat van alles in: blikken, olievaten en wat de kapitein van de *Kittyhawk* 'menselijke resten' had genoemd.

Valentine ging zitten en trok zijn regenjas op tot aan zijn oren. 'Daar gaat-ie,' zei hij met een blik naar de lucht. De regen begon te vallen in druppels zo groot als presse-papiers, langzaam, toen in razernij, en de druppels veranderden snel in hagelstenen die in je vlees beten. Het zicht viel terug tot drie meter, de lucht was wit van loodrecht vallend ijs en de boot en de plooien van Shaws allweather-jack lagen vol hagelstenen. Ze sjokten door; de zomerse boottocht was plotseling veranderd in een foto van een Zuidpoolexpeditie. Valentine voelde dat het ijskoude water in zijn halsopening sijpelde. Hij dacht aan het kolenvuur in de Artichoke, de intense warmte op de palmen van zijn omgekeerde handen.

De blauwe lucht verscheen boven hun hoofden nog voordat de hagelbui voorbij was. Toen brak de zon door en Shaw zag dat ze er waren, vijftig meter van de zandbank. Tussen de smeltende hagelstenen lagen een stuk of veertig kegelrobben. Twee of drie paren hadden het halfslachtig met elkaar aan de stok of rolden zich om in de golven. Rondom de *Albatross* verschenen koppen in zee en verdwenen weer, als in een schiettent op de kermis.

'Daar,' zei Valentine. Hij wees naar twee gedaanten aan de andere kant van de zandbank, naast een grijze zak, lang en smal als een leeggelopen ballon. De *Kittyhawk* had de plek gemarkeerd met een oranje boei.

Shaw stapte overboord in een halve meter water. De robben, lichtelijk nieuwsgierig naar de dobberende boot, raakten in paniek toen de mensen aan land stapten en ze schuifelden, schijnbaar verstrikt in slaapzakken, naar de zee. Binnen een minuut waren ze van Warham's Hole verdwenen.

Het TR-team sprong van boord en laadde een mobiele onderzoekstent uit. Shaw ging voorop over een meter of tachtig geribbeld zand – hard, kristallijn, verrassend stevig. Hadden had de inhoud van de asbestgrijze zak ernaast in het gelid gezet: een stuk of dertig blikken, een paar metalen vaten waar motorolie in had gezeten, en drie zwarte vuilniszakken. Een ervan was opengescheurd en de inhoud, voornamelijk verpakkingen van etenswaren, was zichtbaar. Shaw zag een kartonnen pizzadoos en een plastic currybakje. Wat er nog in de opengevouwen zak zat was een lijk dat op zijn zij lag, één hand achterover geworpen. De vingers waren stijf en gezwollen en de arm gestrekt als die van een kelner die een dienblad met champagneglazen aanbiedt.

Hadden onderzocht juist een stuk nylontouw dat door de vier handvatten van de zak was geregen. Shaw zag dat er nog een kink in zat waar de knoop had gezeten.

'Gewichten?' vroeg Valentine.

Hadden knikte. Ze dachten allemaal hetzelfde. De zak was verzwaard met een touw dat aan een anker of een stuk lood bevestigd was geweest.

'Als de knoop niet had losgelaten, hadden we hem nooit gevonden,' zei Shaw. 'Binnen een week zou hij visvoer zijn geweest. Hoelang heeft hij in het water gelegen, Tom?'

'De lijkstijfheid is nog niet verdwenen,' zei Hadden. 'Dus, gezien het feit dat het water niet echt warm is, achtenveertig uur? Hooguit achtenveertig, misschien minder, Peter.'

Shaw kon het gezicht nog niet zien, maar hij zag wel dat het slachtoffer een man was, blank, van middelbare leeftijd, gekleed in joggingbroek en sweater en met een kaalgeschoren hoofd. De huid vertoonde alle sporen van onderdompeling, gerimpeld en gezwollen, maar was verder ongeschonden, vrij van tandafdrukken. De voorkant van de sweater vertoonde een uitgelopen bloedvlek. Met in handschoenen gestoken handen tilde Hadden de stof op en toonde een schotwond.

'Justina moet je dit vertellen,' zei hij, 'maar als je de mening van een amateur wilt horen, zou ik zeggen dat dit de doodsoorzaak is. Vlak bij het hart.'

'Kaliber?' vroeg Shaw.

'Negen millimeter – een handwapen. De afstand is moeilijk te zeggen, Peter. Hij heeft zo lang in het water gelegen, dat de huid geen kruitsporen meer vertoont. Maar niet van heel dichtbij. Meer kan ik er niet over zeggen.'

Shaw boog zich voorover. Hij rook alleen de doordringende geur van de zee, als van oesters op een bed van ijs. Hij zag acne op de blote hals van het slachtoffer. 'Deken is het niet,' zei hij. 'Lengte en gewicht kloppen niet.'

En één detail dat hij niet onmiddellijk had gezien: de rechterhand had maar drie vingers en een duim, plus een oud litteken waar de wijsvinger had gezeten.

'Dit is de reden waarom ik je gebeld heb,' zei Hadden en hij overhandigde Shaw een bewijszakje. Er zat een plastic polsband in van een liefdadigheidsorganisatie. Valentine had er in het voorjaar een om Shaws pols gezien: rood met blauw, met de letters RNLI. Shaw draaide hem naar het schuin invallende licht van de ochtendzon en zag dat er drie letters in het witte plastic waren gestanst.

MVR.

Shaw dacht erover na, vroeg zich af wat voor organisatie liefdadigheidspolsbanden zou laten maken en zaklampen met die letters erop zou verstrekken. Hij nam zich in stilte voor persoonlijk een bezoekje te brengen aan het wagenpark van het ziekenhuis.

'Tussen haakjes, de polsband is lichtgevend,' zei Hadden. 'Als je daar iets aan hebt.'

Shaw gaf het zakje aan Valentine. 'Kunnen we het gezicht zien – heb je hem nog niet omgedraaid?'

Hadden riep een van zijn medewerkers, die wat foto's maakte. Daarna pakte Hadden de dode man bij zijn hoofd, Shaw nam zijn dij en ze draaiden hem om; de levenloze arm zwaaide rond.

Het gezicht was bijna volmaakt – onaangeraakt. De lippen waren blauw, zijn kin was licht gestoppeld en de neus smal, bijna vrouwelijk. Er ontbraken slechts twee dingen.

De ogen.

26

VALENTINE OBSERVEERDE EEN SMALLE stoet toeristen in blauwe en rode anoraks die over loopplanken over de modder liepen en in de rij gingen staan om aan boord van een van de robbentochtboten te klimmen die in Morston Creek voor anker lagen. Valentine had proviand meegenomen uit de winkel van de National Trust: wildpastei, een beker koffie en een zakje Hula Hoops-chips.

Shaw praatte in zijn mobiele telefoon en probeerde inspecteur William Creake op te sporen.

'Bill?' zei hij. Hij legde zijn hand om de telefoon en ging met zijn rug naar de zeewind staan.

'Ja... Mooi, goed. Ze maakt het goed. Luister. Ik heb je hulp nodig. Je weet van het lijk in de haven, dat ze tegen het stormrooster hebben gevonden? Juist. Ik weet het. Heb je het dossier uit Cleethorpes al – over die vermiste?'

Shaw keek naar Valentine en wierp onwillekeurig een argwanende blik op de lucht. 'Nee? Ja, het duurt even. Maar weet je dat zeker – de vrouw zegt dat hij nooit een horloge heeft gedragen? Juist. Ik ben in de Ark geweest voor de autopsie op onze man uit het ziekenhuis en ik zag dat jouw man afdrukken in zijn pols had. Dus als het geen horloge is...'

Shaws schouders zakten af. Hij luisterde nog even en verbrak toen de verbinding.

Over zijn schouder pratend liep hij naar de Mazda van Valentine. 'Creake heeft net de oorspronkelijke getuigenverklaring gelezen. Hij had iets over het hoofd gezien: een van de werklui die de drenkeling hebben gevonden, zei dat hij met een plastic band om zijn pols aan het rooster was blijven hangen. Die zit bij de persoonlijke bezittingen van het slachtoffer in St James's. Bill checkt het, maar ik denk dat we weten welke letters erin zijn gestanst, nietwaar?'

Shaw was boos, maar niet zo boos als George Valentine. Die had tien jaar van zijn leven gesleten aan de noordkust van Norfolk, gedegradeerd tot brigadier, belast met het onderzoeken van zaakjes die voornamelijk bestonden uit kruimeldiefstallen uit zomerhuisjes en af en toe een halfslachtige gewapende overval op een speelhal. Intussen waren incompetente politiemannen zoals Bill Creake opgeklommen tot inspecteur.

'Bel Justina eens voor me, George. Zeg dat ik een nader onderzoek wil van de drenkeling. Zeg dat ze maar een smoesje verzint als ze hem van Rigby overneemt. Daar is gewoonlijk weinig voor nodig.'

Valentine belde. Hij gooide het toestel op het dashboard. 'Waarom polsbandjes?' vroeg hij.

'Ik weet het niet, maar ik kan ernaar raden. Het zijn identiteitsbandjes; het laatste wat je tijdens een transplantatie wilt doen, is donor en ontvanger verwisselen. Zo simpel is het misschien: wit voor donoren, rood voor ontvangers. Zoals ik zei: ik weet het niet, maar als Bill Creake zijn werk had gedaan, had ik gisteren al kunnen proberen het uit te zoeken, wat een groot voordeel zou zijn geweest.'

Valentine bedacht hoe vaak het gebeurde dat de simpele details een misdaad tot leven wekten. Hij kon het beeld van het slachtoffer dat ze zojuist hadden gevonden nog steeds niet uit zijn hoofd zetten. 'Is er een markt voor mensenogen?' vroeg hij, die van Shaw ontwijkend.

'Ja. Voor alles is een markt. Er is zelfs een markt voor botten.'

'En MVR?' vroeg Valentine.

'Volgens mij is het nog steeds het wagenpark – zeker nu. Dit is geen obscure eenmalige operatie, George. Dit is handel. Dit moet een donor zijn. Net als de drenkeling van Bill Creake. En dan Deken nog; waar is hij gebleven? Het gaat niet meer alleen om de moord op Bryan Judd, hoewel hij, aangezien hij geen donor is, de sleutel kan vormen. We moeten dit doorspelen aan de mensen die ons kunnen helpen. Begin ermee zodra we weer in de commandocentrale zijn, George: Interpol, Scotland Yard, de douane, de hele reut. En we moeten het ziekenhuis aan de tand voelen: chirurgen, verplegend personeel, iedereen.'

Valentine reed; met zijn ogen op de weg gericht stak hij een Silk Cut aan met de dashboardaansteker. Hij beheerste de kunst om zijn ogen de hele tijd open te houden, zelfs als hij er rook in kreeg. Ze parkeerden voor de Eerste Hulp en plakten een papier met 'POLITIE' op de voorruit. Twine was in de commandocentrale, waar Birley nog steeds de beelden van beveiligingscamera's bekeek.

'Waar is Jofranka Phillips?' vroeg Shaw terwijl hij een beker koffie van een dienblad pakte.

'Naar de orgaanbank, chef, met het onderzoeksteam. Ze zullen er de hele dag bezig zijn.'

'Oké.' Hij vertelde Twine wat ze op Warham's Hole hadden gevonden en over het verband met de drenkeling van Bill Creake in het stormrooster. 'MRV. Er moet een verband zijn,' zei hij. 'We sluiten het wagenpark, verzegelen het. Stuur alle dagbladen een signalement van het lijk op de zandbank. Hadden zegt dat hij een vinger mist. Het litteken is oud, dus dat helpt. Zeg niets over orgaanverwijdering. Dat houden we nog vierentwintig uur achter en dan zetten we het met grote koppen de krant. We moeten een team het ziekenhuispersoneel laten natrekken, Paul. Begin aan de top. Hebben we iets over Phillips en Peploe? Achtergrond, personeelsdossiers... wat dan ook?'

Twine knikte, zocht behendig naar documenten op de computer en drukte toen twee vellen A4 af. Shaw las eerst dat over Peploe – een leven in driehonderdvijftig woorden. Standaardopleiding voor de zoon van een arts in Perth. Een goede school, daarna de universiteit van Edinburgh en een aanstelling in een kliniek in New York die gespecialiseerd was in reconstructieve plastische chirurgie voor jonge kinderen. Hij was vijfenveertig, was getrouwd en had twee volwassen kinderen. In 1989 had hij meegedaan aan de Whitbread Round the World Race als lid van een bemanning in Southampton, gesponsord door Goldman Sachs.

Het levensverhaal van Jofranka Phillips werd gedomineerd door haar vader, Kalo Kircher. Kircher was in de jaren dertig chirurg geweest in een privékliniek in de West-Duitse stad Neustadt en was een van de eersten geweest die staaroperaties uitvoerden. Na het uitbreken van de Tweede Wereldoorlog was hij opgepakt en naar een joods gevangenkamp in Mannheim getransporteerd en daarna naar een vernietigingskamp in het Poolse Chelmno. Hij was geen jood, maar een lid van het vroeger rondreizende Roma-volk dat zich over Europa had verspreid, de eigenlijke culturele voorouders van de zigeuners. Hij was rooms-katholiek. Zoals veel Roma had hij gewoon een van de religies van zijn adoptieland aangenomen.

Voor de nazi's kwamen de Roma evengoed voor uitroeiing in aanmerking als de joden. Door zijn medische kwalificaties kon Kalo ontsnappen aan de mobiele gaskamers van Chelmno. Hij werd gedwongen het personeel onder bevel van dr Eduard Wirths bij te staan. Er werd in Chelmno een reeks barbaarse experimenten uitgevoerd om de rassentheorie van de nazi's te bewijzen. Toen het kamp in 1945 werd bevrijd, had Kircher zich opgehangen aan een dakbalk in het blok dat gereserveerd was voor de gevangenen die voor de nazi's hadden gewerkt. Hij was niet dood. Een medisch team van het Sovjetleger redde zijn leven.

Kalo keerde terug naar Neustadt, in het toenmalige West-Duitsland, en hielp met het reorganiseren van de chirurgische dienstverlening in de stad. In 1958 verzocht Israël om zijn uitlevering om hem te berechten wegens in Chelmno begane oorlogsmisdaden. Kircher verhing zichzelf in de cel waar hij op verhoor had gewacht. De lus was gemaakt van de stethoscoop in de dokterstas die hij bij zich had toen hij bij zijn praktijkruimte was opgepakt. Ditmaal had hij succes. Zijn dochter werd begin 1959 geboren, na zijn dood. In 1962 verhuisde ze met haar moeder, een huisarts, en haar drie oudere broers naar Londen. Kostschool, medicijnen aan de universiteit van Bristol en een reeks aanstellingen bij grote ziekenhuizen volgden. Phillips was gescheiden en had geen kinderen. Haar broers hadden alle drie medicijnen gestudeerd en een praktijk geopend in de Verenigde Staten, twee in California en een in Maine. Alle broers steunden een liefdadigheidsorganisatie die de arme Joden in Israël gratis gezondheidszorg verschafte.

Shaw stopte de twee vellen in zijn binnenzak. Het was een van de bizarre kanten van het politiewerk: je ontmoette mensen en legde zonder dat ze het wisten hun leven bloot. Hij had het gevoel dat hij een indringer was nooit van zich af kunnen zetten. Hij sloeg de laatste slok van zijn dubbele espresso naar binnen.

Agent Birley had gewacht tot Shaw klaar was met lezen. 'Chef,' zei hij met een knikje naar de reeks tv-schermen. 'Ik heb iets.' Hij schoof stoelen voor iedereen bij en toonde toen een band op het grote scherm. 'Paul heeft een programma om het beeld te verbeteren... Dit is het origineel...'

Het grote scherm flikkerde en toonde toen een zonovergoten parkeerterrein.

'De camera hangt boven de ingang van de Bluebell, de kraamkliniek. Ik heb dit tot het laatst bewaard – stom van me.' De Bluebell stond op hetzelfde terrein als het grote ziekenhuis; de twee gebouwen stonden met elkaar in verbinding via een overdekte gaanderij.

Er verschenen een man en een vrouw in beeld, die samen een sigaret rookten. Toen kwam er verrassend snel een grote gestalte in overall in beeld. De beelden waren schokkerig, de gestalte leek te verdwijnen en dan weer te verschijnen met elke kleine, moeizame stap.

'Dit is het beste beeld sinds we het hebben bewerkt,' zei Birley.

Het beeld verdween, verscheen toen weer, scherper, en het grijs maakte plaats voor zwart en wit. Het was Jan Orzsak; hij keek naar boven en verdween in de schaduw van de kraamkliniek.

'Tijdstip en datum?' vroeg Shaw.

'Dat is het echt goede nieuws. Halfacht op de bewuste dag... zondagavond.'

Ze hadden het alibi van Jan Orzsak al nagetrokken en hadden zijn bewegingen gedurende de hele zondag kunnen volgen, op de twee uur na vlak voordat hij om negen uur de Poolse Club was binnengekomen. Nu wisten ze waarom.

'We laten hem ophalen,' zei Shaw. Hij leunde achterover en keek naar de streep neonlicht boven zijn hoofd. 'Nee, laat maar. We gaan naar hem toe.' Hij keek op zijn horloge. 'Over een uur. George en ik zullen er ook zijn.' Hij schudde zijn hoofd. Telkens als hij het verhaal over Norma Jean Judd buiten beschouwing liet kreeg hij er spijt van. Haar verdwijning achttien jaar geleden leek door de hele zaak heen te lopen als letters van vermicelli. Letters in geheimschrift. Maar het verband tussen de twee aspecten van de zaak – de handel in organen en de verdwijning van de zus van Bryan Judd – ontging hem nog steeds. En hij moest nu moeite doen om het grote beeld voor ogen te houden. Het was niet langer een gewoon moordonderzoek. Het was een meervoudig moordonderzoek.

'Orzsak bespeelt het orgel in de kerk,' zei Valentine; hun gedachten hielden gelijke tred. 'Misschien is hij de man op straat, de verzamelaar, de man die de donoren aanbrengt.' Valentine dacht aan de geplette pantoffels, het gewicht op de schoenen. 'Misschien heeft hij speciale schoenen nodig – hij is slecht ter been. Er zijn van die verhoogde schoenen; die zouden lawaai maken.'

'Ik ga de boeken van de orgaanbank controleren,' zei Shaw. 'Daarna praten we met Orzsak. Doorzoek jij intussen de MVR, George. Centimeter voor centimeter – het moet de plek zijn waar we naar zoeken. Paul, trek het ziekenhuispersoneel na zodra we over voldoende mensen beschikken. En ik wil alles hebben wat je over Orzsak kunt vinden: arbeidsverleden, familie, de Poolse Club – check alles. En geef alles wat relevant is door aan George, zo snel als je kunt.' Hij stond op. 'Want we weten nu één ding over Jan Orzsak,' zei hij terwijl hij zijn hand op het scherm legde. 'Hij liegt.'

27

DE ORGAANBANK BEVOND ZICH aan de uiterste westzijde van Niveau 1. Shaw liep er alleen heen en hij hield zichzelf voor dat de echo van voetstappen achter hem niet meer was dan een echo. En dat de zachte stappen geen metalig klikken veroorzaakten. Hij sloeg de afslagen op in zijn geheugen en volgde de rode pijltjes naar A5, de code van de orgaanbank. Links, links, rechts, links, rechts. De verlichting stierf weg en maakte plaats voor hier en daar een tl-buis op halve kracht. In de brede gangen stonden rijen wagentjes en trekkers. Hij passeerde een eenzame onderhoudsmonteur die aan een waterleidingsknoopunt aan het werk was en hoorde het onregelmatige slagwerk van een hamer op metaal. En toen, bizar misplaatst, een rij wagentjes die versierd waren met Disney-achtige figuren, een vloot voor een lang vergeten vlootschouw, met achterop een platform voor een carnavalsprinses.

Ten slotte was er nog maar één gang, honderd meter lang, met aan het eind één enkele lamp, waar een uniformagent op een stoel voor een deur zonder naambordje zat. Het was een bizar, surrealistisch gezicht, als een stilstaand beeld uit een Koude Oorlog-film. Voor het eerst móést Shaw gewoon omkijken. Niets – en de echo stopte ook, op slag. De agent stond op en opende de deur. Opnieuw een gang, zes meter, met vier deuren. Opeens realiseerde Shaw zich dat hij geen idee had van wat hij in een orgaanbank kon verwachten. Het was een semantisch cliché zonder bijbehorend beeld. De gang was stoffig, verlaten en smal en de deuren waren alfabetisch aangeduid. Het deed Shaw denken aan een Tsjechische sprookjesfilm die hij als kind op tv had gezien, waarin de held moest kiezen tussen enkele deuren, drie naar de hel en één naar de hemel. Hier, dacht hij, waren de kansen minder gunstig.

Hij duwde deur A open en betrad een felverlicht vertrek zo groot als een treincoupé, waarvan één lange wand in beslag werd genomen door schijnbaar gewone supermarktdiepvrieskisten, met het verschil dat het deksel ondoorschijnend was in plaats van van glas. Maar de elektrische voorzieningen waren hypermodern; elke witte kist was verbonden met een paneel vol knipperende lampjes. LCD-schermen lieten blauw flikkerende temperaturen zien.

Een van de vrieskisten stond open, als een witte doodskist, en de koude lucht kolkte over de rand. De inhoud was uitgespreid op een stuk plastic op de vrieskist ernaast. Phillips keek toe hoe twee verpleegkundigen de geopende kist opnieuw vollaadden. Ze was in het wit gekleed, een brandschone broek, witte plastic handschoenen, het zwarte haar weggestopt onder een witte muts, hoewel er een lok als een gitzwarte kurkentrekker over haar wang viel. De bevroren plastic zakjes met weefsel zorgden voor de enige kleur in het vertrek, het levenloze bloedrood van de vleesafdeling in een supermarkt.

Phillips glimlachte en haar gezicht leek overstroomd te worden door schijnbaar oprechte opluchting, net als de bijzondere ogen, die een levende tegenstelling vormden – elektrisch grijs. Door de kou in het vertrek leek ze nog bleker, een nog sterker contrast met het zwarte haar, de gitzwarte krullen. Ze gaf Shaw een hand. 'We zijn bijna zover,' zei ze. 'Het controleteam is nu in B. Maar deze is klaar. Ze hebben alle opgeslagen materiaal vergeleken met de in de zes operatiezalen uitgevoerde ingrepen. Ze hebben één op de tien specimens meegenomen voor analyse, om er zeker van te zijn dat de inhoud van de zakjes klopt met de gecodeerde etiketten. Maar zoals ik al zei, we zijn bijna zover. We mogen helemaal niet klagen.'

Shaw vertelde haar wat ze op Warham's Hole hadden gevonden.

Ze streek met de rug van haar hand over haar wang en de lange, buigzame vingers vielen Shaw opnieuw op.

'Vertel eens iets over hoornvliestransplantaties,' zei hij.

Ze tilde het deksel van de vrieskist op. 'Nee,' zei Shaw snel terwijl hij beide handen opstak. 'Alleen maar vertéllen.'

'Oké. Nou, het is weinig anders dan de meeste andere transplantaties, met dit verschil dat de donor altijd dood is. Geen enkele chirurg zou een gezond hoornvlies verwijderen bij een levende patiënt. Je hebt er twee van, net als nieren, maar daar houdt de overeenkomst op. We hebben twee ogen nodig om diepte te kunnen zien.'

Ze zweeg abrupt, plotseling beseffend dat het een onderwerp was waar Shaw alles van wist. Ze dwong zichzelf hem aan te kijken. 'Er worden al zo'n honderd jaar operaties uitgevoerd. Het enige echte verschil is, denk ik, dat je je ogen kunt doneren en dat ze tot vierentwintig uur na het overlijden kunnen worden verwijderd... veel langer dan andere organen. Het hoornvlies bevat namelijk geen bloedvaten, om voor de hand liggende redenen. Je zou weinig uitzicht hebben.'

'Maar zijn ze waardevol?'

'Nou en of. Heel waardevol. Vooral die van jongere donoren – de meeste donoren zijn uiteraard ouder dan vijfenzestig. Er is een speciale techniek om ze na verwijdering te bewaren; ik geloof dat er in Manchester een centraal bewaarpunt is. Maar dat moet u aan Gavin vragen. Die heeft daar gewerkt. Ik geloof dat een vriendin van hem er de leiding heeft.'

Het was de manier waarop ze 'vriendin' zei die Shaw uitnodigde de vraag te stellen. 'Wat voor vriendin?'

Ze glimlachte, zoals je zou glimlachen om de streken van een ondeugend maar begaafd kind. 'Een van zijn vriendinnetjes. Zo is Gavin: onze eigen playboy. Hij is een charmante man.'

Shaw dacht aan het korte cv dat hij zojuist had gelezen. 'En zijn vrouw?'

'Gescheiden, geloof ik, maar dat gaat me niets aan,' zei Phillips. Ze knoopte haar witte jas wat verder dicht tegen de kou. 'Eén ding, nu we het over Gavin hebben. Het onderzoeksteam zal u meer kunnen vertellen, maar we hebben inderdaad een privéoperatiekamer in het ziekenhuis, OK 7. Ze hebben opslagmogelijkheden hier in Bank D. Ze hebben het uiteraard nog niet gecheckt, maar administratief gesproken hebben ze, in theorie, ruimte in het operatieschema.'

'Hoe zeg je dat in gewonemensentaal?' vroeg Shaw.

'De gezondheidszorg werkt min of meer op topcapaciteit en als de OK tijdens normale uren niet in gebruik is, wordt er gewoonlijk schoongemaakt of is de onderhoudsploeg er bezig. De privékant draait anders – met tussenpozen. Er zijn dus perioden waarin een illegale operatie zou kunnen plaatsvinden. Het is niet meer dan een theoretische mogelijkheid, maar wel een waarvan u moet weten.'

De verpleegkundigen hadden de vrieskist opnieuw ingeladen. Het deksel viel met een plof dicht.

'Ik had iets heel anders verwacht,' zei Shaw, om zich heen kijkend.

'U bedoelt dat het wat IJslands aandoet?' Phillips lachte en haar professionele koelte ontdooide.

Shaw dacht aan Twines korte biografische aantekening over Phillips' vader, Kalo Kircher, de concentratiekamparts. Hij probeerde zich voor te stellen wat voor erfenis dat had achtergelaten voor zijn dochter.

'Het is klinisch,' zei Shaw, eveneens lachend. 'Ik krijg er kippenvel van,' zei hij terwijl hij zijn hand op het deksel van de dichtstbijzijnde vrieskist legde. 'Ik voel me altijd schuldig in een ziekenhuis, omdat ik niet ziek ben.'

'Ja. Dat verdwijnt als je een rol hebt, een taak. Anders voel je je een toeschouwer, nietwaar?'

Shaw knikte. 'Het zat in uw familie, toch? Medicijnen?'

'Ja.' Haar kin kwam omhoog. Ze was slim genoeg om te weten dat Shaw haar al had nagetrokken. 'Mijn vader was een prima dokter.'

Shaw liet de stilte voortduren.

'Hij kon niet veel anders doen dan hem werd opgedragen, inspecteur Shaw. Ze zouden hem onmiddellijk hebben gedood als hij had geweigerd.'

'Gewoon bevelen opvolgen?' Shaw trok een wenkbrauw op; hij wist hoe pijnlijk de vraag was.

Ze stopte haar handen in de zakken van haar witte jas en keek naar haar schoenen zonder in het aas te happen. 'Hij deed wat hij kon … Een heleboel kleine dingen. Er zouden getuigen geweest zijn die tijdens het proces voor hem zouden zijn opgekomen. Het was niet zozeer dat hij niet kon leven met de slachtoffers; hij kon niet met zichzelf leven. Ook wij, de Roma, zijn buitenstaanders. Net als de joden.'

'Maar u voelt zich hier thuis,' zei Shaw.

'Ja. Ik voel me thuis.' Ze ging hem voor naar buiten en deed de deur achter hen dicht. 'Ik heb de sleutel weer,' zei ze terwijl ze hem toevoegde aan een bos die aan een witte riem hing. 'Laten we hopen dat de andere volgen.' Ze draaide zich om en klopte op de deur met de letter B. 'Tot ziens,' zei ze, en ze glipte naar binnen.

Shaw probeerde de weg terug te vinden naar de centrale liften, maar zoals zo vaak als je de weg in omgekeerde richting probeert te volgen, verdwaalde hij al snel. Hij kwam op Kruising 41, bleef staan en keek drie kanten op. Er waren geen gecodeerde richtingwijzers. Toen hoorde hij het onmiskenbare geluid van voetstappen, onzichtbaar maar vreemd regelmatig, en de schoenen ketsten hard, onnatuurlijk hard, op de betonnen vloer.

Aan de ene kant was een deur met het opschrift BRANDKRAAN, in een ondiepe nis met een dorpel. Shaw ging in de schemerige nis staan en luisterde. Tegenover hem was een tweede deurnis, met het opschrift WEERKLANK NETWERK.

De voetstappen werden luider, helderder, tot Shaw voelde dat ze hem bijna hadden bereikt. Hij stapte de gang op. De gestalte, een silhouet, was drie meter van hem vandaan. Shaw liet zijn politiepas zien. 'Neem me niet kwalijk. Politie. Mag ik vragen wat u hier doet?'

Er brandde een tl-buis op halve kracht en de gestalte liep door tot hij er recht onder stond.

'Inspecteur Shaw?' Het was Gavin Peploe. Hij lachte en spreidde zijn handen wijd. 'U hebt me betrapt in burger.' Shaw zag een fietstricot, een korte broek en een kleine tas aan één schouder. 'Zo hou ik mezelf in conditie.' Hij klopte op een vlakke maag en keek op zijn horloge. 'Ik heb een uur, dan moet ik weer aan het werk.'

Shaw wees naar de deur tegenover hem. 'Wat is dat?'

Peploe keek naar het bord en zijn ene voet wiebelde van ongeduld. 'WEERKLANK NETWERK? Dat is nieuw voor me, vrees ik. Maar dit deel wordt door de pyschiatrische afdelingen gebruikt voor opslag; misschien kunt u het daar vragen.'

Shaw draaide zich om en liep met hem op. 'Waar gaat deze gang naartoe? Ik ben verdwaald.'

'Naar de parkeerplaats voor het hoger personeel – mijn fiets hangt achter op mijn BMW.'

Shaw keek naar Peploes voeten. 'Ze maken lawaai.'

'Die? Natuurlijk... Het zijn fietsschoenen, heel stug. De redding voor je voeten, geloof me.' Hij tilde een been op en tikte op de schoenzool. 'Deze geven niet mee.'

Ze sloegen een hoek om en zagen zonlicht door twee buitendeuren naar binnen stromen. 'Ik kan beter teruggaan,' zei Shaw. 'Ik moet met de lift.'

Peploe stak zijn hand op bij wijze van afscheid.

'OK 7,' zei Shaw. 'Privéoperaties in reservetijd. Er is me verteld dat ik daarvoor bij u moet zijn.'

Peploe keek opnieuw op zijn horloge en voor het eerst kwam zijn charme niet goed uit de verf. 'Tja. Het team van de Nationale Weefselbank is nog steeds bezig, niet? Als ze iets verdachts vinden in D kunnen we praten. Wat de operatiekamer betreft, er vallen natuurlijk wel eens gaten. Hij staat soms leeg. Heeft mevrouw Phillips dit ter sprake gebracht?'

Shaw antwoordde niet.

'Ik teken bezwaar aan tegen het idee dat er wel verband zal zijn met een of ander bedenkelijk handeltje, alleen maar omdat we hier een particuliere afdeling hebben – binnen de nationale gezondheidszorg. Als daar aanwijzingen voor zijn, kunnen we misschien praten. Ik –'

'We praten hoe dan ook,' snoerde Shaw hem de mond terwijl hij op zijn getijdenhorloge keek. 'Drie uur, uw kantoor. Nee... Kunnen we elkaar in OK 7 treffen? Ik zou hem willen zien.'

Peploe haalde zijn schouders op en knikte. 'Ik kan tijd maken,' zei hij.

'En waar was u zondagavond, dokter Peploe?'

Peploe kon een spottende grijns niet onderdrukken, die zijn bovenlip vervormde, waardoor weer een vaag spoor van een hazenlip zichtbaar was.

'Op mijn jacht. Anderhalve kilometer uit de kust. Ik had gasten.'

'Kan uw vrouw dat bevestigen?' vroeg Shaw en hij vroeg zich af welke versie van de waarheid hij te horen zou krijgen.

'Als ze dat kan is ze paranormaal. Ik heb haar in geen vijf jaar gezien. We zijn gescheiden. Maar ik kan u een naam geven, als u daar iets aan hebt. Ik zal hem bij mijn secretaresse achterlaten. Eerlijk gezegd, het wás toevallig mijn secretaresse. En nu wil ik graag wat lichaamsbeweging krijgen voordat ik weer naar de OK moet. Nummer 4, tussen haakjes, het ziekenfondsgedeelte, dus ik neem aan dat dat in orde is.'

Hij draaide zich abrupt om en Shaw luisterde naar het klakken van zijn schoenen.

Hij liep de andere kant op en probeerde zich te concentreren op het vinden van de weg naar de liften, maar een beeld drong zich op: een grijze industriële afvalzak die stilletjes over het gepolijste teakhouten dolboord van een wit jacht werd geschoven.

28

HOEWEL DE ZOMERVAKANTIE VAN de openbare scholen al twee weken voorbij was, waren er twee kinderen aan het voetballen voor wasserette Bentinck in Erebus Street. Een van hen kon het kind zijn dat ze die eerste avond met een Cat People-masker rond het vuur hadden zien dansen. In dat geval had Shaw gelijk gehad wat zijn leeftijd betreft: zeven jaar, jonger. Hij had een mopsneus en een stekeltjeskapsel, tegen de luizen. De jongens hadden met krijt een goal op de muur getekend en er voor het effect de hoofden van een denkbeeldig publiek aan toegevoegd.

Een stem riep: 'Joey!' De jongen met de mopsneus rende naar een deur in de zijgevel van de Crane, die werd opgehouden door een jonge vrouw met lange, bleke benen. Ze keek onwillekeurig hun kant op. Toen gaf ze de jongen een draai om zijn oren en trok hem naar binnen. Tegenover de pub stond het huis van Jan Orzsak. De gordijnen waren dicht en de op de deur geschreven belediging was verdwenen onder een verse laag verf, maar een spat op het hout eronder leek verse hondenpis. Orzsaks bestelwagen, die geen aanwijzingen had opgeleverd, was teruggebracht en stond langs het trottoir, achter het busje van de elektriciteitsmaatschappij en de pick-up en de puincontainer van een aannemer.

Achter het prikkeldraad en de doornhaag hoorden ze een pneumatische boor die beton vermaalde. Achter op de pick-up stond een nieuwe generator voor het transformatorhuis, veel kleiner dan de originele die Shaw en Valentine die zondagavond bij het licht van een zaklamp hadden gezien, afgedekt met plastic. De metalen schakelingen blonken in het zonlicht. De huizen werden nog steeds van stroom voorzien via een kabel, die met duct tape langs de goten was gespannen en van waaruit een dunnere kabel naar elk huis liep, via de brievenbus of een open raam.

'Nieuwe spullen,' zei Valentine met een blik op de Crane aan de overkant. De voordeur werden door een wig opengehouden en ze zagen een poetsvrouw die tafels schoonveegde. Een man in een wit overhemd met een koffiebeker in zijn hand bespeelde een fruitmachine.

De hitte buiten, de sfeer van doelloze verveling, leek alle energie uit Valentine weg te zuigen. Dat, plus de aanblik van Peter Shaw, op zijn tenen heen en weer wippend terwijl hij keurig bij Orzsak aanklopte.

Ze hoorden de afgetrapte pantoffels door de gang schuifelen. Orzsak had een servet omgeknoopt en zijn mond maakte kauwbewegingen. Hij liet hen zwijgend binnen en ging hun voor naar de voorkamer. De glasscherven waren opgeruimd, maar de schoongemaakte aquariums stonden nog altijd droog. Shaw zag nu voor het eerst een olieverfportret aan de schoorsteenmantel, van een man in formele Poolse nationale dracht. Voor het gebarricadeerde erkerraam stond een kleine tafel met daarop een bord met kaas en roggebrood, dat Orzsak opzijschoof toen hij ging zitten. En een fles, naast een sierlijk ballonglas met een bodempje rode wijn.

Shaw liep naar het portret. 'Is dit uw vader?'

Orzsaks ogen kwamen plotseling tot leven. 'Ja. Hij was wijnhandelaar, import en export, gevestigd in Gdansk.'

'Welgesteld dus?'

'Hij is tijdens de oorlog gestorven,' zei Orzsak schouderophalend. 'Toen kwamen de Russen. Ik was een baby. We hadden wat geld, maar dat duurde niet lang. Mijn moeder werkte hard. We kwamen hierheen. Ik werkte hard. Alles wat ik heb, hebben we hard voor gewerkt.'

'En u houdt nog altijd van een glas wijn?' vroeg Valentine. Hij keek naar de fles. 'Niet goedkoop, wel? Uw spaarpot aangesproken. Of verdient u nog steeds geld, meneer Orzsak?'

Maar Shaw herinnerde zich iets anders. 'Natuurlijk – de kelder van nummer 6. Een wijnkelder – de muur vertoont er nog de sporen van. Maar geen kelder hier?'

Shaw keek om zich heen; er was geen lage deur in de gang. Hij herinnerde zich dat er in het huis van de Judds ook geen deur was, en in de wasserette evenmin. Hij zou het navragen hij het buurtonderzoeksteam: was het de enige kelder in de straat?

Orzsak negeerde hem, nam een slok wijn en liet het bloedrode vocht ronddraaien.

'Hebben uw mensen Judds vingerafdrukken gevonden in mijn huis?' vroeg hij, maar Shaw voelde dat hij geen antwoord wilde, dat de vraag een afleidingsmanoeuvre was.

'Waarom hebt u tegen ons gelogen over waar u was op de zondagavond dat Bryan Judd werd vermoord?' vroeg hij.

Het was alsof Orzsak leegliep; zijn kin zakte nog verder naar zijn borst. 'Ik heb niet gelogen,' zei hij, maar het was ternauwernood een fluistering.

Valentine haalde een zwart-witafdruk tevoorschijn, een videobeeld van een bewakingscamera.

'Dit bent u, meneer. Zondag halfacht. In de Bluebell.'

'Dat had niets te maken met... die jongen.' Raar, dacht Shaw, dat hij Bryan Judd na bijna twintig jaar nog steeds zag als de tweelingbroer van Norma Jean – maar Norma Jean zou misschien nooit ouder worden.

'Een rechtstreeks antwoord graag, meneer Orzsak, of we gaan naar St James's. Ik weet dat u dat wilt vermijden. Kunt u me een rechtstreeks antwoord geven?'

Orzsak stond moeizaam op, hees zich met beide handen om één armleuning overeind. Hij trok een laptop uit een stapel kranten op een dressoir en zette hem aan. Het bleke licht gloeide warm in de schemerige kamer. Het was een rare botsing van beschavingen: de nieuwste iMac onder het portret van de patriarch. Orzsak vond een draadloze verbinding en ging via Firefox naar de website www.giveatoy.org.uk.

'Dit is mijn website,' zei hij, en Shaw zag dat zijn linkerhand trilde, hoewel die los langs zijn lichaam hing.

'Mensen gaan online en bieden tweedehands speelgoed aan voor de kinderafdelingen in het ziekenhuis... Ik rij rond in de auto en haal het speelgoed op. Alles binnen een straal van dertig kilometer. Elke maandag breng ik het speelgoed naar de Bluebell en leg alles wat in goede staat is op de trolley. Het is altijd de Bluebell geweest, want daar was de oorspronkelijke kinderafdeling, voordat ze het ziekenhuis verbouwden. Op woensdag en vrijdag gaat een van de vrijwilligers de afdelingen langs. 's Zondags komen de kinderen naar het speelgoedmagazijn – we noemen het de Speelgoedbieb. We stallen alles uit. Ze mogen het een week lenen. Ik doe het al jaren; ik ben begonnen met moeder. Daarom ga ik elke zondag; het is het hoogtepunt van de week.'

Hij haalde een doos vol krantenknipsels uit de lade van het dressoir. Hij gaf er een aan Shaw, de *Lynn News* van september 1980. ZILVEREN JUBILEUM BLUEBELL 'SPEELGOEDBIEB', met een foto van een massa kindergezichtjes en op de achtergrond een jongere Jan Orzsak met een gigantische teddybeer en naast hem een vrouw met een soortgelijk gezicht, als een maan, met een ring van vet bij de hals.

Orzsak nam het knipsel terug, wilde het in de doos leggen, scheurde het toen langzaam doormidden en ging de kamer uit. Hij kwam terug met een aantal sleutels aan een ring in de vorm van Mickey Mouse. Hij huilde, maar terloops, alsof het van geen belang was.

'Heeft het Bureau Jeugdzorg u nagetrokken?' vroeg Valentine.

Orzsak schudde zijn hoofd. 'We begonnen in de jaren tachtig, toen gebeurde dat nog niet. Later, toen het standaard was, was ik argwanend, vanwege Norma Jean. Er was een dossier over mijn arrestatie; dat had genoeg kunnen zijn. En sinds mijn arrestatie werd er altijd wel gefluisterd, door mensen die van een mug een olifant maken. Dus toen het ziekenhuis ernaar vroeg zei ik dat ik door de kerk was nagetrokken, de St Casimir.' Hij keek naar het olieverfschilderij. 'Ik heb ze alleen nooit de papieren gegeven en ze vroegen er niet naar. Ik...' Hij dacht zorgvuldig na over de juiste woorden. 'Ik steun de afdeling, met tijd, met een beetje geld.'

Hij liep naar het raam en leunde op de tv, een flatscreen, de nieuwste technologie.

'Dus loog ik. Het laatste wat ik hier wilde was de politie. Opnieuw.' Hij wierp Valentine een moordlustige blik toe. 'Een onschuldige leugen,' zei hij. 'Maar een die me opbreekt. U zult het ze moeten vertellen. En zij zullen mij de vragen stellen die ze moeten stellen. En nu ben ik de klos omdat ik heb gelogen, en ze zullen vragen waarom ik dat deed. Ze mogen geen risico nemen. En ik ben nu een risico. Het is dus voorbij, dat deel van mijn leven. Bedankt.' Hij bleef Valentine aankijken, maar gaf de sleutels aan Shaw. 'Breng deze namens mij terug – de Speelgoedbieb onder afdeling Zonneschijn, op Niveau 1. Dit is alles wat ze nodig hebben. Misschien kunt u tegen ze zeggen dat ik me niet lekker voel. Maar dat laat ik aan u over. Ik was er afgelopen zondag – zoals uit uw foto blijkt – en er waren enkele getuigen. Ik ben de bibliotheek niet uit geweest.'

Valentine, gefrustreerd door de nette bekentenis, kon een klank van afkeer in zijn stem niet onderdrukken. 'En u hebt geen seksuele belangstelling voor die kinderen? En hoe zat het met Norma Jean?' Hij voelde zich plotseling verplicht de vragen te stellen die Jack Shaw zou hebben gesteld als hij nog had geleefd, want Valentine wist dat als Jack Shaw deze man de duimschroeven had aangedraaid om achter de waarheid te komen, hij daar een goede reden voor had gehad. Hij had die avond in 1992 in Orzsaks ogen gekeken en er iets in gezien, iets stiekems, iets wreeds.

Shaw voelde zich misselijk, alsof hij naar een bloederige sport keek. Ze konden beter vertrekken; Orzsaks alibi was waarschijnlijk waterdicht. Ze konden hem aanklagen wegens belemmering van de rechtsgang omdat hij gelogen had, maar ze mochten geen tijd verspillen. En het was niet waarschijnlijk dat Orzsak zijn verhaal over Norma Jean na achttien jaar zwijgen zou wijzigen.

'Ik heb dat kind geen kwaad gedaan. Ik doe kinderen geen kwaad.' Orzsak stapte achteruit en rechtte zijn afhangende schouders, alsof hij op straat een pestkop tegenkwam. 'Ik walg van uw insinuatie.'

'Waarom bent u hier gebleven, in deze straat?' vroeg Valentine.

'Weggaan zou een bekentenis zijn geweest.' Orzaks ogen werden groter en zijn kin kwam omhoog, vastbesloten om, ondanks Valentines agressiviteit, zijn zegje te doen. 'Ik heb niets te bekennen. Hebt u hém gevraagd waarom hij nog steeds hier is? Andy Judd? Hém gevraagd waarom hij in deze straat woont? Hém gevraagd waar hij het lichaam van zijn dochter gelaten heeft? Ik denk dat hij erover waakt.' Hij gooide de verscheurde foto in de koude open haard. 'Hij zal wegrotten in de hel die God voor hem in gereedheid heeft gebracht.'

29

ZE BLEVEN OP DE stoep in de zon staan. Shaw bedacht dat de geur van warm plaveisel het prettigste aspect was van de stad. Wasserette Bentinck aan de overkant was geopend. Hij zag een vrouw die binnen aan het werk was; ze zat op haar knieën om lakens uit een droogtrommel te halen… maar het was niet Ally Judd. Hij keek op zijn getijdenhorloge: één uur. Ze hadden nog twee uur tot hun afspraak met Peploe in de OK. Tijd voor een werklunch.

'Kom, we gaan een hapje eten,' zei hij, en hij liep naar de Crane.

De pub was vol, alle tafels waren bezet, voornamelijk door arbeiders uit de haven. Een van hen had zijn voeten op een kruk gelegd, zodat ze tegen schoenzolen aan keken. Toen Shaw bestelde tikte Valentine hem op zijn schouder. 'Check die schoenen,' zei hij. 'Vast heel gangbaar in de haven.'

Op beide zolen was zo'n halfrond ijzeren plaatje gespijkerd, om de schoen tegen slijtage te beschermen. Een van de dokwerkers zag Shaws blik en hij liet één voet zakken; de zool knarste op de houten vloer.

De waard liet de fruitmachine in de steek om hen te bedienen, een pint voor Valentine en een Guinness voor Shaw. Ze lieten twee broodjes kaas onder een glazen stolp staan en kochten in plaats daarvan chips en nootjes.

Het was lawaaiig genoeg in de pub om ongestoord te kunnen praten.

'Is Andy Judd er niet?' vroeg Shaw, zonder de moeite te nemen om met zijn pasje te zwaaien. De waard was kaal, schoongeboend en had een zegelring aan de hand die hij gebruikte om bier te tappen. Hij droeg een schoon blauw overhemd met openstaande witte kraag. Een ouderwetse caféhouder.

'Nee. Misschien zag hij u aankomen. Dat is niet zo mooi, hij is een verdomd goede klant. De beste die ik heb.'

'Leverklachten,' zei Valentine.

'Ja. Het wordt zijn dood nog eens. En ze willen hem ook geen nieuwe geven, tenzij hij stopt met drinken. Op de dag dat hij dat doet zal hij zo stijf zijn als deze toog.' Hij klopte er één keer op, liet de ring op het hout kraken.

'Was u hier toen het kind vermist werd?' vroeg Valentine, familiair op de bar leunend terwijl hij met een pakje Silk Cut speelde. 'In tweeënnegentig? Meneer... ?'

'Shannon. Patrick... Het staat boven de deur.' Hij schonk voor zichzelf iets in een klein glas, waar misschien een halve pint in kon, waarschijnlijk minder. 'Ik was hier toen ze werd geboren, man. We vierden feest op straat. Een tweeling. Het was me een feest. Ik ben Bry's peetvader, wat dat ook mag voorstellen.' Hij lachte en schudde zijn hoofd.

'En Sean, de oudste? Wat was er met hem?'

'Als u denkt dat het een klap was voor Andy, het verlies van zijn kind, had u eens moeten zien wat het voor Sean was. Hij was op zee, maar ze stuurden hem een bericht en vlogen hem terug van ergens... Rosyth misschien. Bleef maar over straat zwerven om haar te zoeken. Op braakliggende terreinen, zocht in koelkasten, of ginds op de Fleet, peurde in de modder. Het was volslagen zinloos, maar hij kon het zichzelf niet vergeven... Hij had altijd op haar gepast. Bryan... die was alleen maar heel close met haar, alsof ze één persoon waren. Maar Sean was altijd de grote broer geweest, de beschermer. Op een dag, een halfjaar nadat ze verdwenen was, misschien wat langer, vertrok hij gewoon. Hij kon het niet aan, alle herinneringen... en hij kon Bry niet aankijken.' Hij bediende een andere klant, kwam terug en frunnikte wat met een theedoek. 'Volgens de krant is hij de oven in gegaan... Klopt dat?'

Valentine knikte en schoof een paar munten over de bar voor wat uitgebakken zwoerdjes.

De waard maakte maniakaal glazen schoon, zwaaide met een schone doek.

'Gelukkig stel, hè... Bryan en Ally?' vroeg Shaw. Hij leunde op de bar en terwijl hij het vroeg hoestte de fruitautomaat een stroom kleingeld op.

De waard boog zich over de bar heen en draaide de theedoek als een wurgdraad tussen zijn vingers. 'God mag het weten. Als je afgaat op het geroddel hier zou je denken dat iedereen een geheim heeft. Het leven is hard, ze zijn eroverheen gekomen, dus dat is al een hele overwinning.'

'Het was maar een vraag,' zei Shaw.

'Kwam Bry ook hier?' vroeg Valentine.

'Niet echt. Kerstmis. Hij en zijn vader waren water en vuur. Die dingen gebeuren. Hij ging altijd naar de Retreat, in de haven.'

'En Neil?'

'O ja. Komt zijn vader halen om te eten. Het is net een herdershond, dat joch. Moederskindje.' Hij schudde zijn hoofd. 'Het is altijd één familie die de lul is in het leven... Je zou denken dat het een beetje wordt verdeeld. Neil doet zijn best voor zijn pa, telkens weer, maar Andy heeft geen belangstelling. Lichtelijk verbitterd, Andy. Eerder giftig. Maar Neil blijft zich maar uitsloven. Zielig, eigenlijk. Ik had Andy jaren geleden al laten verrekken.'

'En de Organist?' vroeg Shaw. 'Ooit van gehoord?'

De waard haalde een lap over het houtwerk. 'U kunt de jukebox eens proberen als u wilt; misschien is het zo'n jongerenbandje.' Hij glimlachte om zijn eigen grap.

Ze namen hun glas mee naar buiten. Valentine ging op de stoeprand zitten, een plek waarvan hij als kind al hield. Een minuut later ging Shaw weer naar binnen voor meer chips en om het glas van zijn brigadier te laten bijvullen.

'Er is een joch,' zei Shaw tegen de waard. 'Op straat. Draagt soms een kattenmasker. Beetje een mopsneus,' voegde hij eraan toe terwijl hij zijn eigen neus opduwde en de neusgaten oprekte.

'Ja. Dat is Joey, mijn kleinzoon. Ze wonen boven, zijn moeder en hij. Vader is 'm opeens gesmeerd. Opgeruimd staat netjes, de lul.' Hij tapte nog een bier voor zichzelf en goot het met één soepele beweging door zijn keelgat.

'Hij schijnt Andy Judd te kennen... Klopt dat?'

'Absoluut. Zoals ik al zei, ik ben Bry's peetvader; Andy is de peetvader van Joey. En een goeie ook; traktaties en zo.' Hij stopte met het schoonvegen van de bar, met het spelen van een rol waar alleen Shaw naar keek. 'Een goeie vent, Andy. Zoals ik zei, het is een gifkikker als je hem te na komt. En de drank doet hem de das om, maar vanbinnen...' Hij klopte met zijn vuist op zijn borst. 'Trouw. Zonder mankeren.'

Shaw ging weer naar buiten, vertelde Valentine wat hij gehoord had en toen stonden ze zwijgend naast elkaar. 'Het is deze straat, George,' zei Shaw ten slotte. 'Het draait allemaal om deze straat. Het is niet alleen Bryan Judd. Of Deken. Of wat er in het ziekenhuis gebeurt. Er is meer. Iets wat ons ontgaat.'

In het midden van de straat, op de oude treinrails, draaide hij zich om zijn as. Er draaide een minibusje Erebus Street in, dat voor de wasserette stopte. Op de zijkant stond een embleem: MEDISCH CENTRUM LYNN – EEN HECHTE GEMEENSCHAP.

Andy Judd stapte uit en streek met zijn hand door zijn grote bos zilvergrijze haren. Hij betaalde de chauffeur niet, en die keerde om en vertrok. Andy liep enkele stappen in de richting van de Crane, zag hen en sloeg af naar de wasserette. Shaw hoefde Valentine niet te vragen om te bellen. Hij kreeg Twine aan de lijn en vroeg hem het medisch dossier van Andy Judd te lichten en het telefoonnummer van zijn huisarts te zoeken. Eén belangrijke vraag: had hij een regelmatige afspraak in het Queen Vic? Terwijl de brigadier aan de telefoon was zag Shaw Ally Judd uit de kerk komen. Ze deed de kleine lancetdeur achter zich dicht en liep toen langs de zijgevel naar de bank bij de halfronde victoriaanse apsis, de bank waarop Deken die eerste middag in Erebus Street had plaatsgenomen. Ze liep er haastig naartoe, met gebogen hoofd, alsof ze wegrende van een pijnlijke ontmoeting. Ze zagen hoe ze de bank bereikte, erop neerviel en haar handen voor haar gezicht sloeg.

'Martin zal wel in de kerk zijn,' zei Shaw. 'Hou hem tien minuten aan de praat, George, dan kijk ik intussen of ik Ally Judd onder vier ogen kan spreken.'

Shaw stak het kerkhof over, waar de middagzon de schaduwen van de stenen had verdreven. Als ze hierheen was gegaan om aan de warmte te ontsnappen was het een slechte keus: de muur van de kerk zinderde in de hitte en een jonge cipres naast de bank leek te verleppen door zijn poging om groen te blijven. Shaw bleef staan bij een gedenksteen, een engel op een sokkel, om haar nog enkele ogenblikken rust te gunnen. Hij meende haar te horen huilen, maar hij wist het niet zeker.

Hij keek op naar de zilvergrijze bladeren van de cipres. Het had een reden, dacht hij, dat ze op kerkhoven altijd zulke bomen plantten. Omdat ze altijd groen bleven natuurlijk – een symbool van het leven dat niet werd onderbroken door de dood – maar er was een speciale reden, dat wist hij zeker. Het waarom ontging hem en hij kreeg dan ook slechts een lichte schok van herkenning toen hij zich, voor het eerst en bewust, iets anders herinnerde, iets uit een gebrekkige les in Griekse mythologie, lang geleden: die wachtkamer van de hel, de toegang tot Hades, was Erebus, de personificatie van duisternis en schaduw.

Er stak een bries op terwijl hij zichzelf dwong een stap naar voren te zetten. Zijn voet kwam neer op een kapotte bierfles en ze keek op. Hij zag dat haar ogen roodomrand waren, haar gezicht pafferig en vormloos, alsof het haastig uit boetseerklei was gevormd. Hij gunde haar de ruimte op de bank, ging ontspannen in het gras zitten en sloeg zijn benen als een boeddha over elkaar.

'Pastoor Martin is in de sacristie,' zei ze. 'Er is een vergadering, over de herbouw van het pension. Het gaat duizenden ponden kosten, maar de verzekering betaalt.' Ze probeerde een glimlach, die volkomen mislukte.

'Als u ons niet de waarheid vertelt komt het uit; leugens komen altijd uit,' zei Shaw. Een merel streek neer in het zand dat zich had opgehoopt in de goot aan de voet van de muur en nam fladderend en piepend een stofbad.

Ze keek recht voor zich uit in de verte.

'Neil weet het niet, daar ben ik van overtuigd,' zei Shaw. 'Omdat hij een buitenstaander is. Een onschuldige buitenstaander, op een vreemde manier, ondanks zijn tatoeages en zijn vechtsport. En hij wil het gezin koste wat het kost bijeenhouden, dus hij zou boos zijn, heel boos, niet? Als hij dacht dat u Bryan had bedrogen.'

Ze hoorden in de verte een sirene in de haven, die het begin van een nieuwe ploegendienst aankondigde. Ze schrok van het geluid en moest haar handen opnieuw op haar knieën leggen en een van haar voeten onder haar lichaam trekken. Shaw zag dat er een appel in haar schoot lag, groen, met één enkele, ijswitte beet.

'Maar Bryan? Dat is de vraag waar het om draait,' zei Shaw. 'Wist Bryan dat u een verhouding hebt met Thiago Martin?'

Toen stond ze op en keek om zich heen, om te zien of er een uitweg was, niet alleen uit de zon, maar weg van de vraag. Ze draaide zich om en liep naar de muur van het kerkhof, waar enkele zerken in waren gemetseld. Met haar rug naar Shaw toe raapte ze een cipresblad op, bekeek het en draaide zich toen om.

Ze keek in Shaws ogen en hij was er zeker van dat ze zich op het afwijkende concentreerde, wetend dat het blind was. 'Pas een paar dagen voor zijn dood,' zei ze. Haar stem klonk nu merkwaardig formeel, alsof ze een verklaring aflegde in de getuigenbank. 'De hoofdwaterleiding was gebroken en we zaten zonder water. Er kwam een vrouw binnen om te helpen, ze was er en wist niet wat ze moest doen. Ze belde me, maar ik had mijn telefoon in de wasserette laten liggen. Dus belde ze Bry. Hij zocht iemand die zijn halve dienst kon overnemen en fietste terug. Hij vond me, ons, samen, boven nummer 14. Dat was het einde.'

'Het einde van de verhouding?'

'Ja. Bry was er kapot van. Hij probeerde zijn leven weer op de rails te krijgen. Probeerde te stoppen met de drugs.' Shaw vroeg zich af of ze dat echt dacht, of zich gedwongen voelde van de doden geen kwaad te spreken. 'Ik had het recht niet om dat kapot te maken. Thiago ging weg. Ik zei dat het voorbij was, zei tegen Bry dat het voorbij was – als hij wilde dat het voorbij was. Meer kon ik niet doen, en Thiago wilde het ook zo. Bry zei die avond dat als het voorbij was, hij het me kon vergeven.' Ze ging weer op de bank zitten en legde haar ene hand op de andere. 'Er werden beloften gedaan.'

'Die u zondagavond verbrak?' vroeg Shaw.

'Dat was een vergissing.'

'Hoe laat was die "vergissing"?'

Ze boog haar hoofd achterover en Shaw vroeg zich af of ze zat te rekenen.

'Om zes uur. We ontmoetten elkaar altijd om zes uur. Maar niet thuis... Ik kwam hierheen. Ik liet Martha achter in de wasserette. Een vriendin,' voegde ze eraan toe. 'Ze is er nu ook.'

'Bedankt,' zei Shaw terwijl hij opstond. 'Van zes tot...?'

'Tot u me op straat zag.' Ze ging weer op de bank zitten, trok haar benen op en sloeg haar armen eromheen. Maar Shaw vond dat het een merkwaardig ontspannen beweging was en hij vroeg zich af of ze beter was in het verbergen van de waarheid dan hij dacht. Deze vrouw was het stille hart van de familie Judd, waar de rusteloze mannen omheen leken te draaien. Shaw kon begrijpen dat ze iemand was die gewend was geheimen te bewaren en hij vroeg zich of hoeveel meer ze er nog had.

'Moet u met Thiago praten?' vroeg ze.

'Ja. Ik moet met pastoor Martin praten. Natuurlijk. En ik moet u het volgende vragen: liegt u opnieuw tegen me, tegen ons? Was pastoor Martin zondagavond inderdaad bij u of ging hij naar het ziekenhuis? Wilde hij het misschien uitpraten met Bryan? Want als Bryan u had laten gaan...'

'Nee,' zei ze. 'Dat zou hij nooit doen. Hij respecteerde Bry's beslissing, de belofte die ik gedaan had.'

'Nee, dat deed hij niet,' zei Shaw, boos dat hij had toegelaten dat zijn sympathie voor deze vrouw zijn oordeel had vertroebeld. 'U lag – als we u geloven – samen in bed toen hij stierf. Wat is dat voor respect?'

Ze kromp ineen en richtte haar blik weer in de verte. Valentines voetstappen kaatsten op het asfaltpad en toen Shaw zich omdraaide ging de telefoon van zijn brigadier. Valentine luisterde, vormde met zijn mond de naam 'Twine', verbrak de verbinding en liep weg, zodat Shaw hem achterna moest lopen, tot buiten gehoorsafstand van Ally Judd. 'Volgens het ziekenhuis is Andy Judd een regelmatige poliklinische patiënt op de leverafdeling. Hij krijgt steroïden en in mei zijn de eerste stadia van levercirrose bij hem vastgesteld. Hij is op dieet. Hij staat niet op een wachtlijst voor transplantatie, vanwege zijn voortdurende alcoholmisbruik. Hij komt op maandag en donderdag, van halfelf tot twaalf. Twine heeft de consulterend geneesheer gesproken. Onder ons gezegd en gezwegen: de vooruitzichten zijn somber. Over een jaar is hij dood, of eerder, als hij geluk heeft.'

Shaw dacht aan de goden en aan de tocht naar de onderwereld van Erebus, een land van schaduwen op de oevers van de dodenrivier. Om over te steken naar de Hades moest je de veerman betalen. Maar dit was een stoffige straat op een zomerdag in Lynn, geen mythe. Misschien kon je in deze wereld voorkomen dat je voor de overtocht moest betalen. 'Tenzij ...' zei hij terwijl hij de straat op en neer keek, naar de afbladderende verf op de raamkozijnen, naar een lelijke vochtplek in de zijmuur van de Crane, '... tenzij hij honderdvijftigduizend pond kan vinden. Dat was de prijs toch? Als hij zo veel geld had kon hij een nieuw leven kopen.'

30

HET RAAMWERK VAN DE oude gashouder stak af tegen de avondhemel als het skelet van een dinosaurus. De strakke kruisingen van de stalen spanten omlijstten de voorbijdrijvende maan. Er was ook een ster zichtbaar, laag boven de daken van North End. Valentine liet de Mazda in Adelaide Street achter een container staan, maar onder een lantaarn, controleerde of hij op slot was en ging toen door een gat in de omheining Shaw voor naar het braakliggende terrein, enkele honderden vierkante meters van schaduwloos, verlaten beton vol roestvlekken.

Shaw hield niet van volgen, maar dit was Valentines moment van glorie, de doorbraak die de zaak zou kunnen opengooien. Ze hadden die middag het signalement van de man die ze op de zandbank hadden gevonden via radio en tv laten verspreiden. Maar Valentine had niet afgewacht tot er iemand belde; hij had de telefoon gepakt en zijn oude adresboek afgewerkt. Daarna was hij de straat op gegaan om de plaatselijke onderwereld te ronselen. Op de hoek van een straat was hij voor een lommerd benaderd door een zwerver, die een naam aanbood. Maar niet daar, niet op dat moment. Hij moest persoonlijk komen om te incasseren. En er hing een prijskaartje aan. En niet alleen maar in geld.

'Wacht,' zei Valentine, en hij verdween tussen enkele doornstruiken uit het gezicht.

Shaw zag Venus door een in staal gevat vierkant van avondlucht schuiven, op de slippen van de maan. Zijn middag had, anders dan die van zijn brigadier, niet veel opgeleverd. Hij had dokter Gavin Peploe ontmoet in OK 7, half verlicht, gesloten voor de middag. Een vreemd dreigend vertrek, vol matte glinsteringen van chirurgisch staal, gedoofde lampen en de dode ogen van elektronische monitoren.

Peploe had spijt gehad van zijn eerdere aanval van humeurigheid. Een en al charme had hij Shaw de preoperatieve voorzieningen laten zien, de wasruimte, de elektrische wand die kon worden weggeschoven zodat er een dubbele OK ontstond. Shaw had eveneens nieuws: het team van de Nationale Weefselbank had het onderzoek van de eerste drie orgaanbanken afgerond, die onder de nationale gezondheidszorg vielen. Geen spoor van illegale activiteiten. Bleef over Bank D van OK 7.

'Maar het is ondenkbaar,' zei Peploe, met beide handen plat op de operatietafel. Hij was intelligent genoeg om de inspecteur niet neerbuigend te behandelen en probeerde dus uit te leggen hoe ondenkbaar het was dat hier, in het hart van een openbaar ziekenhuis, een illegale orgaantransplantatie zou hebben plaatsgevonden.

'Het is de schaal van de noodzakelijke samenzwering die het ondenkbaar maakt,' zei hij. 'Voor een operatie – oké, misschien een chirurg, een anesthesist en een verpleegkundige. Drie mensen. Maar daar gaat het niet om. Je hebt een ontvanger nodig. Ze zouden te voet kunnen komen, maar ze zouden niet te voet kunnen vertrekken. Waar worden ze verpleegd? Als het een operatie is waarbij de donor aanwezig is, moet die worden voorbereid, en daarna moet hij herstellen. Hij gaat dus terug naar een afdeling. Welke afdeling? Waar is zijn dossier? De verwijzing door de huisarts? En vergeet niet: het belangrijkste stukje bewijs hier is de menselijke nier die op de transportband is gevonden. Dat betekent – daarvoor is veréíst – dat al het andere eveneens clandestien gebeurt, zonder dossier, zonder documentatie. Geloof me, Shaw, het is ergens achteraf gebeurd. Niet hier.'

Venus verdween achter een stalen balk. Shaw bleef achter met een vraag: als het niet in OK 7 was gebeurd, of in een van de niet-particuliere OK's, waar dan wel? Zijn mobiele telefoon trilde. Hij keek naar het nummer: Lena, op de vaste telefoon. Hij wilde aannemen, maar iets weerhield hem. Ze zou willen weten waar hij was, want hij was vergeten haar om vijf uur een sms'je te sturen, een dagelijks ritueel. Maar hij had eerst naar St James's terug willen gaan voordat hij naar huis ging, om de opnamen van de botsing op Castle Rising nog eens te bekijken. Hij worstelde nog steeds met de vraag of hij wel of niet zou opnemen toen Valentine terugkwam en hem wenkte met een korte beweging, zijn hand bleek in de invallende schemering. Shaw stopte de telefoon in zijn zak en nam zich voor haar te bellen als ze hier klaar waren.

'Waarom wordt die vent de Ekster genoemd?' vroeg Shaw terwijl hij zich een weg baande over het illegaal gedumpte afval van tien jaar: een koelkast, een kinderwagen, de vulling van een matras. Dat was alles wat Shaw over Valentines informant wist, plus het feit dat hij St James's al vijftien jaar van informatie voorzag.

'Dat merk je vanzelf,' zei Valentine.

Shaw vond het maar niks dat Valentine de leiding had en hij vroeg zich af of hij dáárom zo ongerust was over deze abrupte wending in het onderzoek. Hij overwoog een antwoord te eisen, liet het toen maar zo.

'Heeft mijn vader die man gekend?' vroeg hij in plaats daarvan en hij wenste onmiddellijk dat hij de vraag had ingeslikt. En hij had zijn naam en rang moeten gebruiken. 'Vader' was te persoonlijk, een uitnodiging tot intimiteit.

'Nou en of. We runden hem allebei.' Valentine bleef zwaar hijgend staan. 'Maar de deal van vanavond is zoals altijd: we hebben hem nooit ontmoet, oké? We kennen hem niet. Het laatste wat hij wil is herinnerd worden aan zijn tijd als verklikker.'

Shaw bedacht hoe onmogelijk het zou zijn om elke dag bevelen van George Valentine op te volgen. En hij vroeg zich af, voor het eerst, of Valentine hetzelfde dacht over hem en zo ja, wat voor nachtmerrie zijn leven dan moest zijn.

Even later verscheen er een pad door het afval, platgetrapt in onkruid en distels; glasscherven glinsterden in het maanlicht. Het pad leidde naar een gat in de stalen wand aan de voet van de oude gashouder. Ze klauterden erdoorheen en keken zes meter omlaag in het ronde bassin. Een volmaakte o, tachtig meter in doorsnee, een vloer van afval met hier en daar een vuur. Shaw dacht aan een kamp in de bronstijd, de vlammen het enige menselijke licht duizend kilometer in de omtrek. Daklozen hadden iets waardoor hij zich altijd de ultieme buitenstaander voelde. Het was niet alleen een wereld die hij niet kon betreden, het was een wereld die hem bang maakte, want het was het tegengestelde van thuis.

Een rand van kartonnen slaapruimten. Er hing een geur in de lucht, van cider en hotdogs. De dichtstbijzijnde groep, vier zwervers die op bierkratten zaten, stond op en een van hen floot schril. Een terriër blafte wild tot een van de mannen hem een tik gaf met een touw. Ze luisterden terwijl Valentine uitlegde dat ze een boodschap hadden gekregen van een zekere Ekster, dat ze vanavond hierheen moesten komen, na zonsondergang. Ze waren alleen. Valentine stak zijn armen uit, zijn regenjas over één ervan.

'Ik weet niet wie het is,' loog Valentine terwijl hij om zich heen keek.

Ze werden verder geleid, door de kring naar de bouwval van een bakstenen gebouw met één verdieping. Het dak en een van de muren waren verdwenen, maar in de overgebleven beschutte ruimte gloeide de as van een groot vuur nog na. Shaw probeerde niet naar de gezichten te gluren, een clair-obscurwereld van starende ogen die, net als die van de *Mona Lisa*, hen leken te volgen.

De man die Shaw voor de Ekster aanzag zat met voor zich uitgestrekte benen op iets wat op de gedemonteerde voorstoel van een autowrak leek. Zijn naam ontleende hij aan zijn gezicht. Zwarte huid, Afro-Caribische trekken, maar ontsierd door vlekken wit, pokdalig vlees. Een van de bleke vlekken strekte zich uit tot zijn haargrens en ook zijn zwarte haren vertoonden een witte streep. De gevlekte man. Een menselijke ekster.

Shaw gaf hem een hand, zich bewust van de merkwaardige symmetrie van hun asymmetrische gezichten. Het zijne met één blauw en één blind oog, dat van de Ekster met zwarte huid rondom het ene en blanke huid rondom het andere oog.

Valentine trok een krat naar zich toe en Shaw voelde dat zijn overdreven vertoon van ongedwongenheid slechts gedeeltelijk voorgewend was. De brigadier voelde zich hier echt thuis, te midden van de ontheemden. Hij haalde een volle fles Johnnie Walker uit de zak van zijn regenjas, draaide de dop eraf en zette hem op de warme grond naast het vuur.

Er werden vijf tinnen mokken volgeschonken, een voor elk van hen en een voor een man die aan de rand van de lichtkring zat en wiens gezicht schuilging achter lange haren. Alleen zijn benen waren zichtbaar in het schijnsel, gestoken in een gerafelde, vlekkerige krijtstreepbroek.

De Ekster had nog geen woord gezegd. Hij hield zijn hand tegen het laatste licht in de lucht en Shaw zag dat zijn vingers vol ringen zaten. 'De vinger hier is weg,' zei hij en hij wees naar de wijsvinger van zijn rechterhand, net onder de knokkel. Zijn stem klonk ondergronds, rommelend als een metrotrein.

Shaw knikte.

'De krant had weinig te vertellen,' zei de Ekster.

Shaw dacht aan wat hij méér zou kunnen vertellen. Ze hadden de details over het lijk dat ze op Warham's Hole hadden gevonden niet voor niets achtergehouden, voornamelijk om te voorkomen dat ze op een dwaalspoor werden gebracht door de gebruikelijke telefoontjes van mensen die de verantwoordelijkheid opeisten of onjuiste informatie verstrekten. 'Het lichaam had al enige tijd in het water gelegen, zo'n achtenveertig uur.' Shaw haalde diep adem en besloot een risico te nemen. 'Het was beide ogen kwijt.' Er werd naar adem gehapt rond het kleine kampvuur en voeten werden teruggetrokken van de warmte. 'We zullen op het verslag van de patholoog moeten wachten, maar de kans is groot dat zijn hoornvliezen operatief zijn verwijderd.'

De Ekster keek achterom in de schaduwen en de verborgen man trok zijn benen in.

'Pearmain,' zei de Ekster, en hij spelde het. 'Zo heette hij. P-E-A-R-M-A-I-N. We noemden hem John omdat hij uit Londen kwam, niet omdat dat zijn naam was.'

'Wanneer was dat?' vroeg Shaw.

'Een halfjaar geleden. Hij verdween van de ene dag op de andere. Hij was er gewoon niet meer.'

Shaw keek om zich heen. 'Is dat niet het mooie van dit leven – dat je gewoon kunt verdwijnen?'

'Hij liet dingen achter – een hond, een tas met schoenen. Dat doen mensen niet, zelfs mensen zoals wij niet,' zei de Ekster.

Maar het klopte niet, dacht Shaw. Het lijk was vers. Waar was hij in die zes maanden geweest? 'Enig idee?' vroeg hij.

'We hebben geen *i-dee-en* nodig,' zei de Ekster, het woord uitrekkend. 'We wéten wat er gebeurd is.' Shaw zag een straaltje whisky over zijn onderlip lopen. Valentine boog zich naar voren en schoof een biljet van vijftig pond onder de fles.

'Om de zes tot acht maanden,' zei de Ekster. 'Hij gaat op pad en zoekt ze... Twee, misschien drie. Er waren twee anderen bij Pearmain; de een werd Foster genoemd, de ander...' Hij keek achterom in de schaduwen. De stem van de man in het haveloze krijtstreeppak zei: 'Tyler.'

'Precies. Drie tegelijk. Dezelfde nacht. We weten niet hoe ze...' Hij zocht naar het woord. '... ze selecteren. Ze werden contant betaald. Vijftig pond, ter plekke. Een belofte van de rest na afloop.'

Shaw voelde een wanhopige behoefte om dit te spellen, te stoppen met het uitwisselen van eufemismen. 'Er wordt hun een voorstel gedaan – om lichaamsdelen te verkopen. Organen? Tegen contante betaling?'

'Het is een kopersmarkt,' zei de Ekster. De man in de schaduw lachte. 'Ze beloven duizend pond. Een nier. Stukjes lever...' Hij likte langs zijn lippen. 'Schijfjes. Dat is vijftienhonderd. Stukjes huid. Pezen. Aderen. Er is een lijst. Het brengt veel geld op... Een fortuin, voor ons.'

'En die twee anderen… We weten dat ze zijn verdwenen, net als Pearmain. Zijn ze niet gewoon verder gezworven?''Ze trokken samen op, die drie. En ze lieten ook dingen achter, in hun hut. Een thermosfles, een portemonnee. Dingen die je nooit achter zou laten, nergens, tenzij je er sliep.'

'Zijn ze teruggekomen?'

De Ekster rakelde met zijn schoen in de as van het vuur. 'Er komt niemand terug. Dat hoort bij de afspraak.' Hij dacht erover na. 'Bij wat ze zéíden dat de afspraak was. Maar als Pearmain op een zandbank is gevonden… Het verhaal dat hun verteld werd was simpel genoeg: ze krijgen het geld, handje contantje, ze mogen herstellen en dan een gratis reisje naar een andere stad. En ze komen niet terug… nooit.'

'Helemaal nooit?' vroeg Valentine. Hij bood de Ekster een sigaret aan, maar deze sloeg hem af. 'Hoe weet je dan wat er gebeurt?'

De Ekster negeerde hem. 'Ik heb jullie informatie gegeven. Goede informatie. Zonder verplichtingen, maar ik wil een gunst. Ik zou een gunst willen vragen. Voor hem…' Hij knikte naar de schaduwen. 'Omdat hij zei dat we het jullie moesten vertellen.'

De man in de schaduw stond op, schuifelde naar het licht en ging toen soepel op zijn hurken zitten, als een cowboy op de prairie. Zijn haren waren bij elkaar gebonden in een paardenstaart. Shaw herkende de man die hij had gered uit de slaapkamer van Erebus Street 6, de man die hij door angst overmand op de grond had aangetroffen terwijl het huis onder hem in brand stond, de man die twee dagen geleden uit het Queen Vic was verdwenen.

'Meneer Hendre,' zei hij. 'We hebben u gezocht.'

'Ik mag mezelf uit het ziekenhuis ontslaan, ik heb alleen de formulieren niet ingevuld. Ik snap dat u me wilt ondervragen… Nou, dat kan.' Zijn stem was die van iemand uit de middenklasse en Shaw herinnerde zich Hendres oorspronkelijke beroep: boekhouder. 'U hebt mijn leven gered. Zo betaal ik u terug. En daarmee uit.' Ondanks de hitte van het vuur trok Hendre de revers van het krijtstreepcolbertje naar elkaar toe. 'Als u me niet in de getuigenbank zet en ik niemand hoef te identificeren, zal ik u vertellen wat er gebeurd is; doe ermee wat u wilt. Ik kan morgen rond de middag vertrekken. Ik zal u zeggen waarheen, maar ik vertrek.'

Hendre tastte in zijn binnenzak naar een kwartfles scotch, nam een slok, bood niemand iets aan. Hij verlaagde het peil in de fles met vijf centimeter. Shaw herinnerde zich de karakterschets door Liam Kennedy van Peter Hendre, en de opmerkingen dat hij van de drugs en de alcohol af was.

'Ik kan niets beloven,' zei Shaw. 'Maar de kans is groot. Uw beste kans.' Hij keek om zich heen. 'Uw enige kans.'

Hendre zette een knie op de grond, boog zich naar voren en haalde een stuk hout uit het vuur om een gerolde sigaret aan te steken. Shaw dacht aanvankelijk dat hij knikte, maar nu zag hij dat het een tremor was, waardoor zijn hele schedel snel trilde.

'Ik was een jaar geleden in de Sacred Heart of Mary. Overdag buiten, 's nachts in het middenschip. Ze hielden er niet van als iemand dronk, dus ik deed het stiekem. Ik dronk overdag en was op tijd weer nuchter voor de gratis maaltijd. Ik zet het soms op een zuipen, maar ik heb het niet elk uur dat ik wakker ben nodig. Als ze je betrapten op drinken gaven ze je van die medicijnen waardoor je moet kotsen. Dat wilde ik niet. Dus speelde ik het spel mee.' Hij nam opnieuw een slok. 'Het werkte. Het werkt nog steeds. Dat is de makke met aardige mensen: ze willen het beste van je geloven.'

Gelach ging de kring rond. Hendre keek naar zijn voeten. 'Misschien heb ik ze voor de gek gehouden, misschien kon het ze geen zak schelen. Maar goed, ik was vorig jaar zomer op het braakliggend terrein bij het slachthuis om mijn roes uit te slapen, toen ik wakker werd. Er is daar een strook gras en daar had ik me opgerold. Ik had een boek uit de bibliotheekbus – *Anna Karenina* – dat ik opengeslagen over mijn gezicht had gelegd. Het eerste wat ik voelde was een verzengende pijn in mijn dij.' Hij raakte de spierbundel net onder zijn kruis aan. 'Er was iemand; ik herinner me alleen een schaduw die zich over me heen boog. En een stationair draaiende automotor, op het pad. Toen verloor ik het bewustzijn.' Hendre schudde zijn hoofd, zodat zijn paardenstaart achter in zijn nek kwispelde.

De Ekster gooide een gebroken krat op het vuur, dat oplaaide, en de lucht trilde in de hitte-explosie.

Hendre stond op, opende zijn jas en trok zijn T-shirt uit zijn broek, zodat ze zijn huid konden zien, de rand van zijn schaamhaar, zijn navel en het litteken daarnaast.

'Zo werd ik wakker.' Een incisie, en afgaande op Peploes beschrijving, was Shaw er zeker van dat die het gevolg was van het verwijderen van een nier. Een kijkoperatie: twee kleine littekens, tien centimeter van elkaar, één voor elk instrument, als de mechanische armen van een kermisautomaat die naar een knuffelbeer tasten.

'Waar werd u wakker?'

'In een kamer. Kale betonnen muren, pijpleidingen in het plafond. Er klonk een soort zoemen, als van een machine. Een metalen deur met klinknagels. Alleen een bed, beddengoed, een tl-buis. Ik had mezelf bevuild en ik voelde de pijn in mijn zij. We hadden het in het pension wel eens over de Organist gehad. Geruchten, praatjes. Sommige verhalen waren via de geruchtenmolen teruggesijpeld.' Ze lachten om zijn grap. 'Niemand wist echt iets, behalve dat er iemand was en wat die wilde. Dus kon ik niets anders doen dan blijven liggen, wetend wat ze met me hadden gedaan.'

'Hebt u iemand gezien?'

'Ik wachtte. Het was doodstil, op dat zoemen na. Niks buiten. Toen hoorde ik iemand aankomen. Eerst hoorde ik stemmen, door de muur heen. Heel zacht, nauwelijks meer dan een gemompel.' Hendre sloot zijn ogen en haalde zich het tafereel voor de geest. 'Ik hoorde twee sloten en toen kwam hij binnen. Hij zag er buitenlands uit: een gebruind gezicht, maar niet het bruin van een zomervakantie... natuurlijk bruin. Knap, sluik zwart haar.' Hij zocht naar meer bijzonderheden. 'Een gouden ring aan een van zijn vingers. Hij sprak met een zwaar accent, slissend. Spaans of zo, denk ik.'

'Portugees?' vroeg Valentine zonder de dringende klank uit zijn stem te kunnen weren.

Hendre haalde zijn schouders op. 'Hij zei dat ik had ingestemd met het afstaan van een nier, dat ze me duizend pond hadden geboden.' Hij lachte. 'Gelul. Maar hij zal zich er beter door hebben gevoeld. Maar goed, dat doet er niet toe; ik zou namelijk geen geld krijgen omdat ze mijn nier niet konden gebruiken. Hij zei niet waarom, zelfs niet toen ik het vroeg. Maar ziet u, het ligt nogal voor de hand.' Hij liet het peil in de whiskyfles nogmaals vier vingerbreedten dalen. 'Ik bleef een paar dagen en toen gaven ze me tweehonderd... tweehonderd pond, verdomme. Ze verdoofden me weer en dumpten me bij de Sacred Heart of Mary. Ik kreeg een week de tijd om te vertrekken. Iets nieuws te vinden. Als ze me ooit weer in Lynn zagen zouden ze me oppakken. Als ik vertelde wat er gebeurd was, zou ik het bezuren. Hij had een mes, die vent, en hij pakte het en zette het hier...'

Hendre drukte met zijn wijsvinger in het zachte vlees onder zijn rechteroog.

'Ogen. Hij zei dat hij daar een fortuin voor kon krijgen. Maar geen donoren... tenzij ze dood waren. Lachte zich een breuk. Hij zei dat ik daarna moeite zou hebben om Tolstoj te lezen.'

'Vertel me wat meer over de kamer,' zei Shaw.

Hendre haalde zijn schouders op. 'Wat valt er te vertellen? Het was er warm, altijd, een soort constante warmte, maar er was niets in de kamer, geen radiator, en de leidingen liepen langs het plafond. Het licht ging nooit uit... Nee, één keer wel, als een korte stroomstoring, maar buiten was noodverlichting, want zelfs in het donker kon ik licht zien door een sleutelgat. Toen ze de deur openden om eten en medicijnen te brengen – het was altijd die spaghettivreter – kon ik in de gang kijken. Smal, verlicht, maar niet erg fel. Donkerder dan de kamer. Kale betonnen muren. En ook daar leidingen – water en elektriciteit, denk ik – met tape aan het plafond bevestigd.'

Shaw keek Valentine aan, in de wetenschap dat ze aan hetzelfde dachten: het souterrain van het ziekenhuis, Niveau 1, met zijn doolhof van gangen. 'En het zoemen?'

'Ja. Altijd, alsof je ín iets was.'

De Ekster haalde een grote plastic fles witte cider uit zijn krat en nam een slok. Ze hoorden kreten bij de rand van de gashouder en zagen twee vechtende gedaanten, verstrengeld in een dans. Honden blaften en schimmen snelden toe om de twee te scheiden.

'Waarom bent u teruggekomen naar Lynn?' vroeg Shaw.

'Puur geluk. Onafgedane zaken. Vóór dit leven.' Hij keek naar de gezichten rondom het vuur. 'Ik heb een ander leven geleid. Ik heb een paar oude dametjes van hun geld beroofd. Ik dacht dat ze zouden sterven. Dat deden ze niet. Het was gewoon pech. Ik werd ontslagen, begon te zwerven. Het is geen schitterende aanbeveling, ik weet het... Corrupte boekhouder. Nou ja...' Hij lachte en nam een slok uit de fles. 'Je kunt er eigenlijk prima de kost mee verdienen, als je het niet rondbazuint.' Hij stond op. 'Nadat ze me bij de kerk hadden gedumpt, na de operatie, stapte ik naar de beheerder, Liam, om een plek te vinden waar ik naartoe kon. Ik had behoefte aan een nieuwe start. Ik had wel eens voor de kerk gewerkt – juridisch advies, niks bijzonders, een wetswinkel doet het beter, maar zo was het discreet. Ze kenden me dus. Ze bezorgden me een baantje in Hunstanton ... Daar is een kerk en beschermde huisvesting. Best redelijk. Ik heb nog wat geklust. Toen kreeg ik een brief van de beheerder. Raad eens? Een ander oud vrouwtje voor wie ik had gewerkt, had het loodje gelegd en me ter nagedachtenis iets nagelaten. Legaal. Lief. Ik heb geen bankrekening. Ik moet me morgenochtend om tien uur bij White & Angel in Queens Street melden. Dan ben ik weg uit deze zooi. Ik zou rijk kunnen zijn. Misschien ook niet – ze had katten, dus misschien moet ik die kutbeesten te eten geven.'

Alle gezichten rondom het vuur glimlachten.

'En de Organist?' vroeg Shaw. 'Die avond van de brand – hoe wíst u dat hij in Erebus Street was?'

'Omdat ik wist dat hij teruggekomen was.' Hij nam opnieuw een slok whisky en bevochtigde zijn lippen. 'Dat had zijn hulpje me verteld.' Zijn hand trilde nu op hetzelfde ritme als zijn hoofd. 'Het was een jaar geleden, jezus, ik had geen woord gezegd, niets, zelfs niet toen een van de oude maten in het pension vroeg waar ik had uitgehangen. Ik dacht: barst maar, ik zeg niks. Ik dacht dat het wel kon, een of twee nachten in Lynn. Ik vroeg dat joch om onderdak in het pension en hij zei dat het oké was; ze hadden plaats, als ik maar clean was. Dat was ik, zei ik.

En ik zou binnen zijn, uit het zicht. Maar de eerste avond, de avond voor de brand, ging ik wandelen, ik moet af en toe wandelen, in de buitenlucht. Dus ik ging naar de haven, langs de Cut en toen terug. Er liep iemand achter me. Ik hoorde voetstappen toen ik door de steeg naar de straat liep ... Ik rende inmiddels. Hij probeerde niet geruisloos te lopen, beukte zijn voeten op de grond, achter me. Ik bereikte de achterdeur, hanneste met de sleutels en toen kwam dat joch eraan, met zijn afgezakte broek en een masker op, als een kat. Brutaal ventje; hij vroeg me tien shilling. Ik gaf het hem, gewoon omdat hij het vroeg. Toen hij het aanpakte, greep hij mijn hand.' Hendre stak zijn vuist op, gebald. 'Toen zei hij het, toonloos, als een zin die hij vanbuiten had moeten leren. "Hij weet dat je terug bent." Meer niet. Toen wees hij naar zijn oog, net als die spaghettivreter, en toen rende hij weg.'

31

'HET IS NIVEAU 1,' zei Shaw terwijl hij de condens van de voorruit van de Mazda veegde. Ze stonden geparkeerd in Erebus Street, in de richting van de T-kruising en met achter hen de havenpoort. Er brandde licht in de Sacred Heart of Mary en het traliewerk van de ramen en het victoriaanse gebrandschilderde glas lichtten op in de schemering. Wit schijnsel dat door de melkglazen ruiten van de Crane kwam. Een nazomerstorm had de lucht afgekoeld en de tafels buiten waren verlaten. Maar de ramen van de pub stonden open en er lekte een dun spoor van jukeboxgeluiden naar buiten onder de oranje straatlantaarns.

'Kan niet anders,' zei Shaw. 'Het geluid, de warmte, de leidingen. Vandaag hebben we geen tijd meer, maar regel het voor morgenvroeg, George. Ik wil Niveau 1 ondersteboven halen. We hadden eerder moeten kijken, want als ze ginds regelmatig menselijk afval zouden wegwerken, zouden ze alles bij de hand hebben. Het is geknipt.'

Hij sloeg zijn handen voor zijn gezicht en probeerde iets uit zijn geheugen te dreggen. Iets wat Liam Kennedy had gezegd. *Ik hoor stemmen... We horen ze allemaal...* 'Er is op Niveau 1 een vertrek dat is toegewezen aan een groep die Weerklank Netwerk wordt genoemd,' zei hij. 'Kennedy had het erover. Ik heb de deur gezien, bij een van de uitgangen naar de grote parkeerplaats. Laat die in elk geval checken; ik wil weten wat er achter die deur is.'

Valentine verroerde geen vin, want hij was er niet van overtuigd dat Niveau 1 het antwoord was. 'En jij denkt dat ze zo'n risico zouden willen lopen? Als iemand per ongeluk ergens was binnengekomen – een verkoeverkamer, de OK – zouden ze de klos zijn geweest. Boven zouden ze in elk geval minder opvallen.' Hij drukte de aansteker van de Mazda in. Shaw stapte uit voordat hij zijn sigaret kon opsteken en boog zich weer naar binnen. 'Ga naar Phillips, of naar Peploe, en zeg dat we Niveau 1 vanavond willen afsluiten. Het gebied dat ze moeten gebruiken, rond de liften, de kantoren, de rest, doen we eerst en daarna kunnen ze er weer over beschikken. Daar zal het trouwens niet zijn; ik vermoed dat het ergens aan de randen is. Maar laten we ons beste beentje voorzetten. Zeg tegen Twine wat er gaat gebeuren, praat hem bij. Ik wil iedereen morgenochtend paraat hebben. Oké?'

De deuren van de Crane gingen open en agent Campbell kwam naar buiten. Ze had erop gestaan dat de waard zijn kleinzoon Joey wekte, het kind van wie Pete Hendre dacht dat het het hulpje van de Organist was.

'Niets, chef,' zei ze. 'Maar hij zat behoorlijk in zijn piepzak. Zei dat hij nooit zo'n bericht had overgebracht en hij wist niets van een organist. Ik zal Gezinscontact vragen het morgenvroeg nog eens te proberen. Maar er zijn grenzen. Hij is pas zeven.'

'Bedankt,' zei Shaw. 'Het was een poging waard. Tot morgen.' Ze keken haar na terwijl ze naar een geparkeerde Citroën liep en een mobiel telefoongesprek voerde voordat ze wegreed.

Valentine keek op zijn Rolex. 'Klaar?' vroeg hij.

'Bijna. De verklaring van pastoor Martin klopt precies met die van Ally Judd, op de minuut af, dus wat is er gaande? Liggen ze boven te wippen terwijl Bryan Judd zijn moordenaar ontmoet in het ziekenhuis? Misschien. Of proberen ze iets anders te verbergen? En dan die studie medicijnen. Wat we ontdekt hebben in aanmerking genomen, is dat een detail dat ik niet kan laten schieten. Martin is in elk geval niet de man die Hendre zag toen hij na de operatie bijkwam – hij kent de pastoor. Maar het accent is wel heel toevallig. Ik ga de priester nog eens aan de tand voelen, en daarna ga ik naar huis om te slapen. Kun je de uniformdienst vragen de Land Rover voor me op te halen? Laat ze hem bij de Crane parkeren.'

'Komt voor de bakker.' De Mazda kwam hoestend tot leven.

'En George, wat vanavond betreft: de Ekster vinden en daarna Hendre, dat was goed werk. Goed gedaan.' Hij overwoog te glimlachen, maar hij wist dat het onecht zou lijken. De Mazda reed vijfenzeventig tegen de tijd dat hij de T-kruising bereikte en sloeg terug toen hij uit het gezicht verdween.

Shaw ging de Sacred Heart via de zijdeur binnen en zag tot zijn verrassing dat er, ondanks het tijdstip, een dienst aan de gang was. Hij trof Liam Kennedy vlak achter de deur, op het uiteinde van een bank, waarschijnlijk om late bezoekers uit de Crane te ontmoedigen, vermoedde Shaw.

Shaw knielde naast hem.

‘Middernachtsmis?’ vroeg hij.

‘Morgen is het het feest van Maria-Geboorte. We doen de avond tevoren altijd een mis. Een vigilie. Erg geliefd bij mensen van een bepaalde leeftijd. Het is bijna afgelopen.’

Shaw dacht dat hij niet graag zou zien wat niet-geliefd was. Er was een tiental gelovigen, de pensiongasten afzonderlijk aan één kant, voor een stuk of zeven, acht devotiekaarsen, als menselijke bundels, roerloos, op een kluitje.

Pastoor Martin stond bij het altaar, met zijn rug naar het middenschip, en reinigde de kelk met gespierde bewegingen, zodat zijn armen heftig bewogen onder zijn gewaden. Een schijnwerper verlichtte het gepoetste zilver van het tabernakel, waarvan de deur openstond naar het bladgoud van het interieur. De gelovigen zaten geknield of lieten een rozenkrans tussen hun vingers door glijden, op één man na, die met zijn hoofd achterover op de bank in slaap was gevallen.

Pastoor Martin zegende de gelovigen en zei hun in vrede heen te gaan. Parochianen drentelden naar buiten en de bewoners van het pension liepen in een groep door het middenschip naar de provisorische keuken. Martin sprak enkele mensen aan bij de deur en draaide zich toen, zijn stola afleggend, om naar Shaw.

‘Kan ik u van dienst zijn?’

‘Een late maaltijd,’ zei Shaw en hij keek naar de mannen die zich verdrongen rond een theeketel die Kennedy in het licht had gereden. Een koekblik trok hen aan als vogels rondom graan.

‘Eigenlijk meer een traktatie; ze hebben allemaal al eerder gegeten. Het is morgen een feestdag, dus...’ Hij lachte. ‘Een viering.’ Hij opende zijn armen, alsof hij het contrast tussen dat begrip en het sombere interieur van de kerk wilde benadrukken.

‘Kunnen we onder vier ogen praten?’ vroeg Shaw.

Martin ging hem voor naar het kleine vertrek achter het altaar en begon snel zijn gewaden uit te trekken.

‘U loog tijdens uw oorspronkelijke verklaring. Ally heeft me vanmiddag de waarheid verteld. U weet het inmiddels vast wel. U was boven, in bed, samen.’

Martin trok aan de cingel van zijn witte superplie. Vervolgens trok hij zijn toog over zijn hoofd, zodat Shaw zijn gezicht even niet zag, maar toen hij zijn rug weer rechtte glimlachte hij. ‘Is dat belangrijk?’

'De waarheid is belangrijk.'

'Ally moet in deze straat wonen, inspecteur. Ik kan weggaan. Ik gá weg, binnenkort. Maar zij zal moeten leven met de waarheid die we voor haar achterlaten, of welke versie van de waarheid er ook over is.'

'U denkt dat men het niet weet?'

Opnieuw die glimlach, die zijn kostbare tanden blootlegde. 'Jullie Engelsen... Soms zien jullie jezelf niet zoals jullie zijn. De mensen weten veel. Wat ze je in je gezicht zeggen kan heel anders zijn. Ze kan leven met roddels en toespelingen – dat doet ze al. Ze minacht hen sowieso. We zijn ze geen enkele waarheid verschuldigd. Maar we hoeven' – hij zocht naar de gangbare uitdrukking – 'het ze niet onder de neus te wrijven.'

Het was de beste benadering van een biecht die Shaw verwachtte te krijgen, dus ging hij verder. 'Ally kwam om zes uur naar u toe. Bryan Judd stierf tussen kwart voor acht en halfnegen. Bent u naar het ziekenhuis gegaan om met hem te praten?'

'Nee. Ik had er geen enkele reden voor.'

'Dat had u wel, pastoor. Zeer zeker wel. Ally zou haar verhouding met u niet hebben verbroken als Bryan er niet achter was gekomen, en hij wilde dat ze bij hem bleef. Ze voelde zich verplicht. Ze had haar belofte al eerder verbroken. Maar dat was misschien haar laatste geschenk aan u?'

Martin wendde zijn blik af en Shaw wist dat hij gelijk had.

'Bent u naar het ziekenhuis gegaan om Bryan met haar verraad te confronteren? Hem te dwingen haar te ontslaan – openlijk – van haar belofte?'

Martin vouwde een goudbrokaten gewaad in een houten kist en deed die op slot.

'Ik ben niet naar hem toe gegaan. Ik was hier.' Hij nam een zwartleren jack van een haak en trok het aan.

Shaw geloofde hem, niet vanwege zijn woorden of de logica van zijn argumenten, maar omdat hij zich niet kon voorstellen dat de priester geweld zou gebruiken. De bewegingen van zijn handen waren te bestudeerd, academisch, weloverwogen. Maar hij had nog steeds het beeld voor ogen van de doktersbul in de studeerkamer van de priester. 'Hebt u toegang tot het medisch dossier van de mannen hier en in het pension?'

'In theorie wel. We houden dossiers bij en ik meen dat daar een samenvatting van de relevante medische gegevens in zit. Maar dat is eigenlijk Liams terrein. Waarom?'

'U hebt medicijnen gestudeerd.'

Martin klemde zijn kaken op elkaar. 'Het ontgaat me volledig waarom ik me dáár schuldig over zou moeten voelen.'

'Iemand heeft in de straten van Lynn dakloze mannen geselecteerd, onder wie enkele uit uw pension. Men biedt die mannen geld om organen af te staan voor illegale transplantaties. Twee van hen, mínstens twee van hen, hebben de operatie niet overleefd. Ik vraag u of u makelaar hebt gespeeld. Ik vermoed dat degene die dat deed er goed voor betaald werd. U wilt veranderingen bewerkstelligen in uw land – dat moet geld kosten. Voor publicaties. Voor reizen. *Politisering* – zo heet dat toch? En ik begrijp uw terughoudendheid; we weten dat u geroyeerd bent. De Braziliaanse autoriteiten sturen ons de desbetreffende documenten.'

Martin lachte Shaw in zijn gezicht uit. 'Dat... die uitdrukking. U hebt nooit in een politiestaat gewoond, of wel, inspecteur? Dergelijke dingen zeggen ze voortdurend – eufemismen voor staatscontrole. Wees voorzichtig. U bent een goed mens, denk ik. Veel goede mensen in mijn land schamen zich voor het werk dat ze doen... en gaan daarna naar huis en naar hun gezin.'

Shaw keek hem dreigend aan in het besef dat hij geen enkel bewijs had voor zijn beschuldigingen. Maar hij gaf het niet op. 'Ik wil de pastorie vanbinnen zien. Ik kan een huiszoekingsbevel vragen; is dat nodig?'

Martins ogen werden dof. 'In mijn land is de politie zelden zo subtiel.' Hij klopte op zijn jaszak en ze hoorden sleutels rammelen. De priester ging hem over het kerkhof voor naar de deur van de pastorie. Shaw stapte als eerste over de drempel. Hij wist nog altijd niet waar hij naar zocht en verbaasde zich over de plotselinge capitulatie van de priester.

'Slaapkamer?' vroeg hij.

Hij wist dat het een inbreuk op de privacy was, maar hij had het gevoel dat hij Martin uit zijn tent moest lokken, de emotionele afstand die hen scheidde moest overbruggen.

De trap was van donker hout, met een loper die alleen het midden van de treden bedekte en op zijn plaats werd gehouden door koperen roeden. Een lange overloop op de eerste verdieping bestreek de hele lengte van het huis, en de deuren die erop uitkwamen waren onpersoonlijk als in een hotel. Martins kamer was achteraan, de laatste deur.

Het dekbed op het eenpersoonsbed was opengeslagen, maar voordat Martin erop ging zitten sloeg hij het dicht.

Er stond een garderobekast met een spiegel tussen de twee deuren en een nachtkastje met alleen een leeslamp, wat kleingeld en een bijbel. De kamer was zo onpersoonlijk als de cel van een monnik, op de kleine houten kist onder het schuifraam na.

Het raam stond open en Shaw liep ernaartoe en keek omlaag in een gang tussen de kerk en het huis die naar het kerkhof leidde, door een houten poort in de vorm van een bisschopsmijter, een victoriaans stijlbloempje.

'Ik zou in de kist willen kijken,' zei Shaw.

'U bent al heel ver gegaan,' zei Martin. Shaw voelde de woede die de priester bedwong; de kleine spiertjes in zijn gezicht spanden en ontspanden zich terwijl hij zich probeerde in te houden.

Shaw legde een hand op het deksel, tilde het op en zag een damasten doek die de inhoud bedekte. De buitenkant van de kist was eenvoudig, maar de binnenkant van het deksel was versierd met gesneden afbeeldingen van vogels, bloemen en vissen. Hij liet een vinger over de omtrek van een varenblad glijden. 'Dit is vast nieuw.'

'Mijn vader heeft hem laten maken. Het hout is in feite heel oud, achttiende eeuw. Maar het snijwerk en de constructie zijn nieuw. Het was een cadeau voor mijn eenentwintigste verjaardag. Een afscheidsgeschenk.'

Shaw ademde de enigszins muffe lucht uit de kist in. 'Het hout?'

'Muirapiranga,' zei de priester. 'Van de bloedhoutboom.'

Shaw reageerde niet, liet alleen zijn vingertoppen over het snijwerk glijden. Hij sloeg de fluwelen doek weg en zag enkele in leer gebonden boeken, een bijbel, twee ingelijste foto's van mensen uit de negentiende eeuw, beiden op een stoel met een hoge rugleuning, in vol zonlicht genomen bij een stenen gebouw. Verder een koperen telescoop, een houten schaakbord en iets wat zo te zien een kistje voor de schaakstukken was, een sextant en een stethoscoop. Hij stalde alles uit op het bed.

'Erfstukken,' zei Martin. 'Mijn erfenis. Ik ben de jongste zoon, dus verder niets. Maar dat weet u vast allemaal, uit de dossiers.' Hij spuugde het laatste woord uit alsof het een vloek was.

Martin had hem bijna te grazen, want Shaw stond op het punt hem naar zijn familie te vragen. Maar hij bedacht zich, draaide zich weer om naar de kist en de gekreukte groene doek op de bodem. Eronder lag een fluwelen etui, ongeveer dertig centimeter lang. Hij haalde het uit de kist, maakte de knoop van gouddraad los en haalde er, een rand van de stof gebruikend om er zelf geen vingerafdrukken op te maken, een dolk uit. De zilveren schede was zwart van ouderdom, evenals het druk bewerkte handvat.

'Van mijn grootvader,' zei Martin, maar door de spanning in zijn stem bleven de woorden in zijn keel steken.

Shaw trok de dolk uit de schede en zag tot zijn verbazing dat het in werkelijkheid geen dolk was, eerder een kort rapier, zo schoon als een scalpel. Wat had dr. Kazimierz gezegd over de wond in de borst van Bryan Judd? Dat die was toegebracht door een mes zo smal als een degen...

Shaw hield de kling naar het licht.

Ze hoorden allebei het geluid van voetstappen in de gang beneden, twee scherpe, metalige tikken op steen. Shaw stapte naar het raam en boog zich naar buiten. De gang, van bovenaf verlicht, was verlaten, op een egel na die reumatisch naar de achtertuin kuierde. Maar de kleine poort stond open en toen Shaw verder naar voren leunde, zag hij de schaduw van een rennende man over grafzerken glijden; het geluid van zijn voetstappen werd gedempt door het gras.

32

GEORGE VALENTINE VOELDE ZICH goed, gevaarlijk opgetogen. Hij had mevrouw Phillips per mobiele telefoon te pakken gekregen in haar kantoor en haar gevraagd Niveau 1 te sluiten. Hij had vijf minuten geluisterd naar twintig redenen waarom dat niet kon en had haar toen bevolen het te doen. En hij had de bevoegdheid om dat te doen, wist hij, gezien de wending die de zaak had genomen. Op dag één had de dood van Bryan Judd een laag-bij-de-grondse moord geleken, maar nu leek het een zaak die ophef zou veroorzaken. Interpol, de landelijke pers, tv, radio – de koorts zou beginnen zodra ze de bloederige details vrijgaven. Het was precies het soort zaak dat Valentine nodig had om zijn verzoek tot promotie kracht bij te zetten. Na het gesprek met Phillips was hij naar het Queen Vic gegaan en had daar een uur met Paul Twine gesproken om het doorzoeken van Niveau 1 te plannen. Na een kort overleg met St James's had hij een team van twintig uniformagenten tot zijn beschikking gekregen voor het ruwe werk. Als er nog een spoor was achtergebleven in de kamer waarin Pete Hendre uit zijn verdoving was ontwaakt, of in de OK waar hij was geweest, zouden ze het tegen de middag hebben gevonden.

Om middernacht schopten ze hem uit de Artichoke, maar niet voordat hij, terwijl hij een laatste pint bestelde, zijn heupfles opnieuw had gevuld. Toen had hij naar huis moeten gaan, naar het hoge, donkere huis in Greenland Street, maar hij wist al precies wat hij zou doen en de wetenschap dat hij dronken was weerhield hem niet. Dus nam hij London Road naar de stadspoort en ging zoals gebruikelijk zitten onder de brede boomkruin tegenover Gotobed's Begrafenisondernemers en Monumentale Steenhouwers. Hij moest er altijd weer om lachen: 'monumentale steenhouwers', alsof het reuzen waren.

Terwijl hij lachte borrelde het koude bier op in zijn keel en hij hoestte in zijn hand en sloeg voorover. Hij zag plotseling hoe hij er voor een buitenstaander moest uitzien en wist dat het maar goed was dat Julie het niet meer kon zien. Het was een merkwaardig soort troost: het besef dat mensen niet meer gekwetst konden worden omdat ze dood waren.

Toen hij zich weer oprichtte hoorde hij een sleutel die werd omgedraaid in een slot en hij keek toe hoe Alex Cosyns de voordeur opende, hoe de terriër van de treden sprong en toen afsloeg om naar het park te lopen. Valentines hartslag versnelde, geen soepele versnelling, maar een abrupte, pijnlijke stijging. Hij was als kind koppig geweest, ongezeglijk, maar middelbare leeftijd en ontgoocheling hadden laksheid de kans gegeven zijn onvoorspelbare aard te temmen. Maar dit was zoals in de goeie ouwe tijd; hij wist dat hij zichzelf niet kon tegenhouden, wist alleen dat hij voordat hij vannacht naar bed zou gaan een grondige blik zou hebben geworpen in het huis van deze man, in zijn leven.

Hij keek de wandelende schaduw na tot die verdwenen was. Binnen een minuut stond hij op de stoep, liet zijn pasje van St James's langs de deurstijl glijden en het slot sprong open. Hij stapte naar binnen, deed de deur dicht en knipte zijn zaklamp aan. Het huis van een vrijgezel: geen tapijt in de gang, een stapel brieven op een tafel met een mobiele telefoon. In de voorkamer een mediacenter, een fauteuil, een hometrainer. De keuken was van een grote keukenboer – nieuw – vol blikken in de kasten en niets in de koelkast dan melk. Hij rende de trap op en voelde dat zijn hart oversloeg. Bovenaan bleef hij staan en hij voelde dat het zweet hem uitbrak. In een van de slaapkamers een dekbed op een eenpersoonsfuton en een wand met foto's, allemaal van stockcarraces. Foto's van winnaars op het podium, van de pitsbemanning, maar niet van de sponsor, Robert Mosse. De andere slaapkamer was een kantoor, zo netjes opgeruimd als een kamer in een poppenhuis, met op het bureaublad alleen een presse-papier op een cheque van duizend pond op naam van Cosyns, ondertekend door R.M. Mosse. En een stukje postpapier in een paperclip met de aantekening TK 1956.

Er klonk een voetstap buiten de kamer, op de kale trap, en trippelende hondenpoten. Het Yale-slot op de voordeur was zo goed gesmeerd dat hij het niet had horen opengaan. Hij voelde zijn euforie wegstromen. Hij keek op zijn horloge: twee minuten voor halfeen. Hij was stom geweest en tenzij hij een aannemelijk verhaal kon verzinnen, had hij die promotie zojuist verknald. Shaw had de instructies van commissaris Warren vastgelegd in een formele brief: hij mocht Cosyns niet benaderen, noch enige andere getuige of verdachte in verband met de zaak-Tessier, niet in persoon, noch per brief of per telefoon. En daar stond hij nu, naast Cosyns' bed. Hij liep snel naar de bovenkant van de trap en richtte zijn zaklamp recht in Cosyns' gezicht. 'Geen beweging – politie. De trap af, graag – handen tegen de muur.'

Cosyns verroerde geen vin; de man had het vermogen een haast griezelige kalmte te bewaren. 'Ik woon hier,' zei hij. 'Wie ben jij, verdomme?'

Valentine pakte zijn radio en liet hem kraken. Het was een open kanaal en ze hoorden een patrouillewagen die opriep vanaf een kroeggevecht in het centrum.

Cosyns liep achterstevoren de trap af en knipte het licht aan. Hij liet zijn hand op de schakelaar liggen, alsof hij erover dacht hen weer in duisternis te hullen.

Aan de muur hing een foto die Valentine over het hoofd had gezien doordat hij achter de deur hing: Cosyns met een meisje van een jaar of zes, zeven op de motorkap van de opgevoerde Citroën. Cosyns haalde hem van de muur en hield hem op. 'Ik woon hier... Kijk maar.'

Valentine bereikte de voet van de trap. 'We zijn gebeld... Iemand die de deur forceerde. Ik woon om de hoek. De deur stond open.'

'Goed,' zei Cosyns, luchtig glimlachend. Hij bukte zich en maakte de hond los. 'Maar toen ik wegging nog niet.' Hij inspecteerde de deurstijl. 'Knap werk: geen spoor van braak.' Hij keek langs Valentine naar boven. 'Niets te vinden boven?'

Valentine schudde zijn hoofd, hulpeloos nu in het besef dat hij met de seconde minder geloofwaardig werd. Hij deed een stap naar de deur en de hond gromde en ontblootte zijn zwarte tandvlees.

'Ik heb geen politiepasje gezien,' zei Cosyns.

Valentine pakte het en wenste dat het licht uit was. Cosyns deed snel een stap naar voren, pakte de portfeuille losjes beet en keek naar de naam en de foto. 'Goed, brigadier Valentine.'

Cosyns stapte opzij, met zijn rug tegen de muur en een glimlach op zijn gezicht. 'Reggie,' zei hij en de hond dook ineen naast zijn voeten.

Valentine liep langs hem heen, trok de deur open en keek naar buiten. 'Ik zal een patrouillewagen een oogje in het zeil laten houden – controleer uw inboedel.'

'Goed,' zei Cosyns terwijl hij de mobiele telefoon die hij op het gangtafeltje had achterlaten verschoof. 'Je kunt niet voorzichtig genoeg zijn.'

Valentine dwong zichzelf weg te lopen zonder om te kijken. Had hij dat wel gedaan, dan had hij Cosyns achter het raam van de voorkamer zien staan, zijn mobiel in zijn hand en luisterend naar de beltoon.

Er werd opgenomen. 'Bobby,' zei Cosyns op vertrouwelijke maar vreemd dreigende toon.

33

WOENSDAG 8 SEPTEMBER

SHAW STOND OP HET balkon van de zestiende verdieping van het Vancouver House en keek uit over Westmead Estate. De opgaande zon was aan de andere kant, zodat hij in de schaduw van de dageraad stond, koel, bijna kil. Auto's op het asfalt beneden leken Dinky Toys. In de flat aan de overkant, een blok van tien verdiepingen, brandden lampen in badkamers en keukens. Stoom dwarrelde uit pijpen, alsof de ingewanden van de flat kookten. Door de ploegendiensten in de haven, of in de conservenfabrieken, verstreken de dagen en nachten in plaatsen zoals Westmead anders dan in de voorsteden, als een eindeloze grijze siësta. Hij rook dat er ergens een ontbijt werd klaargemaakt, gebakken spek en nog iets, iets kruidigers.

Hij keek op zijn horloge. Hij moest dit eigenlijk niet doen; hij moest om acht uur in de Ark zijn en hij moest weten wat Valentine had georganiseerd voor Niveau 1. Tom Hadden had hem al een sms gestuurd over de dolk in de slaapkamer van pastoor Martin, die hij de avond tevoren naar het lab had gebracht. Geen bloedsporen, maar de schede vertoonde microscopisch kleine sporen van bloedhout die ongeveer overeenkwamen met die op de MRV-zaklamp. Het was geen vingerafdruk, maar een degelijk stukje materieel bewijs dat pastoor Martin in verband bracht met de plaats delict. Hij had opdracht gegeven een afgietsel van de dolkpunt te maken. Pastoor Martin had een verklaring afgelegd en was vrijgelaten. Hij bleef bij zijn eerste verklaring en Ally Judd gaf hem nog steeds een alibi voor het tijdstip van de moord. Wat noopte tot een andere aanpak: een formele ondervraging van Ally Judd, officieel, in St James's.

Eigenlijk had hij hier dus geen tijd voor. Hij keek naar de deur waar hij voor stond: appartement 163. Zijn portefeuille bevatte een doorschijnend vak waarin gewoonlijk een foto van Fran zat, maar daarachter zat een andere foto. Hij haalde hem nu tevoorschijn. Jonathan Tessier, net negen, griezelig veel lijkend op Shaw zelf op die leeftijd: de brede, hoge jukbeenderen, de lichte ogen. Hij wilde aankloppen, aarzelde in het besef dat, als de deur eenmaal openging, hij de controle zou verliezen. Maar hij moest het doen; had Lena beloofd dat hij het zou doen, voor hen.

Hij was de avond tevoren thuisgekomen, opgetogen over de vorderingen die ze hadden geboekt. Hij had vanaf het eerste moment twintig uur per dag aan het moordonderzoek besteed, maar als hij thuiskwam wilde hij alleen maar over de zaak-Tessier praten. Hij was teruggegaan naar St James's en had de videobeelden opnieuw bekeken. Het leek nu een levendige herinnering, die zwart-witbeelden, schuifelend rond het verlichte kruispunt.

Hij had een sms'je gestuurd en ze troffen elkaar op het strand. Ze had een fles witte wijn meegenomen uit de koelkast en twee gekoelde glazen. Het terras was van vurenhout, koel en verweerd, dus waren ze op de trap gaan zitten. Eb, zodat het strand zich leek uit te strekken tot aan de horizon, waar een halssnoer van lichten de ankerplaats voor vrachtvaarders aangaf die wachtten op het keren van het tij, zodat ze Lynn konden binnenvaren.

'Je ziet er moe uit,' zei ze, zijn glas volschenkend.

'Ik heb de band bekeken,' zei hij terwijl de bijna kleurloze chablis in zijn glas stroomde. 'De opnamen van het verkeersongeval een paar dagen voordat de jonge Tessier werd vermoord.' Hij stak zijn hand in zijn RNLI-jack en haalde een zwart-witfoto van de plaats van het ongeluk tevoorschijn – de vernielde Ford, de in de schaduwen staande Mini, de drie wazige gedaanten van jongemannen met een honkbalpet op.

'Er ontgaat me iets. Er klopt iets niet.' Hij hield de foto zó dat ze hem kon zien, maar ze staarde uit over zee. 'Lena?' vroeg hij, maar ze draaide zich nog steeds niet naar hem toe en daardoor wist hij dat ze die avond niet zouden vrijen. Tijdens de rit naar huis en de wandeling over het strand had hij zich gerealiseerd hoezeer hij naar haar verlangde en de verandering die dat altijd teweegbracht, de energie die erdoor vrijkwam, de plotselinge omslag, als een onweersbui.

Ze had een slobbertrui aan en had haar armen uit de mouwen getrokken en eronder gestopt voor de warmte. Ze trok één been op en vouwde het onder zich, zodat hij haar hand pas tevoorschijn zag komen toen ze iets op het houten terras had gelegd.

Het was een bekertje yoghurt, Madagascar-vanille.

'Wat is dat?' vroeg hij, maar hij voelde zijn bloed al naar zijn hart stromen. Ze schiep afstand tussen hen, alsof hij een vuur was en ze zich niet wilde branden. En hij herkende haar gezicht niet, de blik in de verte, de lelijk gebroken lijn van de mond, en hij besefte opeens dat ze heel lange tijd – hij had geen idee hoe lang – haar gezicht voor hem had gearrangeerd, als een scherm rondom een ziekenhuisbed. Maar hij verlangde te wanhopig naar het antwoord op zijn vraag om zich af te vragen wat ze wilde verbergen, wat ze hem niet wilde laten merken.

'Daar is Fran bijna aan gestorven.'

'Hoe bedoel je?' Zijn stem klonk geladen van boosheid en schuldgevoel, want hij wist dat hij sinds hij naar het strand was gegaan alleen maar over zijn werk had gepraat, niet over het dagelijkse recherchewerk, maar over zijn eigen privézaak, de zaak die hij van zijn vader had geërfd, de zaak die hij had gezworen te zullen oplossen.

Ze draaide zich naar hem toe, haar gezicht verwrongen, haar mond geopend in een stille kreet. 'Daar is Fran bijna aan gestorven,' zei ze opnieuw, weloverwogen, wetend dat het, ondanks het woord 'bijna', nog altijd een vorm van bestraffing was.

'Lena, vertel op. Vertel het me nu.' Hij had alles willen geven om de dreigende klank uit zijn stem te weren.

Haar ogen fonkelden. 'Nu.' Het was bijna een schreeuw. 'Nu. Nú komt het gelegen. Wat dacht je van vijf uur geleden, toen ik belde – ik bel nooit, Peter. Je weet dat ik nooit bel.'

Hij had in het donker aan de rand van de gashouder op Valentine gewacht. Hij had het nummer gezien; waarom had hij niet teruggebeld? Hij had geen besluit kunnen nemen omdat hij zich had voorgenomen de videobanden van Castle Rising opnieuw te bekijken.

'Het spijt me,' zei hij, en hij wist onmiddellijk dat hij het juiste had gedaan, het had gezegd voordat het te laat was. 'Jezus. Lena, wat is er gebeurd?'

'Ze at de yoghurt,' zei ze en ze haalde uit, gooide haar glas omver, sloeg het bekertje in het zand.

'Raap het op,' zei ze. 'De verpleegkundige zei dat we het moesten bewaren. Noteer het.' Haar stem was koud en hard, de woede spoelde eruit als het getij over het strand.

Shaw pakte het op en ging weer op het van wijn natte hout zitten, zonder haar aan te raken.

'Ik gaf het haar bij de maaltijd. Ik dacht er niet bij na; ik heb er niet meer aan gedacht sinds ze een baby was.' Bij haar geboorte was Fran allergisch geweest voor melk, elke soort melk. De eerste reactie was de ergste geweest, niet fataal, maar haar keel was opgezet en had de luchttoevoer geblokkeerd, haar ogen en gezicht waren gezwollen. Daarna hadden ze haar vijf jaar lang geen zuivelproducten gegeven, en later hadden ze die geleidelijk weer in haar dieet opgenomen. Drie jaar lang had ze geen enkele reactie vertoond.

'Hoe erg?' vroeg Shaw terwijl hij een arm om Lena's schouders sloeg, zo stevig dat ze niet kon terugdeinzen.

'Erg. Het is mijn schuld. Er waren klanten uit Burnham Thorpe, een gezin van zes. Ze wilden allemaal een pak, ze wilden allemaal een plank – de rekening bedroeg bijna vierduizend pond – dus ik maakte een pizza klaar, zette hem in de keuken en riep haar naar binnen. Toen ik haar vond…'

Ze sloeg haar hand voor haar mond en wiegde zachtjes heen en weer bij de herinnering. Shaw begreep dat het deels vanuit haar eigen schuldgevoel was, niet alleen het zijne. 'Ik wist niet of het te lang geduurd had. Of ze… Dus voelde ik haar pols. Ik kon hem niet vinden. En ze was opgeblazen – zoals vroeger – en had haar ogen dicht. En er is geen Piriton in de kast.' Ze schopte en wierp een waaier van fijn zand op als een bomexplosie.

'Ik belde jou. Daarna belde ik Scott op zijn mobiel – hij kwam met wat Piriton van de reddingspost in Hunstanton. En toen, zomaar, kwam ze bij – precies toen hij hier aankwam. Dus we gaven haar de Piriton.' Ze lachte en Shaw voelde dat haar schouders zich even ontspanden, zodat haar schouderbladen bewogen onder haar huid. 'Vijf minuten later rende ze rond als een konijn.' Ze lachte opnieuw en keek om zich heen alsof ze het beeld van het huppelende kind wilde terughalen.

'Ik ga kijken,' zei hij, een knie optillend.

Maar ze hield hem vast. 'Heb ik al gedaan, om de tien minuten. Ze slaapt. Laat haar met rust.'

Ze liet haar adem ontsnappen, als een doodsreutel, en begroef haar ogen in zijn hals.

'Ik wil dat je een eind maakt aan je geobsedeerdheid door dat joch,' zei ze. 'Het is kiezen of delen. Stop ermee of maak er snel een eind aan, hoe dan ook. Los het op, Peter, of kap ermee.' Ze hief haar hoofd op en keek in zijn goede oog. 'Jack heeft zijn leven ervoor verwoest, Peter. En we weten waarom: omdat de jongen op jou leek, omdat jij het had kunnen zijn. Heb je je ooit afgevraagd waarom dat was, waarom hij' – ze zocht naar het juiste woord – 'zo van slag was?' Ze hield zijn hoofd vast. 'Het was schuldgevoel, omdat hij je had laten opgroeien zonder erbij te zijn. Hij kon er niet zijn voor jou, dus dacht hij in een opwelling dat hij het kon goedmaken door er te zijn voor Jonathan Tessier. En dat was egoïstisch, omdat alleen hijzelf zich er beter door voelde, jij niet. Zorg dat dat ons niet overkomt.'

Later, toen hij in bed lag en luisterde naar de zee die weer op het strand kroop, besefte Shaw hoezeer dat woord een opluchting was geweest: 'Ons.'

34

HIJ WAS BIJ DAGERAAD wakker geworden en had geluisterd naar de meeuwen die op het dak krijsten. Hij hoefde zich niet bewust te herinneren wat er tussen hen was gezegd – het was er, al opgenomen in de geheugenbank die hij de rest van zijn leven met zich mee zou dragen. En het ging niet om zijn eigen leven. Het ging om dat van Fran. Ze had dood kunnen zijn en dat zou hun huwelijk hebben verwoest, want hij zou er niet bij zijn geweest. Hij nam altijd op als Lena belde. Maar hij was verblind geweest – ze had gelijk – verblind door de tegenstrijdige belangen in zijn leven, tussen thuis en zijn werk, en tussen zijn zaak en die van zijn vader. En de moord op Tessier was inderdaad een obsessie, in vele opzichten gevaarlijk en misvormend. Zijn probleem was dat hij het net zomin kon loslaten als hij zichzelf kon loslaten. Maar in het donker voor de dageraad had hij zijn falen in het oplossen van de zaak opnieuw geëvalueerd. Was het echt zo'n onthutsende misdaad? Of was zijn onvermogen om vooruitgang te boeken in feite een afspiegeling van zijn eigen innerlijke conflict: de angst dat, als hij de waarheid ontdekte, het een onaangename waarheid zou zijn?

Toen was hij gaan zwemmen, bij dageraad, en hij besefte nu dat Lena gelijk had, dat hij nog veel meer onderzoekswegen over het hoofd had gezien. Het was een zaak die hem dwarszat, als een zweer. Terwijl hij keek hoe zijn handen boven zijn hoofd bewogen terwijl zijn rugslag hem naar zee voerde, besloot hij dat hij terug moest gaan naar de basisbeginselen en moest praten met degenen die rechtstreekse herinneringen hadden aan de nacht waarin Jonathan Tessier was gestorven. Hij was een overeenkomst met zichzelf aangegaan. Zes weken. Zes weken zou hij opnieuw de as van de zaak oprakelen en als er uiteindelijk geen kans was op vuur, zou hij het loslaten. Ter wille van Lena zou hij het loslaten, zelfs als er een deel van hem zou achterblijven.

Hij had besloten hier te beginnen, in Westmead, want hij wilde antwoord op Lena's oorspronkelijke en scherpzinnige vraag: waarom zou een bende die door een bewakingscamera was vastgelegd tijdens de fatale botsing op Castle Rising een joch van negen vermoorden omdat hij had gezien dat ze de auto overspoten? Het ongeluk was vermeld in de lokale kranten, en op radio en tv, maar waarom zou een jongen daar aandacht aan schenken? Het had niets met hem te maken, of met de kleine wereld waarin hij tijdens zijn zomervakantie leefde. Zelfs als hij iets sinisters had vermoed, en kinderen waren daar beslist goed in, had hij omgekocht kunnen worden met een knisperend briefje van tien. Er moest een ander motief zijn.

In het flatgebouw aan de overkant ging een alarm af en het geluid bereikte Shaw over het betonnen ravijn heen op het balkon van nummer 163. Er zweefde een meeuw tussen de twee torenflats, onder hem, en hij zag dat de veren op zijn rug bewogen in de wind. De cijfers op de digitale wijzerplaat van zijn horloge sprongen op zeven uur en hij klopte op het multiplex. Hij wist dat ze wakker was, want hij had haar ploegendienst gecheckt met een kort telefoontje naar het Queen Vic.

Angela Tessier, de moeder van de vermoorde jongen, opende de deur met een tandenborstel in haar mond. 'Wat?'

'Neem me niet kwalijk; ik vroeg me af of u even tijd hebt. Inspecteur Shaw, recherche Lynn. Het gaat over de dood van Jonathan.'

Zonder een woord te zeggen draaide ze zich om en liep de schemerige flat in. Shaw volgde haar door de gang naar de voorkamer, die op het oosten lag en de volle zon ving. Er stonden een platte televisie en een dvd/cd-speler en er hing een poster van Amy Winehouse.

'U hebt één minuut,' zei een licht galmende stem in de badkamer. Ze kwam binnen, gejaagd, pakte een mobiele telefoon en een iPod. Shaw wist uit het dossier dat ze drieënveertig was, verpleegkundige in het Queen Victoria, maar ze zag eruit als vijfendertig, met een gezicht dat bezield werd door een gevoel van doelgerichtheid. Ze had een slanke taille met een dikke leren riem eromheen. Ze had op haar figuur gelet en haar ogen waren onthutsend groen, als een biljartlaken. Ze keken elkaar aan en ze leek niet van haar stuk gebracht door Shaws blinde oog. Ze liep de kamer uit en kwam terug met een kleine kop pikzwarte koffie.

'Vijftig seconden,' zei ze, maar haar stem klonk niet onvriendelijk.

In het dossier over de zaak-Tessier was sprake van een echtgenoot, Mike, verkoper bij een tapijthandel. Maar dit was nu haar wereld en Shaw voelde dat er verder niemand was, zelfs niet de geest van Jonathan.

Ze las zijn gedachten. 'Mike is weggegaan. We hadden het niet zo goed aangepakt, wat er gebeurd was. Maar we praten nog met elkaar, we zijn vrienden. Dus als uw vraag voor hem bedoeld is, ik heb een nummer.'

'Nee.' Shaw aarzelde, plotseling beseffend dat hij zich niet had voorbereid. Hij wist niet waar hij moest beginnen en vertelde dus maar de waarheid.

'Mijn vader was hoofdinspecteur Jack Shaw.'

'Ik weet het; daar was ik al achter. Zulke dingen gebeuren. Ik denk dat hij de juiste te pakken had, Mike ook. Maar hij verpestte het.' Ze keek om zich heen en Shaw dacht dat ze haar uiterste best deed om het verleden niet opnieuw tot leven te wekken. 'En nu gaat het leven door.' Ze streek haar frisse blauwe uniform glad en zette een zakhorloge gelijk. 'En verder?'

'Ik denk dat Jonathan, die avond, ik denk dat hij achter de bal aan ging, maar werd afgeleid en aan de andere kant van de wijk terechtkwam, bij de garageboxen. Ik denk dat hij daar een auto zag, en een paar mannen die aan die auto werkten. Ik weet bijna zeker dat hij daarom is vermoord.'

'Was Mosse een van hen?'

'Ja. Ik denk het wel.'

Ze zette haar kopje neer. 'Het is een beetje laat.'

'Ik weet het. Het is de auto die belangrijk is. Had hij belangstelling voor auto's? Zou hij zich bijvoorbeeld het merk herinnerd hebben? U weet hoe sommige kinderen gefascineerd worden door machines.'

'Nee. Zo was Jonathan niet. Sommige jongens houden gewoon niet van jongensdingen. Voetballen misschien, maar zelfs dat was niet meer dan tijdverdrijf. Boeken waren zijn ding. Het uniform dat hij aanhad was van zijn opa geweest – Celtics. Maar hij gaf er niet echt veel om.'

Shaw begreep het niet. 'Maar hij had die hele dag...' Hij maakte de zin niet af.

Shaw zag dat ze nu voor het eerst verdrietig werd door het ophalen van de herinnering. Met het fragiele Italiaanse koffiekopje in beide handen keek ze naar de bodem. 'Hij was niet thuis omdat mijn vader hier was – mama was kort tevoren gestorven. Het was heel moeilijk hier. Hij dreef ons min of meer uit elkaar – dus stuurden we Jon naar buiten. Als we beter hadden geweten, hadden we hem laten blijven, de emoties kunnen delen. Maar dat is achteraf gepraat. Wíj hadden het er indertijd al te zwaar mee, dus een kind zeker. Het was gewoon een van die dingen.'

Shaw bewonderde haar erom, dat ze niet de makkelijkste weg koos door zichzelf de schuld te geven.

'Was het onverwacht, de dood van uw moeder?'

Ze lachte. 'Dat kun je wel zeggen. Een stel dronken jongelui reed haar dood terwijl ze aan het joyriden waren. En haar beste vriendin. Bij Castle Rising. Ze hebben ze nooit gevonden, de joyriders. Dat was de week daarvoor... op dinsdag.'

Shaw hoorde voor het eerst een kraan druppelen in de keuken.

'Hoe heette ze? Uw moeder.' Hij wilde het niet weten – hij zou het dossier opnieuw raadplegen voor de details – maar het gaf hem tijd om na te denken, want één enkel feit had de misdaad zojuist veranderd, alsof je een lachspiegelpaleis binnenstapte.

'Watts. Agnes.'

Shaw knikte.

'Hebt u daar iets aan?'

'Misschien.'

Shaw liep naar het raam en keek uit over Westmead, de auto's die verspreid stonden over de honderden vierkante meters asfalt tussen de blokken. Hij was niet eerlijk geweest tegenover zichzelf wat de zaak-Tessier betrof, want hij had stiekem altijd gedacht dat hij nooit achter de waarheid zou komen. En nu, voor het eerst, terwijl hij uitkeek over de groezelige wijk waar het dertien jaar geleden allemaal was gebeurd, dacht hij dat hij het misschien mis had.

'Was er indertijd iemand die dacht dat er verband bestond tussen de dood van uw moeder en die van Jon?'

'Nee... Waarom zou er een verband zijn? Het is een cliché, inspecteur, maar zulke dingen gebeuren. Zeker in Westmead. Dat we één familie zijn wil nog niet zeggen dat het niet twee keer in tien dagen tijd kan gebeuren. Maar goed, uw vader had Mosse. We weten allemaal dat hij de dader is. Niemand heeft ooit geopperd dat het het werk van een bende was. Waarom zouden ze? En ze hadden een motief: ze zeiden dat hij dacht dat Jon zijn auto had bekrast. Het ging ook allemaal zo snel, niet dan? Hoofdinspecteur Shaw wist van de dood van mama, maar nee, ik denk niet dat ze een verband zagen. Ze probeerden de auto te vinden die het ongeluk had veroorzaakt. Dat was een andere politieman, ik weet niet meer hoe hij heette, het spijt me. Maar ze hadden geen kenteken, dus het was zinloos.'

Door iets in de manier waarop ze het zei realiseerde Shaw zich hoe stom hij was geweest door niet terug te gaan, niet met de getuigen te praten, de mensen die er die avond waren geweest; niet alleen George Valentine, maar de echte slachtoffers, degenen zonder politiepensioen.

'Luister,' zei hij, en hij weerhield zich ervan te zeggen dat ze zichzelf die eerste dag van het oorspronkelijke onderzoek een andere vraag hadden moeten stellen. Niet wíé het had gedaan, maar waaróm. Want het idee dat de jongen was gestorven tijdens een ruzie over een moedwillig beschadigde auto was te gek voor woorden. Het was mogelijk, maar niet bepaald waarschijnlijk. Ze hadden het motief voor zichzelf laten spreken – een fatale nalatigheid.

'Misschien is er een verband. Het is mogelijk dat die auto – waarvan ik zei dat hij in de garageboxen stond – de auto is waarmee uw moeder is gedood. Er is namelijk verband tussen dat ongeluk en de dood van Jon. Er zat een verfspat op zijn voetbalshirt, die overeenkomt met de lak van de auto die betrokken was bij het ongeluk waarbij uw moeder is omgekomen.'

Ze ging zitten, zocht in een stevige handtas en haalde er een pakje sigaretten uit. Ze stak er een op en drukte hem uit.

'Stik,' zei ze terwijl ze met haar hand door haar ogen streek. 'Sorry.' Haar mond brak in een kartellijn. 'Het gaat wel. Het is een schok, nu alles terugkomt.'

Hij ging op de bank zitten en probeerde haar niet te ver te drijven met vragen. En hij dacht razendsnel na, probeerde de lijn tussen de schimmige videobeelden van Castle Rising en Tessiers dode lichaam recht te trekken. Hij opende zijn portefeuille en haalde er een opgevouwen afdruk van een videobeeld uit – de Mini in de regen, onder de straatlantaarn op Castle Rising. 'Dat is de auto,' zei hij en hij legde zijn vinger op het schimmige beeld van de Mini onder de dennenbomen in de berm.

Ze stond op en snoot haar neus. 'Ik moet hierover nadenken.' Ze krabbelde een mobiel nummer op de hoek van een plaatselijke krant en scheurde het af. 'Bel me, na mijn werk. Ik ben om twee uur klaar. Ik kan nu niet nadenken.'

Shaw liep met haar mee naar haar auto, een Ford Fiesta met wat te zachte banden en een zo diepe kras in de zijkant dat het metaal onder de lak zichtbaar was. Ze hadden niets gezegd terwijl ze de trap afdaalden – de lift was defect – waardoor hij tijd had gehad om na te denken.

Het probleem was dat zelfs nu hij een verband had vastgesteld, dat niet verklaarde waarom het joch was vermoord.

'Was Jon verdrietig om zijn oma? Konden ze goed met elkaar overweg?' vroeg hij terwijl ze haar autosleutel zocht.

Ze keek op haar horloge. 'Ja. Nou ja, niet echt goed, eerlijk gezegd. We zagen haar – en mijn vader – niet vaak. Ze ergerden zich aan Mike – niet goed genoeg voor hun enige dochter. Het enige pluspunt voor Jon was hun hond. Ze hadden een pup, een terriër. Leuk beest. Jon was er gek op en toen ze stierf vroeg hij Mike meteen of we de hond konden overnemen. Maar het bizarre was: de politie zei dat ze de videobeelden van de botsing hadden bekeken en er tamelijk zeker van waren dat die jongelui hem hadden meegenomen.' Ze legde haastig haar hand voor haar mond. 'Ze lieten mama gewoon doodgaan, maar namen de hond mee. Toch niet te geloven?'

35

DE ARK BAADDE AL in het vroege ochtendlicht en de ziekelijk oranje bakstenen trilden in een luchtspiegeling die werd veroorzaakt door de ochtendspits op de ringweg. Shaw had een groot vel papier uitgespreid op de motorkap van de Land Rover, een plattegrond van Niveau 1 van het Queen Victoria-ziekenhuis. De zich bijna organisch vertakkende keten van kamers en gangen deed hem denken aan een kaart van het Dal der Koningen die hij ooit had gezien. Eeuwenoude ontwerpen, op omtrekken geprojecteerd, op lang geleden verloren gegane patronen. Valentine leunde met een mobiele telefoon aan zijn oor tegen de zijkant van de Land Rover en luisterde naar het laatste nieuws van Twine.

Shaw dronk een afhaalcappuccino en wipte op zijn tenen op en neer. Valentine verbrak de verbinding met de commandocentrale. 'We hebben tweehonderd kamers... Nou ja, ze noemen het kamers, maar vaak is het niet meer dan een kast.' Hij had, ondanks zijn nachtelijke uitspatting, geen kater. Maar na de confrontatie met Cosyns had hij geen oog dichtgedaan en had daardoor moeite om het helder te houden, eenvoudig te houden. 'Ze gaan ze allemaal checken. Eén vertrek is al gecheckt, dat van het Weerklank Netwerk. Niets – alleen een computer, een paar stoelen en een waterkoker. De rest gaat grotendeels naar de opslag, van pleerollen tot spalken, van scalpels tot infuuszakjes, of wat het ook zijn. En de nutsvoorzieningen, gas, elektra, olietanks. Voedingswaren voor de catering – blikken, olie, gedroogd voedsel. Trappenhuizen, liftschachten. Je hebt gelijk, het is een doolhof.'

'Het heeft alleen maar een Minotaurus nodig,' zei Shaw, zich realiserend dat het die op een vreemde manier misschien had.

'Ik denk,' zei Valentine, 'dat ze, zodra Judd opdook als gebraden eend, de tent hebben gesloten.' Hij knipte met zijn vingers, nam een slok uit een plastic beker en plukte theeblaadjes van het puntje van zijn tong.

Shaw bestudeerde de kaart, onaangedaan door Valentines pessimisme. Hendres beschrijving van het vertrek waar hij wakker was geworden, kwam overeen met Niveau 1, tot en met het onafgebroken zoemen en de metalen deuren met klinknagels. Maar was de OK daar ook? Kon een patiënt voor de operatie naar boven zijn gebracht en weer naar beneden? Dat was waarschijnlijker. En hoe zat het met die zo goed van pas komende gaten in het rooster van OK 7? Dan herstelde de patiënt in het geheim, maar niet ver van de levensreddende diensten van het ziekenhuis.

Valentine zocht in zijn jaszak en haalde er een gefaxte verklaring uit. 'Dit is het beste wat Middlesbrough bereikt heeft: aantekeningen over het verhoor van Ben Ruddle, het vriendje van Norma Jean, zes weken geleden.'

Het was een chaotisch gesprek geweest en Shaw zag dat degene die het verhoor had afgenomen, een aantekening in de kantlijn had gekrabbeld:

Alcohol/pepmiddelen/ecstasy!!!

Ruddle had tegen de maatschappelijk werker gezegd dat hij op straat leefde omdat hij de hemel graag zag. Hij had zijn baan bij de tuinderij opgezegd omdat ze hem bestellingen hadden laten wegbrengen en hij een hekel had aan het busje. En hij moest trouwens sowieso weg, omdat hij iets moest doen. Valentine had de alinea gemarkeerd:

R zegt dat hij een rekening moet vereffenen. Geadviseerd geen geweld te gebruiken. R zegt dat het daar te laat voor is. Geadviseerd hulp te zoeken – nieuwe afspraak voorgesteld. R vraagt geld om te reizen – geweigerd. Beschermd onderdak voor tien dagen aangeboden – geweigerd. R beëindigt gesprek.

'En dan dit nog,' zei Valentine en hij haalde een zwart-witpasfoto tevoorschijn waarin een gevangenisnummer was gestanst. De foto vertoonde weinig gelijkenis met die uit 1992 in het dossier: het gezicht was voller geworden, harder.

Het kwam aardig overeen met Deken: donker, Keltisch, de brede kloof bij de neusbrug.

'De vraag is,' zei Valentine, 'waarom is hij teruggekomen?' Shaw dacht na over een antwoord: omdat hij van Norma Jean had gehouden, omdat hij altijd was blijven rouwen om het kind dat hij was kwijtgeraakt en nu, opgefokt door drugs en drank, kans had gezien wraak te nemen? Misschien. Maar wist Ruddle wie Norma Jean had gedood? Of was hij, op de gedenkdag van haar dood, naar Erebus Street teruggegaan om een besluit te nemen?

Ze hoorden de klok van de St Margaret's op de Tuesday Market het uur slaan. In de Ark troffen ze Justina Kazimierz, die klaarstond om te beginnen met de inwendige autopsie van het lichaam waarvan ze nu vermoedden dat het de man was die John Pearmain werd genoemd, verstokt zwerver, wiens lichaam ze hadden gevonden op Warham's Hole, minus de wijsvinger aan zijn rechterhand, en minus zijn hoornvliezen en de rest van de inhoud van de oogkassen.

Shaw trok een steriele jas aan en beende, gevolgd door Valentine, door de zware, van dik, doorschijnend plastic gemaakte deuren naar het mortuarium. De gebeeldhouwde stenen engel hing boven de aluminium tafels. Vier ervan waren leeg. Op een vijfde lag het lichaam van Pearmain, naakt en bleek als albast. De zesde was bedekt met een lap plastic over een onzichtbaar lijk. Shaw had tegen dit ogenblik opgezien sinds hij die morgen zijn ogen had geopend, maar zodra hij het vlees zag dat John Pearmain was geworden, wist hij dat het goed zou gaan. Dit was niet langer het stoffelijk overschot van een mens, maar levenloos vlees, met alle doelgerichtheid van steen op de mortuariumtafel liggend.

Kazimierz kwam meteen ter zake. 'Tussen haakjes: de identiteit is bevestigd – al liet de ontbrekende vinger weinig ruimte voor twijfel. Zijn medisch dossier is dik en bevindt zich in de huisartsenpost die een kliniek runt voor de mannen in de Sacred Heart, dus we hebben matches voor tanden en een schedelbasisfractuur.'

Ze begon notities te dicteren in een headset en verrichtte een kort uitwendig onderzoek. 'Drie interessante punten, uitwendig,' zei ze. 'De ogen natuurlijk. Allebei verwijderd. We kunnen slechts aannemen dat dat gedaan is om de hoornvliezen te verwijderen. Het is niet per se nodig om het hele oog daarvoor te verwijderen, maar wel veel gemakkelijker als het lichaam later niet door verwanten wordt gezien. Kogelwond. Dwars door het hart. Geluk of kunde? Wie zal het zeggen, maar ik gok op kunde. En dit...' Met haar in een handschoen gestoken hand wees ze naar een litteken in de onderbuik, aan de linkerkant, waarvoor ze het lichaam even moest optillen. Valentine kromp ineen bij het geluid van krakende gewrichten. 'Dit zal, vermoed ik, wijzen op een verwijderde nier. Ik weet het zodra we hem open hebben. Er zijn nog meer operatielittekens – allemaal lang geleden genezen. Dadelijk kijken we binnen. Maar eerst...'

Ze draaide zich om naar de andere in gebruik zijnde mortuariumtafel en trok het plastic weg alsof ze een nieuw model presenteerde op een autoshow. Eronder lag het lichaam van het stormrooster, waarvan de huid door de krabben was aangevreten, zodat die eruitzag als het rubber van een tafeltennisbat.

'Dit zal dokter Rigby's laatste postmortemonderzoek zijn voor het korps van West Norfolk,' zei ze. 'Zijn vervroegd pensioen kan elk moment worden aangekondigd.'

Shaw ging erop in. 'Wat heeft hij over het hoofd gezien?'

Ze lachte achter haar masker. 'Je kunt beter vragen wat hij überhaupt heeft gezien. Het slachtoffer heeft overgewicht, dus de huid vertoont plooien en kuiltjes. Maar dat is geen excuus...'

Valentine zag de gehechte incisie van de autopsie op het borstbeen en ontspande zich enigszins, volgde met zijn blik de vingers van de patholoog terwijl ze twee huidplooien op de onderbuik uit elkaar hield.

'Ook een kijkoperatie; twee incisies, net als Pearmain. Ik heb de dossiers opgevraagd van de andere twee namen die je me hebt gegeven, Foster en Tyler. Misschien hebben we gelijk en vinden we een identiteit. Er zijn nog meer littekens.' Ze wees naar een vijfentwintig centimeter lange incisie op een been, doorlopend in het kruis. 'Verwijderde ader... maar het punt is dat alleen de nieroperatie recent is. Heel recent... misschien nog geen achtenveertig uur. Alle andere littekens zijn genezen, en goed genezen. Daardoor heeft Rigby ze niet gezien. Maar dat is niet alles. De hechtingen zijn slecht gedaan en de wond zelf, het inwendige trauma, vertoont sporen van postoperatieve pyrexie...'

Valentine kon een beleefd kuchje niet onderdrukken.

Ze legde een vinger op haar voorhoofd. 'Sorry. Vaktaal, ik weet het. Nou, het is een geïnfecteerde wond. Die kan door een heleboel dingen zijn veroorzaakt. We weten dat de patiënt niet bejaard was en hij ziet er redelijk fit uit, ondanks zijn overgewicht, dus dat lijkt erop te wijzen dat hij een infectie opliep doordat de omgeving waarin de ingreep werd uitgevoerd niet bepaald steriel was.'

'En de slordige hechtingen?' vroeg Shaw. 'Kan hij op de operatietafel zijn gestorven?'

'Nee. Absoluut niet. De wond is enigszins geheeld – niet goed, maar toch. Nee, de dood is postoperatief ingetreden. Maar zoals ik zei, het ziet er erg... nou ja, amateuristisch uit. Wat eigenlijk niet klopt met de bewijzen van de kijkoperatie – een geavanceerde methode – of de andere littekens, die er allemaal heel professioneel uitzien.'

De patholoog richtte zich op. 'Misschien weten we meer als we Pearmain vanbinnen hebben bekeken. Daarvoor zijn we hier.'

Ze glimlachte breed naar Valentine, liet haar handschoenen petsen en wendde zich weer naar het lijk zonder ogen.

Ze maakte de eerste incisie, hield de scalpel tegen het groen getinte zonlicht dat door de oude kapelramen naar binnen viel en zette hem toen in het bloedeloze vlees. Ze maakte een snede van de bovenkant van de ene schouder naar die van de andere en vervolgens over het borstbeen naar het schaambeen. Shaw deed een stap naar voren om het te zien, maar achter zich hoorde hij Valentines moeizame ademhaling. De brigadier had voor een volledig masker gekozen. Hij stond drie meter verderop en zou niet dichterbij komen.

De Stryker-zaag veroorzaakte een dun laagje beenderstof toen de patholoog de ribben doorzaagde en het borstschild optilde.

Ze deed een snelle inspectie van de belangrijkste organen. 'O hemel,' zei ze. 'Dat is niet wat ik verwachtte.' Ze klapte de microfoon weg van haar mond en dacht na terwijl ze met haar rechterwijsvinger de handschoen tussen de vingers van haar linkerhand aanduwde.

'Zeg op,' zei Shaw terwijl de patholoog het vlees van de buikwand opnieuw onderzocht.

Ze klapte de microfoon terug en zei voor de band: 'De linkernier, die onder de incisie, ontbreekt, zoals we al verwachtten. De rechternier is nog aanwezig, hier.' Shaw deed een stapje opzij om het licht op het vlezige orgaan te laten vallen, dat de kleur had van een boon in een chili con carneschotel.

Haar handen verdwenen in de borstholte. 'En hier, de lever – nog aanwezig, maar zie je de littekens? Iemand heeft een hepatectomie uitgevoerd, een gedeeltelijke verwijdering van het gezonde orgaan. Een transplantatie – heel gangbaar, maar verfijnd. Dit is niet het werk van een obscure barbier-chirurgijn. Er is niets amateuristisch aan.'

'Waarom zou je een stukje gezonde lever willen hebben?' vroeg Shaw.

'Transplantatie. Het wordt in feite op de falende lever van de ontvanger geënt en neemt een deel van zijn functie over. Heel populair uiteraard, want je kunt met een levende donor werken in plaats van met een dode. LDLT – levende donor levertransplantatie.'

'Drie verschillende ingrepen dus?' vroeg Shaw. 'De hoornvliezen, de nieren en de lever. Minstens drie. Wanneer?'

Ze glimlachte en keek Shaw aan zoals ze een lievelingszoon zou hebben aangekeken. 'De hamvraag. De hoornvliezen postmortaal, de nier eerder – twee weken misschien. Maar de lever... Ik schat dat het zes à acht maanden geleden is. De lever is deels geregenereerd op de plek van het inwendige litteken, het uitwendige litteken is bijna volledig genezen.'

Shaw dacht na over het tijdschema. Ze vermoedden dat Pearmain een maand of zes geleden van de straat was gehaald. Toen zou de levertransplantatie hebben plaatsgevonden. Hij stierf en voordat ze hem dumpten werden de hoornvliezen verwijderd. Waar was hij tussen de operaties geweest?

Intussen had ook het andere slachtoffer – mogelijk Foster of Tyler – verscheidene ingrepen ondergaan en was na een verknoeide nierverwijdering gestorven. Een operatie die de afgelopen dagen moest hebben plaatsgevonden.

'Kunnen we verband leggen tussen een van deze twee en het orgaan dat we bij Bryan Judd op de transportband hebben gevonden, de nier?'

'Het is te proberen,' zei Kazimierz. 'Hij is niet van Pearmain; de verkeerde bloedgroep. De ander – de drenkeling van Rigby – heeft dezelfde bloedgroep, maar de overige tests vergen tijd. Het enige wat ik in dit stadium kan zeggen, is dat we hem niet uit kunnen sluiten.'

Kazimierz was klaar, maakte wat aantekeningen en keerde terug naar het kantoor van de TR, aan de andere kant van de scheidingswand. Op een bureau lag een bewijszakje met een gipsafdruk van de dolk die Shaw had meegenomen uit de bloedhouten kist van pastoor Martin.

'Wat dit betreft, de borstwond van Bryan Judd kán door dit wapen zijn veroorzaakt. Kán, meer niet.'

Ze namen een koffiepauze. Valentine ging met zijn beker en een sigaret mee naar buiten.

Kazimierz liep met Shaw naar haar bureau, waar een stapel dunne dossiermappen op lag.

'Dit is het parochiedossier dat je team heeft meegenomen uit de Sacred Heart of Mary,' zei ze. 'Ze vormen in wezen, voor een deel, een samenvatting van de medische dossiers van de mannen die in het bezit zijn van het huisartsenteam dat de kerk bezocht in het kader van het gezondheidszorgprogramma. Het parochiedossier is in feite erg goed; ze hebben kopieën gemaakt van patiëntenkaarten, andere dossiers, eventuele herhalingsrecepten die ze voor de mannen ophalen, plus een aantekening van de arts. Daarna hebben ze er hun eigen bevindingen aan toegevoegd: gewicht bijvoorbeeld, dieet enzovoort.'

Shaw viel haar in de rede, in het besef dat hij dit bij het begin van het onderzoek had moeten vragen. 'Is dat gebruikelijk, dat een kerk kopieën heeft van medische dossiers, andere documenten?'

'Nee. Ik heb het gevraagd. Alles leidt naar de priester...' Ze raadpleegde haar aantekeningen. 'Dokter Martin? Volgens de administratie van de huisartsenpost had hij gevraagd of hij de dossiers en andere informatie mocht kopiëren, met het oog op zijn onderzoek naar de invloed van armoede op gezondheid, met name de botstructuur. Dat was zijn specialisatie... rachitis. Hij had wetenschappelijke artikelen geschreven over het werk dat hij in Brazilië had verricht, in de sloppenwijken van São Paulo. Ik heb zijn referenties gecheckt: vakbladen van naam, belangrijk werk.'

'Juist,' zei Shaw. 'Jammer genoeg is hij in vierennegentig geroyeerd, wat misschien verklaart waarom hij zijn belangstelling voor de dossiers voor me heeft verzwegen. Zelfs al zou het een leugen door omissie zijn. Hij zei dat Kennedy, de pensionbeheerder, de dossiers beheerde. Hij zei niets over zijn eigen belangstelling. Dat is de onschuldige verklaring – dat hij zijn werk probeerde voort te zetten, maar wist dat we zijn verleden zouden natrekken.'

Kazimierz dacht erover na, pakte toen drie mappen en woog ze op haar hand. Valentine kwam weer binnen en ging op een tafel zitten. 'Ik heb de dossiers van de drie vermiste mannen bestudeerd, Pearmain, Tyler en Foster,' vertelde ze hun. 'We weten wie van de drie Pearmain is... Die van Warham's Hole. De drenkeling kan heel goed een van de anderen zijn. Ik heb ook het dossier van Hendre en we weten dat hij een operatie heeft ondergaan en een nier mist, maar daar hadden ze niets aan, hoogstwaarschijnlijk omdat ze, toen ze hem eenmaal verwijderd hadden, constateerden dat hij was aangetast door alcoholmisbruik.'

De patholoog legde de dossiers neer en masseerde met beide handen haar nek.

'Hendre is inderdaad de vreemde eend in de bijt,' zei ze. 'Het is bizar; hij is de enige met een verleden van alcoholmisbruik. Langdurig, al sinds zijn tienertijd. De gemelde psychische problemen – paranoia, angst – kunnen daar heel goed mee te maken hebben. Maar neem nou daarentegen Tyler. Sociale dienst, heropvoedingsgesticht, recidivist. Zijn verslaving was nicotine; op een bepaald moment tweehonderd per dag.'

'Jezus,' zei Valentine. 'Een menselijke bokking.'

'Inderdaad. Maar geen druppel alcohol, volgens het dossier. Dus zijn nieren waren perfect in orde.'

Ze schoof een koffiebeker weg.

'Wat allemaal in de dossiers stond...'

'De *parochiedossiers*.'

Haar groene ogen straalden licht uit. 'Ik heb het nagetrokken. De dossiers van de huisartsenpost worden in het ziekenhuis bewaard omdat het geld van het Medisch Centrum komt. Ze kloppen aardig met de parochiedossiers, behalve in het geval van Hendre. Het dossier over hem in het Queen Vic klopt van geen kant – zo zou hij zesenveertig zijn. Hij is drieëndertig. Ik ben het nagegaan en vond de voor de hand liggende vergissing. Hendres dossier was per ongeluk verward met dat van een Pete Hendry – met een y. En zijn nieren waren prima. Dus als je het mij zou vragen, wat je niet doet, zou ik zeggen dat degene die deze mannen selecteerde dat deed aan de hand van de ziekenhuisdossiers. Daardoor hebben ze die vergissing begaan. Als ze de parochiedossiers hadden gebruikt, zouden ze nooit bij Pete Hendre zijn uitgekomen.'

Shaw en Valentine keken elkaar aan en toen weer naar de patholoog. 'Waar worden die dossiers bewaard en wie kan ze inzien?' vroeg Shaw.

'Ik heb begrepen dat die van de parochie in de pastorie achter slot en grendel zaten. Het ziekenhuisdossier werd op de gebruikelijke manier bewaard en het is van geval tot geval toegankelijk voor de artsen.'

'Welke artsen?'

'Goede vraag. Huisartsen van de huisartsenpost en de hogergeplaatste ziekenhuisartsen.'

Hadden kwam door de voordeur van de Ark binnengevallen. Shaw wist dat de TR-man tijdens belangrijke onderzoeken nauwelijks sliep en een provisorisch bed in het orgelkoor boven het lab plaatste. Hij zag er slecht uit, met wallen onder zijn ogen en een vage zonnebrandplek op zijn sproetige voorhoofd.

'Verrekte zandbanken,' zei hij. 'Geen schaduw.' Hij keek Shaw aan. 'Wacht... Ik heb iets voor je.'

Hij startte de computer, opende zijn mailbox en leunde achterover, zodat Shaw de notitie van de Forensic Science Service in Birmingham kon lezen. Er was gedronken uit de melkfles die was gebruikt voor de aanslag op het transformatorhuis en ze hadden het DNA uit het speeksel vergeleken met dat van al degenen van wie tot dusver de vingerafdrukken waren genomen. Ze hadden hoogstwaarschijnlijk een rechtstreekse overeenkomst gevonden met Andy Judd. Bovendien hadden ze zijn vingerafdrukken gevonden in de voorkamer van Jan Orzsak, op een glasscherf van een van de aquariums.

'Dus Andy Judd ging er die zondag op uit om Jan Orzsak wat extra pijn te doen,' zei Shaw. 'Omdat hij geloofde dat die zijn dochter had vermoord óf omdat de vendetta de aandacht afleidde van het feit dat hij zelf de moordenaar was.'

Maar dat was zijn énige motief om de stroom af te snijden, dacht Shaw. Ze wisten nu wat meer over Andy Judd en dat maakte hem steeds minder geneigd hem af te doen als een gestoorde buurtwacht. Om te beginnen was er de achttien jaar oude vete met Bryan Judd over de dood van diens tweelingzus, Norma Jean. Dat was welhaast de definitie van kwaad bloed. Ten tweede: hoewel Andy Judd een alibi had voor het tijdstip van de dood van zijn zoon, werd dat alleen gestaafd door zijn netwerk van vrienden in de straat – niet bepaald onbevooroordeelde getuigen. En nu wisten ze dat hij regelmatig poliklinisch werd behandeld in het ziekenhuis. Een man die dringend een nieuwe lever nodig had, die hij niet kreeg vanwege zijn alcoholverslaving, waar hij maar niet vanaf kon komen. Was er nog een reden geweest waarom Andy Judd – of iemand die macht over hem had – wilde dat het donker was in Erebus Street op de dag dat Bryan Judd stierf? Een duisternis waarin ook de ontvoering van de dakloze Deken uit de Sacred Heart gehuld was geweest?

36

ANDY JUDD WAS IN de veeloods, het overdekte gedeelte achter Bramalls' abattoir, waar het vee werd gestald voordat het door de met metalen hekken afgezette loopren naar het slachthuis werd gedreven, de gang waar het vee voor het eerst de dood ruikt. Maar Valentine rook die niet, alleen de zure stank van verbrand bot van de zagen. Shaw stak zijn hand op naar Judd, die met een metalen veeprikker een koe naar de gewelfde metalen ingang van de loopren dreef. Hij was gekleed in een witte overal, die voor een kwart felrood was gekleurd. Shaw bedacht wat een dode metafoor 'doordrenkt met bloed' eigenlijk was.

De koe schopte, plotseling schrikachtig, en de herrie begon. Het idyllische loeien van het weiland kreeg een paniekerige stedelijke klank. Judd gaf het dier een mep met een metalen piek, zodat het tegen de metalen barrière denderde, die doorboog onder haar gewicht. Ergens sneed een cirkelzaag door vlees en bot.

'Daarheen! Daarheen!' schreeuwde Judd en de koe verdween uitglijdend achter de gordijnwand, gevolgd door de volgende, en de volgende.

Judd bleef staan en wachtte tot Shaw en Valentine de binnenplaats waren overgestoken. Door de witte overall en de capuchon die hij droeg leek zijn huid botergeel. Het viel Shaw opnieuw op hoe klein hij leek, als een man die wegteerde tot alleen de botten van wat hij ooit was geweest waren overgebleven. Judd veegde het zweet en het speeksel van de koe op zijn handen af aan een lap.

Shaw wilde juist iets zeggen toen ze de eerste knal hoorden van een slachtpistool dat in de hersenen werd afgevuurd, waarna het geslachte dier tegen de omheining in elkaar zakte. Door de klap deinsde iets in Shaw vol medeleven terug.

'Ik ben aan het werk,' zei Judd.

'Nou ja, in feite wordt u verhoord door de politie,' zei Shaw. 'Dat kan hier of in St James's, maar eerlijk gezegd, wat u hierna gaat doen, daar beslis ik over, niet u.'

Judd keek om zich heen. 'Ik kan niet zomaar stoppen.'

Aan hun voeten was een metalen goot en terwijl Valentine keek begon er een straaltje slagaderlijk bloed doorheen te sijpelen, vreemd borrelend, alsof het kookte. Hij begon door zijn mond te ademen.

'Oké,' zei Shaw. 'Als we maar kunnen praten. Maar ik zeg u meteen, meneer Judd, dat als ik niet een paar onomwonden antwoorden krijg op mijn vragen, we dit gesprek officieel zullen voortzetten op St James's. Begrijpt u me?'

Alle koeien waren nu verdwenen en de open, betonnen binnenplaats lag vol mest. Judd knikte. 'Hierheen,' zei hij, en hij volgde de route die de koeien hadden genomen. Ze hoorden opnieuw een geweerschot, nu ternauwernood hoorbaar boven de stijgende paniek van de opeendrommende dieren in de loopren uit.

Judd had tot taak de koeien in het gelid te houden, zodat er met regelmatige tussenpozen van dertig seconden een volgend dier naar voren kon worden gestuurd, door een metalen dubbele deur, waarachter de slachter de dieren doodde. Daarachter zagen ze nog net het slachthuis zelf, vol dampende verse karkassen, voortschuivend in een helse productielijn, met bloed dat in de goten stroomde, die een misselijkmakende metalige hitte uitstraalden.

Door de herrie, half dierlijk, half machinaal, was Shaw genoodzaakt te schreeuwen. 'De dag dat Bryan stierf, meneer Judd...'

Maar Judd draaide zich om en leidde, op een teken dat Shaw moest hebben gemist, de koe naar de barrière, zette zijn schouder tegen de flank en loodste haar erdoorheen. Shaw sloeg hem gade toen ze het slachtpistool hoorden en het bloed om hun voeten gutste, en hij zag Judds gezicht vertrekken van de walging die zelfs hij niet kon verbergen. Ze zagen het dode dier trappelen onder de draaideuren terwijl het karkas werd weggesleept. Toen sneed het geluid van een zaag door de lucht en Valentine deed een stap naar achter, waarbij zijn zwarte instapper uitgleed in de goot. Judd probeerde te glimlachen. 'Dat is het ergste, dat geluid. Ze zagen ze de kop af en laten ze leegbloeden.'

Hij keek naar Valentine, en dat was een vergissing, want de voet van de brigadier voelde nu warm en plakkerig aan en dat maakte hem zowel misselijk als boos. Toen hij een stap naar voren zette, de macht voelend die alleen beheerste agressiviteit kan verlenen, hield hij zichzelf voor dat boosheid goed was, zolang die maar gestuurd werd, gekanaliseerd, zoals het bloed. Hij rook de geur van verschaalde whisky in Judds adem en vroeg zich af of de man die ochtend al gedronken had. Dat was in elk geval iets wat hij zelf nooit deed, al waren er dagen geweest dat hij gedacht had dat hij dood zou gaan als hij het niet zou doen. Hij voelde een plotselinge minachting voor deze man.

'We hebben je vingerafdrukken in het huis van Orzsak gevonden, en DNA op de fles die je hebt gebruikt om een bom in het transformatorhuis te gooien. Je bent de lul, man.'

Judds laatste beetje trots stroomde uit hem weg als bloed uit een karkas.

'Meneer Judd,' zei Shaw, zich ervan bewust dat Judd was geschrokken van Valentines agressiviteit, 'ik denk niet dat u dat hebt gedaan om Jan Orzsak te kwellen... Nou ja, niet alleen daarom. Er is die avond nog iets gebeurd in Erebus Street, in de Sacred Heart. Er werd een zwerver ontvoerd. Hij moest naar buiten worden gedragen; ik denk dat er een auto wachtte, vlakbij zo niet in de straat zelf, om hem weg te brengen. En dat was veel makkelijker in het donker en door de afleidingsmanoeuvre die u bij de Crane had georganiseerd, het feest rondom het vuur. Ik denk dan ook dat u die molotovcocktails hebt gemaakt zowel om de stroom af te snijden als om bij Jan Orzsak binnen te kunnen dringen. De vraag is: wie heeft u gevraagd de stroom af te snijden?'

Judd pakte een van de koeien bij de halster en zette zijn hoed af. Shaw merkte dat hij zichzelf er niet van kon weerhouden het dier te sussen, met zijn vingers door de vacht woelde, achter een oor krabde en met zijn tong klakte. 'Dat is me door niemand gevraagd.'

Shaw vond dat hij opeens oud was geworden, bijna terwijl ze praatten, alsof hij zich had laten inhalen door iets wat een plotselinge, verschrikkelijke tol had geëist.

'Ik was lazarus, het was de dag van Norma Jean, de dag dat we haar kwijtraakten.' Hij keek Valentine uitdagend aan. 'Ik hield zielsveel van haar. We raakten voor de pub aan de praat over hoe hij ermee was weggekomen, Orzsak, dat hij er nog steeds was en de spot met ons dreef. Daarom haalde ik een paar flessen en wat vodden en vulde ze met kerosine van de verwarming in de flat. Toen we de stroom hadden afgesneden, konden we zó zijn huis binnenlopen. Hij verdient alles wat het leven voor hem in petto heeft. Ik had twee flessen over. Ik weet niet wie ze het pension heeft binnengesmokkeld. Ik niet. Ik weet niets over die zwerver in de kerk.'

Hij dwong zichzelf de volgende koe op te halen, aaide haar over de kop, tussen de ogen, die groot waren van angst.

'En ik neem aan dat u nog steeds niet weet wie de Organist is of waar ik hem zou kunnen vinden?'

'Inderdaad,' zei Judd.

De koe verdween door het hek en ze wendden hun blik af toen het slachtpistool knalde.

Shaw pakte het portret dat hij van Deken had gemaakt. Het zou die avond op tv verschijnen. Ze hadden een deal gesloten en het niet aan de kranten doorgegeven, zodat het tv-journaal ermee zou openen.

'Er zijn een paar afschuwelijke dingen gebeurd in deze straat, meneer Judd. Een heleboel onschuldige mensen zijn getroffen. Erger nog,' zei Shaw. 'Zwakke mensen, weerloze mensen, wanhopige mensen. Mensen zoals hij...' Hij hield de tekening op. 'Deze man is de laatste, degene die uit de kerk is ontvoerd op de avond dat Bryan stierf. Ik denk dat u weet waar hij is, wat er met hem gebeurd is, en waarom.'

Hij hield de tekening vlak voor Judds gezicht toen die weg probeerde te kijken. 'Ik wil dat u over deze man nadenkt, over wat hem misschien is overkomen, en of u daar in zekere zin verantwoordelijk voor bent.' Judd pakte het papier aan. Allerlei emoties worstelden om niet aan de oppervlakte te komen. Toen keek hij Valentine en Shaw aan, schuifelde met een voet en probeerde zijn evenwicht te bewaren.

Judd wilde de tekening teruggeven.

'Hou hem maar,' zei Shaw.

Hij keek er opnieuw naar. 'Wat is er met hem gebeurd?'

'Mensen zoals hij krijgen geld aangeboden, meneer Judd, in ruil voor organen,' zei Shaw, die sterk vermoedde dat Judd het al wist. 'Een paar honderd pond. Sommigen gaan dood. Rijke mensen wandelen weg met een nieuw leven. En u zegt dat u van niets weet? U zegt dat u niet een van die rijke mensen zou willen zijn?'

Judd liep langs de rij, gaf de koeien een mep om ze in het gelid te krijgen. Toen hij terugkwam, zag Shaw dat er eindelijk wat emotie in zijn ogen lag. Hij vroeg zich af hoe het leven was als je dagelijks dieren zag doodgaan.

Judd vestigde zijn blik op Shaws schoenen. 'Daar weet ik niets van.'

Hij leek volkomen verslagen, even bloedeloos als de karkassen die aan de haken hingen.

'Er wacht een auto buiten,' zei Shaw. 'U gaat mee naar het bureau. Ik arresteer u wegens de aanslag op het transformatorhuis en de vernielingen in het huis van Jan Orzsak.' Shaw wees hem op zijn rechten.

De man die het slachtpistool hanteerde kwam naar buiten en keek Judd openlijk nieuwsgierig aan. Ze volgden de loopren naar de binnenplaats.

'Eén peuk?' vroeg Judd, buiten in het zonlicht. 'Alstublieft.'

Shaw knikte en hij zag dat de handen van de oude man beefden toen hij probeerde zijn sigaret op te steken. Toen brak hij de lucifer met één hand behendig doormidden en liet hem in het zand vallen. Opnieuw dat familietrekje, de gebroken, v-vormige lucifer.

'Er is met name één ding dat ik niet begrijp,' zei Shaw terwijl hij zijn voeten uit elkaar plaatste. 'Waarom dacht Bryan eigenlijk dat u schuldig was aan de dood van Norma Jean? Ik weet dat hij in zijn hart wist dat ze dood was. En hij wist dat jullie ruzie hadden gehad over de baby. Maar waarom dacht hij dat u haar had vermoord?'

Judd keek naar het bloed op zijn ooit witte overall. 'Bloed... Hij had bloed gezien.'

'Dat staat niet in de verklaringen,' zei Valentine. 'Er wordt niet over bloed gesproken. Waar heeft hij dat gezien?'

Judds hoofd was verdwenen in een wolk van sigarettenrook. 'In de badkamer. Hij ging boven kijken of ze in orde was – ik had me gesneden tijdens het scheren, een hand uitgestoken, denk ik, en een bloedvlek achtergelaten. Later, toen we wisten dat ze verdwenen was, vroeg hij of het háár bloed was. Godver. Het was míjn bloed. En hij had gevoeld dat ze verdronk, naar adem hapte. Dat zei hij tenminste. Dus had hij alles bij elkaar opgeteld: dat we ruzie hadden gehad, dat ik haar geslagen had, zodat ze bloedde, en haar toen onder water had gehouden. Dat heeft hij jullie niet verteld. Soms wou ik dat hij dat wel had gedaan. Maar hij wilde niet. In plaats daarvan kwelde hij me al die jaren, en ik kwelde Jan Orzsak.'

Ze lieten hem zijn sigaret alleen oproken.

Daarna leidden ze hem naar de straat en toen hij de patrouilleauto zag, keek hij ernaar alsof het iets obsceens was. Valentine opende het achterportier en legde zijn hand op Judds hoofd om het te beschermen terwijl hij hem op de achterbank duwde. Er ging een uniformagent naast hem zitten en een tweede achter het stuur. Shaw keek door het raam en zag dat hij de tekening van Deken op zijn knieën had opengevouwen. Toen Judd hem zag, keerde hij zijn hoofd met een ruk af, maar Shaw had al gezien dat hij huilde. De tranen trokken een voor in het stof en het bloed op zijn gezicht.

37

ZE KEKEN TOE TERWIJL Judd werd weggevoerd, zijn zilvergrijze haren naast de agent zichtbaar door de achterruit, en liepen toen naar de Land Rover. Shaw belde Twine met zijn mobiel voor het laatste nieuws terwijl Valentine iets te drinken haalde in de Crane, een pint bier en een glas cola. Terwijl hij wachtte aan de bar overwoog hij Shaw over zijn nachtelijke bezoek aan Alex Cosyns te vertellen. Als Cosyns een klacht indiende zou hij minder last krijgen – zij het niet véél minder – als hij het al had opgebiecht. Plus dat hij iets substantieels over de zaak had gevonden: Robert Mosse deed betalingen aan Cosyns. Waarom? Mooier nog, traceerbare betalingen. Valentine was ervan overtuigd dat als ze Cosyns bankrekening konden inzien, ze een regelmatig inkomen van Mosse zouden vinden. Zo betaalde hij natuurlijk voor zijn levensstijl, zo hield hij de Citroën in het stockcarcircuit en zo kon hij zich zonder merkbare pijn een onaangename scheiding permitteren.

'Chantage,' zei Valentine in zichzelf terwijl hij met de glazen naar de auto liep. Maar zodra hij op de passagiersstoel zat, voelde hij zich minder zeker van zich zelf. Misschien zou Cosyns geen klacht indienen, wat op zichzelf al verdacht zou zijn. Dus waarom zou hij het risico nemen dat hij door commissaris Warren op het matje werd geroepen als hij zich gedeisd kon houden tot hij hardere bewijzen had, iets waarvoor Mosse in hechtenis kon worden genomen?

Ook Shaw had nagedacht. Hij voelde een bijna onstuitbare behoefte Valentine alles te vertellen wat hij te weten was gekomen over de laatste dag van Jonathan Tessiers leven. Want nu klopte het allemaal. Hij kon de puzzelstukjes leggen, een voor een, van de botsing op Castle Rising tot het moment dat de jonge Jonathan achter een stuiterende bal aan was gerend. Misschien was hij toevallig bij de garageboxen terechtgekomen, of, wat waarschijnlijker was, had hij de hond gezien, losgebroken, of uitgelaten aan de lijn. De terriër waar hij dol op was geweest, die hij zelf had willen hebben. Dus was hij de hond naar de boxen gevolgd, en binnen... Wat had hij binnen gezien? De auto, gehavend, met nog de littekens van de botsing. Hij zou gepraat hebben, vragen hebben gesteld, of hij de hond mocht hebben, maar dat was het laatste wat ze konden toestaan. En hem omkopen zou niet helpen: tien pond, twintig pond – hoeveel om te voorkomen dat een opgewonden kind er alles uitflapte zodra hij thuiskwam? Daarvoor was er niet genoeg geld in zijn kleine wereld. Misschien hadden ze hem in de garage gelokt, de deur dichtgedaan. Iemand had Tessier gewurgd. Een koelbloedige moord? Shaw betwijfelde het, maar ze hadden het joch niet eeuwig kunnen tegenhouden. Hij zou weg hebben gewild, ze zouden geprobeerd hebben hem tegen te houden, geprobeerd hebben hem zijn mond te laten houden. Uiteindelijk hadden ze geen keus gehad: hij moest sterven. En toen hadden ze zich van het lichaam moeten ontdoen. Een taak die Robert Mosse was toegevallen, als ze het forensische bewijs van de handschoen mochten geloven die ter plaatse was gevonden. Hij had een auto vlakbij geparkeerd, bovengronds om vandalen te vermijden. Had hij hem achteruit naar binnen gereden, het lichaam van het joch ingeladen? Maar waarom had juist Mosse dat risico genomen? Shaw dacht aan de videobeelden van de botsing op Castle Rising. Was Mosse erbij geweest – de onzichtbare figuur op de passagiersstoel? Want als hij ooit in de rechtszaal had moeten verschijnen, zou het gedaan zijn geweest met zijn carrière. De orde van advocaten kon leven met een misstap, maar medeplichtigheid aan de dood van twee onschuldige bejaarde vrouwen en hen in de steek laten als hij hulp had kunnen inroepen, was een misdaad die niemand kon of zou tolereren.

Maar toen Valentine terugkeerde uit de bar aarzelde Shaw, niet in staat hem in vertrouwen te nemen. Het was tenslotte Shaw zelf geweest die zijn brigadier had verboden het onderzoek-Tessier voort te zetten. En nu wilde hij hem vertellen dat hijzelf precies dát had gedaan? Stel dat Shaw de garagebox zelf opspoorde? Dan zou hij hulp nodig hebben, ter plaatse, om alle harde bewijzen die ze konden vinden veilig te stellen, bewijzen waarmee ze naar commissaris Warren konden stappen. Dan pas zou hij brigadier Valentine nodig hebben, niet nu, nu het onderzoek-Judd in volle gang was.

Shaw nam een slok cola. 'Dus... Wat denken we? We kunnen Judd inrekenen wegens brandstichting en inbraak, maar verder? Is hij betrokken bij de orgaanhandel?'

Valentine schudde zijn hoofd. 'Volgens mij niet. Het is een samenloop van omstandigheden. Ze hadden Deken ook zonder de stroomstoring uit de kerk kunnen ontvoeren. En de aanslag op het transformatorhuis vond 's middags plaats, uren voor de ontvoering. Er was geen garantie dat de storing dan niet zou zijn verholpen. Ik denk niet dat Judd ermee te maken heeft; geen schijn van kans. Het enige wat hij wilde was het huis van Orzsak binnendringen.'

Shaw wilde juist een tegenwerping maken, maar hij zweeg toen hij de Mégane van agent Lau met gierende banden Erebus Street in zag komen. Ze stopte naast de Land Rover.

'Chef. Het inspectieteam is net klaar met de orgaanbanken. Niets in A, B en C. Dat zijn de banken van de nationale gezondheidszorg. Maar D is vol verrassingen.' Ze gaf hem een uitdraai, een lijst van ongemarkeerde weefselmonsters, zes organen zonder de bijbehorende documenten, vijf nieren en een stuk van een lever. 'Volgens de arts die de leiding heeft is er ook een paar meter pees, aderweefsel en huid. Blijkbaar allemaal commercieel,' voegde ze eraan toe. 'Allemaal vermist.'

Shaw boog zijn arm en dacht na. 'Tom Hadden?'

'Die is er nu. Ze dragen het graag over als plaats delict. De deuren zijn verzegeld en er is politielint gespannen.'

'Peploe?'

'Volgens zijn secretaresse heeft hij zich vanmorgen telefonisch ziek gemeld – boodschap achtergelaten. Hij heeft een appartement in de oude Baltic Flour Mill aan de kade. Ik laat het door de uniformdienst natrekken.'

'Het jacht?' vroeg Shaw.

'*Monkey Business*,' zei agent Lau. 'Volgens zijn secretaresse gebruikt Peploe het voor cliënten – wat dat ook mag inhouden. Vaste ligplaats in Wells-near-the-Sea, vlak buiten de haven.'

Shaw belde de havenmeester in Wells, een oud-marineman, Roger Driscoll, die het bevel voerde over de hovercraft van de reddingsbrigade in Hunstanton. Shaw excuseerde zich dat hij belde, maar had Driscoll informatie over de locatie van het jacht *Monkey Business*?

'Natuurlijk, maar het is geen jacht, Peter. Denk aan Jackie Onassis, maar dan zonder smaak. Het heeft een open brug.'

Shaw kende het type. Slanke, quasichique lijnen, rookglazen hut en een tweede dek onder de sonar en de satellietnavigatie-instrumenten.

Het was wat elke zichzelf respecterende jachteigenaar een 'showboot' zou noemen. Hij had Peploe aangezien voor een houten boot-, kaartentafel-, onder zeil-man. Maar misschien was het jacht alleen voor de vrouwtjes, of voor rijke particuliere patiënten. Of voor iets anders? Hij dacht aan de beschrijving door Pete Hendre van de kamer waarin hij wakker was geworden: het constante zoemen, de metalen deur, de flikkerende lichten. Kon het op een boot zijn geweest? Maar er was geen beweging geweest, dus als het het jacht was, had het in de haven moeten liggen. Of op het strand?

'Persoonlijk mijd ik boten die patiodeuren hebben,' zei Driscoll. 'Maar ja, ik heb dan ook geen half miljoen te besteden.' Hij zei dat uit het logboek bleek dat de *Monkey Business* de avond tevoren op de motor en het getij de haven had verlaten. Er was geen bemanning, maar gezien het instrumentarium op de brug was die ook niet nodig. De boot stond al vijf jaar geregistreerd in de haven op naam van een bedrijf, Curiosent, met een telefoonnummer en een naam. Het vertrok elke zomer voor drie maanden naar de Middellandse Zee. Hij kende de eigenaar alleen als Gavin.

'Charmant, gebronsd, en meestal is er ook een meisje, en meestal telkens een ander.'

Shaw hoorde een uitbarsting van witte ruis, een metalig klinkend gesprek en toen Driscoll weer. 'Zal ik hem zoeken? Hij heeft radio aan boord en we hebben zijn identiteit. Geef me vijf minuten.'

Lau gaf Shaw haar iPhone, waarop ze de website van Curiosent had opgezocht. Het was een bedrijf dat kleine chirurgische ingrepen verrichtte, van laseroperaties via snurktherapie tot vasectomieën. Er waren acht chirurgen in dienst; Shaw herkende drie namen van de lijst die ze in het Queen Vic hadden gekregen, waaronder die van Peploe.

Shaws mobiel ging over. Het was Driscoll. 'Peter. Er is iets mis. Ik heb een kruispeiling van Peploes boot. Ze ligt zo'n zevenhonderd meter voor Norton Hills.'

Shaw haalde zich de kustlijn voor de geest. Norton Hills was een duinenrij bij Scolt Head Island. Het was een stuk kust dat bestond uit een doolhof van drassige geulen en kilometers ondiep water.

'Drijft ze?'

'Volgens mijn kaarten kan dat niet. Het getij is bijna op zijn laagst, dus het is er één meter twintig diep, minder. Ze heeft drie meter nodig om niet aan de grond te lopen.'

'Zou ze kapseizen?' Dat was een van de dodelijke gevaren van de kust van Norfolk. Een boot met een traditionele kiel die op de zandbanken loopt kapseist uiteindelijk als het tij afloopt.

'Ik weet het niet. Sommige van die grote boten hebben een speciale romp, maar niet allemaal. We moeten van het ergste uitgaan. Ik heb de radio geprobeerd. Ze ontvangt, maar antwoordt niet. En er komt zeemist opzetten, zo'n anderhalve kilometer verder, met een aanlandige wind. Het zal bij laagtij de zandbanken bereiken. Ik heb radioverbinding met een paar plaatselijke boten ginds; het zicht is nog maar tien meter, en het wordt snel minder.'

'Aanroepen dan?' vroeg Shaw. Driscoll was als bevelvoerder degene die besloot of de hovercraft werd ingezet. Maar hij had het enthousiasme in Shaws stem vast gehoord. Als stuurman had Shaw opnieuw een test moeten afleggen nadat hij een oog was kwijtgeraakt. Hij was met vlag en wimpel geslaagd. Zoals de examinator had gezegd, heeft iedereen op afstanden van meer dan acht meter in feite maar één oog; het voordeel van twee ogen op enkele centimeters van elkaar blijft beperkt tot de korte afstand.

'Goed. Ik trommel een bemanning op,' zei Driscoll.

'Ik heb een passagier,' zei Shaw. 'Ik zie je op de steiger.'

Hij legde de telefoon weg. 'George. Pak je regenjas. Je gaat naar zee.'

Ze namen de Land Rover en Shaw zette een zwaailicht op het dak. Terwijl hij reed voelde Shaw zijn mobiel trillen terwijl Driscoll de automatische oproep in werking stelde. Valentine zag de zee links voorbijtrekken terwijl ze de kust volgden. Het zat hem niet lekker: de lucht was prentenboekblauw, de witte golven kabbelden zachtjes op het strand, maar verder buitengaats was het heiig en de horizon was verdwenen; zee en lucht gingen naadloos in elkaar over.

Het reddingsstation in Old Hunstanton stond aan een pad dat naar de zandbanken leidde, tegenover een café met tafels op het terras. Shaw had een foto van de steiger uit 1920: een T-Ford, dames met hoedjes en tot hun knieën reikende rokken die blootsvoets over het strand renden.

De vuurpijl had de gebruikelijke menigte aangetrokken, vakantiegangers die snakten naar wat drama op een verder saaie, hete middag. De walbemanning van de reddingsbrigade was voor de *Flyer* al een route naar zee aan het markeren, naar de verre streep blauw langs kilometers droog zand. Shaw trok zijn pak aan, zette zijn helm op en trok een lichtgewicht windjack aan. Hij checkte de radioverbinding met de kustwacht in Hunstanton. Ze openden de deuren van het nieuwe botenhuis en daar lag de hovercraft. Het kussen was leeg gelaten, zodat het vaartuig als een kat in een mand lag. Shaw ging op de stuurstoel zitten, startte de twee dieselmotoren en voelde de hovercraft licht deinend omhoogkomen; het geluid drong als een zacht bulderen door de oorbeschermers.

Hij checkte de besturing en draaide zich toen om op zijn stoel om te zien of de bemanning aanwezig was: navigator, twee bemanningsleden en Valentine, in een blauwe weerbestendige overall, met twee riemen op een stoel gesnoerd. Driscoll klom als laatste aan boord en ging naast Shaw in de stuurhut zitten. Hij zette de schakelaar van de waarschuwingsverlichting om en meldde de afvaart toen aan het volgstation van de reddingsbrigade. Boven hen draaide een sonarscanner en de navigator meldde dat hij hun positie op de monitor had. Vóór Shaw lichtte een bewegende kaart op, waarop de hovercraft te zien was als een rode cirkel op een doorzichtige kaart.

Shaw loodste de *Flyer* door de deuren en klapte het vizier van zijn helm neer toen het zand begon te stuiven in een wervelende stofwolk, zodat hij, toen hij voorbij de oude strandhutten kwam, zijn huis aan het strand niet kon zien. In een wolk van zand en geluid staken ze het strand over en Shaw goochelde met de joystick om de rolroeren achter de twee rondtollende propellers die de *Flyer* aandreven te bedienen. Toen ze de zee bereikten was die als vloeibaar kwik, een spiegelglad oppervlak dat er olieachtig, bijna stroperig uitzag. Shaw zwenkte naar het oosten, accelereerde tot de topsnelheid van dertig knopen en bleef dicht onder de kust. Op het land zag hij bij Thornham enkele paarden die het op een rennen zetten toen het geluid van de motor hen bereikte. Bij Brancaster voeren ze dwars door een zeilwedstrijd en joegen twaalfvoetsjollen uiteen toen Shaw een kortere route nam over het strand van Scolt Head.

Hij kon de opdoemende nevelbank al zien, een muur van slijmwitte mist, zo ononderbroken als de witte kliffen bij Dover. Ze zouden erin varen, de hovercraft op droog zand laten zakken en proberen het jacht te voet te vinden.

Shaw minderde vaart tot tien knopen toen de *Flyer* het zonlicht achter zich liet. De mist rook naar ammonia en zeezout, oesterfris. De dichtheid ervan sneed de warmte af, zodat het was alsof ze de winter binnengleden. Vóór hen was het abrupte, deprimerende grijs, achter hen trok de deels verlichte rand van de mistbank zich terug alsof ze stillagen en de mist over hen heen gleed. Shaw stuurde de *Flyer* in een lus langs de rand van een zandbank die goudkleurig was opgedroogd voordat de mist landwaarts was getrokken. Toen schakelde hij de motoren uit, de rok zakte en ze landden met een kus.

Een van de bemanningsleden ging op de stuurstoel zitten en luisterde de radio af terwijl de anderen over de rok klommen. Op het dak van de hut werd een halogeen baken in werking gesteld en de lichtbundel sneed door de mist en gleed om hen heen als de bundel van een vuurtoren.

Driscoll sprong als laatste op de zandbank. 'Oké. We gaan naar noord, zuid, oost en west. Verlies het licht niet uit het oog. Neem een pieper mee... Sein als je haar ziet. Met u alles goed?'

Valentine keek toe hoe het water een gracht vormde rond zijn zwarte instappers. 'Ja hoor.'

'Die kant op,' zei Driscoll, naar het noorden wijzend. 'Op de mouw van uw jas zit een kompas.'

Valentine keek naar de kleine naald en begaf zich op weg. Shaw ging naar het oosten en stuitte de eerste vijftig meter slechts op het skelet van een kongeraal. Hij bleef staan, keek naar het plastic-achtige kraakbeen en toen naar het licht in de verte. Hij liep nogmaals vijftig meter en zijn ogen begonnen elk gevoel voor proportie of relatieve afstand te verliezen. Het was alsof hij in een gigantische sauna was verdwaald.

Het ene elektronische piepje, toen het kwam, klonk naargeestig en kaatste rondom hem heen en weer. Hij rende terug naar de hovercraft en zag de anderen naar het noorden gaan, Valentine achterna. Hij volgde met afgemeten pas, elke tweede voetafdruk overslaand. Toen hij hen had ingehaald, zag hij het eveneens. Het was een bizar gezicht, het protserige jacht van een miljoen op het droge. De romp was in een smalle geul gedrongen, die voldoende steun gaf om haar overeind te houden. In een grijze wereld was de *Monkey Business* oogverblindend wit. Er brandde licht achter een van de ramen van de hut op het eerste dek. Ergens hoorden ze het kraken van een radio op een open frequentie.

Driscoll gooide een verzwaarde touwladder naar boven en over de reling heen, waar hij onuitnodigend bleef hangen. Shaw klom als eerste naar boven en hield hem toen stil voor Valentine, die zich uit alle macht vastklampte terwijl de ladder onder hem ronddraaide. Het dek was schoon, gedweild, vlekkeloos; het koperwerk blonk mat ondanks het nevelige donker.

'Dokter Peploe?' Shaw voelde zich een idioot met zijn geschreeuw en de echo die terugkaatste van de ondoordringbare soep. Het eerste dek was grotendeels omgeven door bruin rookglas. Hij liep naar een glazen deur en probeerde die open te schuiven, maar hij zat op slot. Hij drukte één oog tegen het glas, maar zag niets, behalve een vlieg aan de binnenkant, een aasvlieg, toen nog een.

Via een teakhouten trap met koperen ribben klommen ze naar het tweede dek. De helft ervan was aan de zijkanten open en hier was ook het stuurhuis. Het leek wel de cockpit van een 747: een sonarpatroon in felgroen op zwart, het radiosignaal aangegeven met decibelbalken.

Op het controlepaneel van de motor flitsten rode waarschuwingslampjes.

Er was een luik in het dek, dat met een duur klinkend klikje openging. Vier beklede treden leidden omlaag naar een salon zo groot als een volleybalveld. Ondanks het getinte glas was het er smoorheet. Het grootste deel van de ruimte werd in beslag genomen door twee sikkelvormige banken, een hometrainer, een flatscreen en een boekenwand. Het rook er naar boenwas, het rook er nieuw. Buiten drukte de mist tegen de getinte ramen.

Een centrale gang leidde van de salon naar het achterdek; aan weerszijden teakhouten deuren, een naar een eetvertrek, een andere naar een jacuzzi. Een derde aan het eind leidde naar de grote slaapkamer; het bed besloeg bijna de hele hut en het plafond bestond uit één grote spiegel. In de hoek was een wenteltrap naar een perspex luik met het woord SOLARIUM. Een elektrisch verlicht bordje zei IN GEBRUIK.

Shaw klom naar boven tot hij zijn schouder tegen het luik kon zetten. Toen wachtte hij. Hij hoorde geluid en keek door het perspex naar boven. Aasvliegen, honderden, rondvliegend in een krankzinnige warreling; met hun iriserende kleuren zagen ze eruit als kruipende juwelen.

Shaw haalde diep adem, duwde tegen het luik en de scharnieren kraakten. Hij klom een trede hoger, bukte zich en gebruikte zijn lichaam als hefboom. Nog een trede en toen zette hij al zijn kracht in om zijn rug te rechten. Hij voelde de luchtdruk in zijn oren ploppen. Toen voelde hij de vliegen die langs hem heen stroomden, zacht tikkend tegen zijn huid botsten, in zijn ogen drongen, zijn neus, zijn lippen. Hij dwong zijn benen te klimmen en struikelde het solarium binnen. Het dak was een groen getinte glazen bel, bespikkeld met vliegen, waarvan het gezoem werd versterkt door de holte van het vertrek.

In een halve cirkel hingen vier hoogtezonlampen, als OK-lampen, waarvan de panelen een zachte, kersenrode gloed verspreidden.

Gavin Peploe lag, gekleed in een geel strandshort, op een zonnebank. Zijn huid was gebruind, strak, en zijn borst en benen waren gespierd, maar zelfs op een jacht van een miljoen was de dood afzichtelijk.

De vliegen, opgejaagd door het openen van het luik, begonnen naar hun maaltijd terug te keren en ze verdrongen elkaar in de oogkassen en rondom de neus. Het zweet brak Shaw uit. Hij liep naar een thermometer aan de muur: 49 graden Celsius, 110 graden Fahrenheit. De huid op de knieën en de borst van de chirurg was verbrand, een rode brandplek met zwarte randen.

Hij hoorde Valentine beneden kokhalzen. Shaw zette de kraag van zijn windjack op, zodat die zijn mond en neus bedekte, en ritste hem dicht.

Wanneer had hij Peploe voor het laatst gezien? Vierentwintig uur geleden. Als hij het lijk op een plaats delict in de openlucht zou hebben gevonden, zou hij geschat hebben dat het er een week had gelegen, misschien meer. In het op een oven lijkende solarium, op de zonnebank, was Gavin Peploes lichaam al in verregaande staat van ontbinding.

Hij hoorde Valentines voetstappen op de korte trap. Hij verscheen met een grijze zakdoek voor zijn mond.

Ze stonden aan weerszijden van het lichaam. Op het nachtkastje stond een leeg glas naast een iPod en een mobiele telefoon. Uit de concentrische ringen in het glas bleek dat het water geleidelijk was verdampt.

Peploe lag languit met een fluwelig luchtkussen onder zijn hoofd. Zijn lippen en borst vertoonden een dun patina van braaksel. De ogen waren open en wemelden van de vliegen. Shaw joeg ze weg en probeerde de ogen te sluiten.

'Ik heb radiocontact opgenomen,' zei Valentine en hij hoestte toen er iets in zijn mond kroop.

Shaw werd duizelig van de warmte en misselijk bij het zien van zo'n vibrerende, krioelende dood, maar hij dwong zichzelf de inventaris op te maken van de plaats delict en zag daardoor wat Peploe in zijn rechterhand had. De vingers waren opengevallen, zodat het voorwerp dat ze vasthielden bijna op de zonnebank viel. Het was een plastic snoepdispenser in de vorm van een draak, zo'n klein buisje waar je snoepjes in kon stoppen, die je dan naar de muil van de draak kon wippen en kon uitwerpen. Het had de gelige kleur van boetseerklei, met rode en blauwe strepen. De bek van de draak stond open naar het volgende snoepje, maar ze zagen dat het geen snoepje was, maar een pil – blauw, ovaal, uitnodigend op de roze plastic tong.

38

WIE KENDE GAVIN PEPLOE echt goed? Binnen zes uur hadden ze zich een beeld van de man gevormd, een beeld dat niet helemaal overeenkwam met dat van de zorgeloze, mondaine player. Toen zijn ex door een vrouwelijke agent op de hoogte werd gebracht van zijn dood, stortte ze in op de stoep van haar huis in Virginia Water, Surrey. Ze was hertrouwd, maar had nog regelmatig contact gehad met haar ex-man. Ze vertelde een inspecteur van de recherche van Windsor dat ze domweg te jong waren getrouwd. Peploe leed aan epilepsie, zei ze, en had sinds zijn tienertijd anticonvulsieve middelen geslikt. Hij gebruikte soms ook marihuana, een bekende recreatieve manier om aanvallen tegen te gaan. Toen hij dertien was, was zijn hazenlip chirurgisch gecorrigeerd. Vóór die tijd was zijn gezicht ernstig misvormd geweest, maar de ingreep had zijn neiging tot persoonlijke ijdelheid en zijn behoefte om zich te bewijzen als een man die aantrekkelijk was voor vrouwen versterkt. Het was een ondeugd die ze geleerd had te begrijpen, maar nooit had kunnen vergeven.

Een eerste oppervlakkig onderzoek van het jacht leverde niet veel op. Toen Justina Kazimierz het slachtoffer ter plekke onderzocht vond ze geen verwondingen. De brandplekken op de huid onder de lampen en de zon waren na de dood ontstaan. Ze suggereerde een onbedoelde of opzettelijke overdosis als mogelijke doodsoorzaak. Enkele pillen uit de snoepdispenser waren voor analyse naar de Forensic Science Service gestuurd. Haddens TR-team had noch in het solarium noch elders op het jacht aanwijzingen gevonden dat het had gefungeerd als drijvende operatiezaal of verkoeverafdeling. De kasten in de kombuis waren leeg op enkele blikken bonen, groenten en vlees na, plus een kleine voorraad water in flessen. De motoren functioneerden en de waarschuwingslichten op de brug gaven slechts aan dat de schroeven zich boven water bevonden.

'Als Peploe zwarthandelaar was in illegale transplantaties, wie waren zijn klanten dan?' vroeg Shaw aan Valentine. Ze stonden in de rij voor de

Costa Coffee-kiosk in de ingang van de Eerste Hulp van het Queen Vic, even weg uit de commandocentrale, die op volle kracht werkte. Shaw had het team zojuist ingelicht over de vondst van het lichaam van Gavin Peploe. Buiten was de nacht gevallen en het plein werd verlicht door een zwaailicht van een ambulance. 'De rest kan ik me voorstellen, George, maar hoe kom je aan klanten? Je kunt niet adverteren ... of misschien ook wel. Op internet? Dat moeten we checken.'

Achter een zijdeur was een kleine betonnen patio met picknicktafels, stuk voor stuk omringd door enkele honderden peuken. Ze namen plaats en genoten van de koele lucht.

'Je gaat eerst uitzoeken wat de wachtlijst is,' zei Valentine.

Shaw nam een slok koffie en luisterde.

'Je bent rijk, je gaat dood, je hebt een nier nodig. Het plaatselijk ziekenhuis zegt: over een jaar misschien. Maar je bent rijk en rijken wachten niet. Je gaat particulier, ze zeggen: een halfjaar, want ook daar zijn wachtlijsten. En zelfs als je er het geld voor hebt, ze worden gecontroleerd, dus je moet aan bepaalde eisen voldoen: gewicht, voeding, leefwijze. Dan suggereert iemand dat er andere wegen zijn. Je kunt de rij overslaan ... alle rijen.'

Shaw kneep zijn kartonnen beker plat en legde zijn handen met de palm omlaag op het houten tafelblad. 'Dus we hebben onze chirurg – Peploe; we hebben onze operatiezaal – hier, OK 7. Verkoeverkamers? Op Niveau 1, wed ik – de huiszoeking heeft niets opgeleverd, maar je hebt gelijk: ze hebben alles meteen na de dood van Bryan Judd opgeruimd – geen spoor. Cliënten – er is een systeem, zoals je zegt, want we weten dat er vraag is. Blijft over de aanvoer – de donoren. Dakloze mannen die om geld verlegen zitten en bereid zijn het ultieme risico te lopen, zich voor duizend pond weerloos over te leveren – vijftig pond aanbetaling en de rest als ze het overleven. Wat weten we niet?'

Valentine zuchtte; hij had de pest aan dergelijke rationalisaties, aan het behandelen van een misdaad als een schoolvoorbeeld. 'We weten niet of Peploe zelfmoord heeft gepleegd omdat hij wist dat we de organbank elk moment konden vinden, of dat zijn dood een ongeluk was, of zelfs moord. We weten niet wie de Organist is, de man op straat die de donoren zoekt en verzamelt. We weten niet wie Peploes medeplichtigen waren. En we weten niet wie Bryan Judd heeft vermoord, of waarom – waar we mee begonnen zijn. Zo goed?'

Shaw likte de chocolade van het deksel van zijn koffiebeker.

'Dat betekent niet dat we niet kunnen proberen erop door te borduren.'

Valentine spuugde op de grond.

'Bryan Judd past in de orgaanhandel,' zei Shaw. 'Hij zorgt ervoor dat het afval van de operaties netjes wordt opgeruimd. Dat is essentieel. Ze zouden het thuis kunnen verbranden, maar dan zouden ze het naar buiten moeten smokkelen, wat gevaarlijk is, stom, als je het ter plekke kunt doen.'

Boven hen viel het schijnsel van de maan op een dunne sliert rook uit de schoorsteen van de verbrandingsoven.

'Laten we nadenken over het leven van Judd,' zei Shaw. 'Hij krijgt hier zo'n beetje het minimumloon. Hij is betrokken bij dat zwendeltje van Holme, waarvoor hij een voorraadje Green Dragon krijgt. Dat duurt al een jaar, of langer, dus hij is verslaafd. Bovendien krijgt hij betaald voor het dumpen van het menselijk afval. Ik denk niet dat het veel is, anders zou hij Holme niet nodig hebben. Dus samengevat: onze man staat onder aan de voedselketen en kan er maar net van leven. Hij krijgt zijn basisloon en een extraatje om een oogje toe te knijpen bij de transportband en om Holme te waarschuwen als er geneesmiddelen worden vernietigd.

Maar dan, op de dag dat hij sterft, wordt het erger. Holme gaat naar het ziekenhuis om het nog één keer uit te leggen. Hij stopt ermee, er komt geen Green Dragon meer.' Shaw tikte tegen de rand van de kartonnen beker. 'Holme zou uit beeld verdwijnen – min of meer permanent, wat Judd betrof. Dus Judd moest onder ogen zien dat hij zijn spullen elders zou moeten halen, en hij had er geld voor nodig. Waar hebben we het over, George? Honderd pond per week, honderdvijftig?'

Valentine knikte. 'Afhankelijk van hoeveel hij gebruikte, maar de gevallen die ik heb meegemaakt – het zijn zware gebruikers. Minstens dus.'

'Judd staat voor een crisis. Hij heeft meer geld nodig. Stel dat hij er Peploe of de Organist om heeft gevraagd. Misschien zelfs met een dreigement – dat hij de orgaanhandel zou opblazen als hij het niet kreeg. Want het is niet zomaar een kleine bijverdienste, toch? We hebben het over georganiseerde misdaad, al is het niet precies de maffia.'

Valentine, meegesleept door de analyse, pakte Shaws verfrommelde beker, draaide hem om en tikte op de bodem. 'En nog iets: de kaars op de rug van Deken. Misschien is dat het teken. Maar waarom moet je dat doen als jij degene bent die hem ophaalt?'

Shaw glimlachte. 'Ze zijn dus met zijn tweeën; de een selecteert, de ander haalt op.' Een vleermuis, aangetrokken door de insecten die rond dwarrelden in het licht dat door de glazen deur viel, fladderde rond hun oren.

Agent Twine was hen gevolgd naar het café. Hij ging zitten en schroefde de dop van een fles plat water. 'Een meevaller. Peploes secretaresse in het ziekenhuis schijnt haar baas goed te kennen – ze weet in elk geval van zijn pillen. Volgens haar gebruikte hij anticonvulsieve middelen, zoals zijn vrouw zei. De drakenkop bevatte lamotrigine. Als hij er in het openbaar een moest innemen, zei hij tegen de kinderen dat het snoepjes waren. Hij had ook altijd een zak snoep bij zich, dus zij kregen er ook een.' Hij keek naar een aantekening die hij had gemaakt in een keurig notitieboekje. 'Hij gebruikte carbamazepine in siroopvorm – waarschijnlijk elke ochtend – en gabapentine in geval van nood. Ze zaten in een plastic flacon in zijn zak.

Het probleem is dat de pillen in de dispenser volgens Tom geen lamotrigine zijn. We zullen op de officiële analyse door de FSS moeten wachten. De kleur en de vorm komen er heel dicht hij, maar hij denkt dat het beslist iets anders is. Hij heeft ze aan de ziekenhuisapotheker laten zien en die zag het meteen. Ze denkt dat het natriumnitroprusside is. De Eerste Hulp gebruikt dat in noodgevallen om een snelle daling van de bloeddruk te bewerkstelligen. Eén pil, nooit meer. Zelfs één, gegeven aan een patiënt met een normale bloeddruk, zou dodelijk kunnen zijn. Twee – en Peploes vaste dosis was twee – zou fataal zijn.'

Shaw sloot zijn ogen en haalde zich weer het beeld voor ogen van Peploe die de pillen innam. Het snelle, geroutineerde twee keer schudden, het medicijn dat in zijn hand viel en vervolgens regelrecht in zijn mond verdween. Hij had niet gekeken. Waarom zou hij? Iedereen die hem kende zou dat over Gavin Peploe weten: hij keek nooit.

'Het zou zelfmoord kunnen zijn,' zei Twine. 'Hij zou de werking kennen.'

Shaw schudde zijn hoofd. 'Denk goed na. Het slaat nergens op. Waarom zaten de pillen in de dispenser? Je besluit niet om zelfmoord te plegen en verzint dan een manier om het op een ongeluk te laten lijken. Tenzij het een verzekeringszwendel is – en ik denk dat we ook dat kunnen uitsluiten. Als hij zichzelf wilde ombrengen, had hij ze gewoon geslikt. Nee, ik denk dat iemand ze heeft verwisseld. En hem zijn eigen gif heeft laten toedienen. Iemand die niet wilde dat Gavin Peploe zou praten.'

39

LENA SLIEP, DUS SHAW liet zichzelf binnen in het kantoortje achter het Beach Café en zette de iMac aan. Hij zou de slaap toch niet kunnen vatten, dus hij kon net zo goed iets doen. De mogelijkheid dat Gavin Peploe was vermoord, betekende dat het onderzoek opnieuw geëvalueerd moest worden. Het hele team was opgepiept dat ze de volgende ochtend om halfzeven werden verwacht bij een bespreking op Niveau 1. Buiten hoorde hij het getij binnenstromen en een nachtelijke bries die door het hoge gras in de duinen streek.

Terwijl het scherm van de iMac oplichtte probeerde hij Peploes gezicht van zich af te zetten: de kleurloze streep speeksel op de gebronsde huid, de van vliegen wemelende ogen. Hij opende Google, ging naar de website van de gemeente en volgde de links naar de Burney Housing Association, die Westmead Estate tegenwoordig beheerde. De verhuur van garageboxen was uitbesteed aan een particulier bedrijf, OffStreet. Het had een onlineregister van de drieënzestig garageboxen in Westmead. Acht ervan stonden leeg en waren te huur voor een jaarlijks bedrag van veertig pond. De leiding van de servicedienst was in handen van een beheerder, een zekere D. Holden. Er stond een adres bij in de naburige Shinwell Flats, plus een telefoonnummer.

Shaw keek op zijn horloge: laagtij en zes over halftien in de avond. Het was laat, maar geduld was niet zijn sterkste kant. Hij belde en er werd opgenomen door een vrouw die zei dat Don het niet erg zou vinden dat hij gebeld werd, want hij verveelde zich zo dat hij naar *Newsnight* zat te kijken. Shaw verzekerde haar dat het een routinevraag was.

Don Holdens stem was een verrassing: hoog en schril, blij dat hij kon helpen. Shaw had vier namen en hij wilde weten of een daarvan overeenstemde met de huurders op de huidige lijst. Vier namen: de drie Askit-leerlingen van wie hij vermoedde dat ze op de videobeelden van de botsing op Castle Rising stonden, en Robert Mosse. Don vroeg of hij even wilde wachten en kwam terug met het register. Hij had alles op papier, altijd al, want hij had dan wel een computercursus gevolgd, maar zijn vingers waren te dik voor de toetsen. Shaw wachtte.

Geen overeenstemming.

Had hij het register van de afgelopen jaren nog? Ja – tot 1995. Alles van voor die tijd had hij verbrand, want het was een kleine flat en die barstte al uit zijn voegen. Kon hij teruggaan? Shaw ademde de zeelucht in die door het open raam kwam terwijl Holden de oude registers raadpleegde.

Geen overeenstemming.

Shaw bedankte hem en beëindigde het gesprek. Hij liep het strand op en keek naar de witte lijn van de branding in de verte die brak tot aan de horizon. Hij haalde een rubberballetje uit zijn zak, liet het tegen de houten zijgevel van het café kaatsen en ving het ondanks zijn ene blinde oog op door zijn hoofd enkele centimeters heen en weer te bewegen, een techniek waardoor zijn hersenen twee beelden van de bewegende bal opvingen, waarvan hij een driedimensionaal beeld kon vormen. Hij ving de bal drie keer perfect, maar miste de vierde met ruim dertig centimeter. Het was een behendigheid die hij zou moeten bijslijpen.

Hij stopte de bal in zijn zak en keek naar een bordje boven de ingang van het café. Het was een grote stap voorwaarts geweest afgelopen zomer, de drankvergunning. Misschien dat ze volgend jaar vroeg in de avond zouden opengaan, kijken of ze een klantenkring konden opbouwen. De witte letters van het bord blonken in het maanlicht. LENA MARGARET HUNTE; VERGUNNING TOT HET VERKOPEN VAN BIEREN, WIJNEN EN STERKE DRANKEN, TER PLAATSE TE CONSUMEREN.

Alles wat met de zaak te maken had stond op haar naam ... en ze had nooit de zijne gebruikt. Hij keerde terug naar zijn bureau en vond de map die hij zocht in de bovenste la. Het verslag van een zitting van de kinderrechter in 1992, een zaak waarin hij zich had verdiept vanwege de verbanden met de dood van Jonathan Tessier. Drie jongemannen – de bende van Bobby Mosse – hadden bekend dat ze een kleine jongen, Giddy Pointer, hadden geterroriseerd. De moeder van de jongen had geprobeerd een buurtwachtschema in Westmead op te stellen om het vandalisme om haar verdieping van het Vancouver House te bestrijden. De bende had Giddy een nacht lang in een afvalcontainer opgesloten en er een stuk of zes ratten in gegooid om hem gezelschap te houden, gewoon om zijn moeder een lesje te leren.

Shaw las het verslag van de zitting tot hij bij het gedeelte kwam waar elk van de drie bendeleden de kans was geboden een volwassene namens hen te laten spreken. Ze hadden schuld bekend, maar dit ging over verzachtende omstandigheden. Twee van hen lieten hun vader het woord voeren, maar de derde – Alex Cosyns – had zijn moeder gebeld, een vrouw die zichzelf beschreef als de gewoonterechtelijke vrouw van zijn vader. Ze had haar meisjesnaam aangehouden. En daar stond die – Roundhay.

Shaw belde Holden terug en vroeg hem de naam Roundhay te checken op de lijst van huurders – maar dat was niet nodig.

'Ja. Natuurlijk – dat is een groot gezin in Westmead, inspecteur. Ze hebben altijd een garagebox gehad, nummer 51. Misschien hebben ze nummer 50 ook, maar dat zou ik moeten opzoeken.'

Shaw zei dat hij geen moeite hoefde te doen; één nummer was genoeg.

Het beeld in Shaws hoofd was als een kiekje uit een familiealbum, in jarennegentigkleuren, schel en verblindend. Een warme zondagmiddag, de garageboxen bakten in de zon, een kleine jongen stond bij een geopende roldeur, een pup kefte. Naast de deur waren twee cijfers op het hout geschroefd: 51. Toen bewoog de foto en kwam tot leven, zodat het kind vrij kon bewegen. Iemand zei iets en hij deed een stap naar binnen, uit het zonlicht, toen nog een, en toen was hij verdwenen. Voorgoed.

40

VALENTINE LIEP OVER DE kade naar huis. Het inkomende getij voerde de resten mee van de kille mist die als lijkwade voor het jacht van Gavin Peploe had gediend. In de vaargeul was een vrachtvaarder langs de Cut binnengelopen vanaf de zee; alle deklichten brandden. Het geluid van een radio die ritmische Latijns-Amerikaanse muziek verspreidde kaatste over het water. Het schip zwenkte op het getij, de steven draaide naar de kade om het Alexandra Dock binnen te varen. De stalen stuurboordzijde was nog geen vijftien meter van de kade verwijderd en torende hoog boven Valentine uit.

Hij bleef staan, stak een Silk Cut op en keek hoe het schip schuin in zijn richting gleed, waarbij de enorme massa zijdelings wegschoof. De schroeven woelden chocoladekleurig water op. Op de romp was een enorme vlag geschilderd. Iets exotisch, dacht Valentine; de Filippijnen misschien? Een of andere bananenrepubliek? Een groene vlag, een gele ruit met daarin een blauwe cirkel van de nachtelijke hemel, bezaaid met sterren, en een gebogen witte strook met daarin letters.

'Ordinair,' zei hij in zichzelf. Je herkende die kouwedruktelanden altijd aan hun poenige vlag: wapenschilden, emblemen, bloemen, noem maar op, ze propten het op de vlag in de hoop dat niemand zou merken dat het land straatarm was.

De vlag die aan de mast wapperde was anders, van een bedrijf of zo: zwart met witte letters die hij niet kon lezen doordat er, ondanks de mist, nauwelijks wind stond.

Hij nam een trek en las de woorden op de gekleurde vlag. ORDEM E PROGRESSO. Hij dacht dat hij dat ook zonder schoolopleiding wel kon vertalen. Orde en vooruitgang. Wat afgezaagd, dacht hij, en hij knipte zijn sigaret in het water en draaide zich om.

Vijftig meter verder bleef hij staan; hij had geen haast om thuis te komen. Het zou er, ondanks de zomerse warmte, koud zijn, vooral in de badkamer, die altijd het ergste moment in zijn leven opleverde, de laatste blik in de spiegel elke avond. Hij stak nog een Silk Cut op en dacht aan Alex Cosyns, aan de cheque van Robert Mosse en of hij iemand van het regionale fraudeteam kende die hem toegang zou kunnen geven tot Cosyns' bankrekening. Cosyns had geen aanklacht ingediend. Dat was goed, maar ook enigszins verontrustend nieuws. Hij rilde licht en rolde met zijn schouders.

Hij keek langs de kade achterom toen hij het vreemde, gespannen klagen hoorde van de buffers van het schip die langs de houten dukdalven schuurden die de betonnen kade beschermden; een blik slechts, een willekeurig moment dat, zou hij later moeten toegeven, waarschijnlijk zijn carrière gered had, misschien zelfs zijn leven.

De naam van het schip stond met drie meter hoge blauwe letters op de voorsteven.

MV ROSA.

41

SHAW ONTWAAKTE EEN MILLISECONDE voordat de telefoon ging. Of ging die voor de tweede keer? Hij kon de echo niet echt horen, maar voelde dat die er was, rondkaatsend in de donkere kamer. Hij kon Lena ruiken, zo dichtbij was haar huid, een subtiele mix van zweet en zout. Hij stuntelde met de hoorn en probeerde niet te denken dat het slecht nieuws moest zijn. Het was George Valentine.

'Peter. Ik moet je iets laten zien – bij de Crane, in Erebus Street.' Valentines stem was bij uitzondering vrij van de bijtende rand van vijandigheid.

Lena draaide zich om in haar slaap.

Shaw kwam op een elleboog overeind en keek naar de felrode cijfers op de wekker: 00.55.

Toen beging hij een vergissing. 'Is dit echt nodig, George?'

Hij hoorde Valentine een haal nemen aan een onzichtbare sigaret. Shaw wist dat hij het niet had moeten vragen, niet aan het oordeel van zijn brigadier had moeten twijfelen. George Valentine was zijn partner en had er bijna dertig dienstjaren op zitten. Als hij zijn inspecteur midden in de nacht belde, had hij daar een reden voor, een dwingende reden. Shaw wist wat Lena zou zeggen, en het woord 'vertrouwen' zou daarin een sleutelrol vervullen. Dus herstelde hij zich. 'Sorry. Natuurlijk is het dat. Ik ben er over twintig minuten. Blijf waar je bent.'

Er was geen spoor van de maan toen de Land Rover Erebus Street in reed, alleen de oranje klodders van de straatlantaarns en de groene, flikkerende neonreclame 24-UURS WAS, hoewel de wasserette gesloten was.

Valentine zat in de goot, met een tinnen flacon in zijn hand. Zijn lippen waren nat en glommen in het licht. In het plotselinge schijnsel van de koplampen stond hij jichtig op, als een openklappende ligstoel. Toen Shaw uit zijn Land Rover stapte, zei zijn brigadier niets, maar ging hem over de in het asfalt verzonken ijzeren rails voor naar de havenpoort. De poort naar het omheinde terrein van het transformatorhuis stond open.

'Het slot hier was kapot; zo is Andy Judd met zijn fles kerosine binnengekomen,' zei Valentine.

Vanaf de kleine binnenplaats konden ze omhoogkijken naar het huis van Jan Orzsak, waar achter het matglas van een badkamerraam één enkele lamp brandde. Binnen bewoog een schaduw en Shaw stelde zich voor hoe Orzsak voor een spiegel stond en probeerde de nachtmerrie waardoor hij wakker was geworden te vergeten, schuifelend met zijn afgetrapte pantoffel.

'We hebben dit over het hoofd gezien,' zei Valentine. Hij baande zich door de haagdoornstruiken heen een weg naar de omheining aan de andere kant, die grensde aan het haventerrein, en daar vonden ze een tweede metalen hek.

'Dit is vakwerk.' Valentine liet een hangslot zien. De hardstalen beugel was doorgevijld. Het hengsel piepte toen het hek openzwaaide. Ze liepen over een kale betonnen vlakte waar een reusachtige 4 op was geschilderd. Een rat flitste van links naar rechts, van links naar rechts, alsof hij een pad volgde dat alleen hij kon zien, alsof hij door een onzichtbare doolhof rende.

Valentine wees langs de kade naar het aangemeerde schip.

Shaw las de op de voorsteven geschilderde letters en voelde zijn bloed verrukkelijk koud worden. 'Motor vessel Rosa' zei hij. 'MVR.'

Zijn tweede gedachte, nadat hij de opwinding die door zijn hersenen stroomde had gestopt, was dat het toeval kon zijn. 'Was het die zondagavond hier?'

Valentine knikte en keek naar zijn instappers. 'Ik heb de scheepsagent gebeld. Ze is maandagochtend vroeg uitgevaren. Maar ze lag hier, ligplaats 4.'

'Goed werk,' zei Shaw terwijl hij razendsnel nadacht en de stukken aan elkaar legde van een legpuzzel die opeens scheen te kloppen – zoals de beschrijving door Pete Hendre van het vertrek waarin hij wakker was geworden, het gestage mechanische zoemen en de ijzeren deur. Zoals de lichamen op Warham's Hole en tegen het stormrooster. Zoals de zaklamp en de polsband: MVR.

'Je bent niet aan boord geweest?' Hij beet op zijn lip in het besef dat hij het wéér had gedaan, zijn gebrek aan vertrouwen had getoond, want alleen een debiele rekruut zou zo stom zijn om aan boord te klimmen.

De kille klank was terug in Valentines stem. 'De agent treft ons in het havenkantoor; ik heb hem gezegd dat hij, als hij met iemand op de *Rosa* contact opneemt, nog vóór het weekend scheepsagent in Moermansk zal zijn. Hij is oké. Oude garde.'

Het was stil op de *Rosa*, op het druppelen van een lenspomp in zwart, olieachtig water na. Ze liepen weg van het schip en bleven in de schaduw van de haagdoorns die door het gaas van het hek heen groeiden, sloegen de hoek van het Alexandra Dock om naar de poorten van de Bentinck – de binnenhaven – zich ervan bewust dat ze nu werden gefilmd door een bewakingscamera. Aan de andere kant van de draaibrug tussen de dokken stond een kantoorgebouw uit de jaren vijftig, twee verdiepingen, waarvan de bovenste een spiegelglasraam had dat uitzicht bood over de kades. Er brandde licht, maar halfslachtig, het blauwe schijnsel van trillende computerschermen. Op een bord stond CONSTABLE SCHEEPSAGENTEN.

Valentine sprak in een krakende intercom.

'Brigadier Valentine, meneer. We hebben elkaar twintig minuten geleden gesproken.'

Ze hoorden de automatische grendels wegschuiven. Binnen was een vertrek zonder ramen waar twee vrouwen zaten, alle twee gekleed in minirokje – het ene van leer, het andere van rode zijde – kousen en wijde blouses – de ene van goudlamé, de andere zilverkleurig met rode stippen. De ene vrouw had een gescheurde lip, de andere een dik oog; hun make-up was uitgelopen door hun tranen. Shaw vond dat ze eruitzagen als hoeren van een castingbureau.

'Dames,' zei Valentine. Hij kende hen allebei, beroeps uit de kleine rosse buurt aan de rand van North End. Ze waren niet ouder dan vijfentwintig, maar hij wist dat ze al tien jaar tippelden.

'Rot op,' zei een van de twee met een knipoog naar Shaw. De ander gaf haar een klap, maar het was maar gespeeld en ze lachten alle twee wrang. Ze gaven elkaar een arm en keken, verenigd in hun vijandigheid, Valentine dreigend aan.

'Kom maar boven,' kraakte een stem in de intercom buiten. Ze klommen naar het kantoor. De scheepsagent heette Galloway, een gezette Schot met een permanente stoppelbaard en korte armen, die als wapens van zijn schouders hingen. Aan zijn voeten lag een bastaard Cairnterriër op een kartonnen verpakking te kauwen waar ooit een broodje ros in had gezeten. Galloway zwaaide met een mobiele telefoon naar hen. 'Ik bel net iemand van jullie om de meiden op te halen. Ruzietje over een klant.'

Shaw schudde zijn hoofd. 'Doe ons een lol, zeg het af. Zeg maar dat wij er zijn. Nu meteen.'

Galloway deed wat hem gezegd werd en beëindigde het gesprek. Het zat hem duidelijk dwars dat hij in zijn eigen kantoor werd gecommandeerd. 'En nu?' vroeg hij.

'Wat zou de bewaker bij de poort doen als hij twee mannen zoals wij over de kade zag lopen en hierheen zag gaan?'

'Als hij wakker was zou hij me bellen.'

Ze zwegen.

'Maar hij is zelden wakker,' zei Galloway. 'Zo zijn die meiden hier gekomen. We proberen de hoeren uit de haven te weren. Let wel, deze twee lagen achter in een taxi,' voegde hij er hoofdschuddend aan toe. 'Daar houden scheepseigenaars niet van. Ze houden de prostitutie liever aan wal.'

'Dat daar is het vrouwtje waar wíj belangstelling voor hebben,' zei Valentine, en hij wees naar de *Rosa*. 'Wat kunt u ons vertellen?'

Galloway sloeg enkele computertoetsen aan. 'Ik heb opgegraven wat jullie willen weten... Ze is een vaste bezoeker. Nederlandse eigenaars. Vaart voornamelijk van hier op Vaasa... dat is in Finland; een godvergeten gat. Geen hoer te vinden, niet eens een kroeg. Ze brengt graan en schroot daarheen en komt terug met hout. Drieënhalfduizend ton, waardoor ze net in het Nord-Ostseekanal past, dus we hebben het over vijf, zes dagen, heen zowel als terug. Eerder zes, nu de EU moeilijk doet over efficiënt energiegebruik – ze moeten hun snelheid aanpassen, minder brandstof gebruiken. Verder is er een vast tweerichtingscontract met Rotterdam. Daar komt ze net vandaan, met' – hij keek op het scherm – 'witgoed... voornamelijk koelkasten.'

'En ze was zondagavond zeker weten hier?' vroeg Valentine.

Galloway knikte en tilde de hond op.

'Bemanning?' vroeg Shaw.

'Eh... standaard zeven. Kapitein is Juan de Mesquita – John voor ons. Eerste stuurman is een Nederlander, de machinist een Pool, een paar Russische volmatrozen, twee Filippijnse dekknechts – een van hen is de kok. Goeie kok, ik heb zijn kost geproefd.'

'Allemaal aan boord?'

'Ja. Waarschijnlijk wel. Ze hoeven geen toestemming te vragen om van boord te gaan, behalve aan de kapitein. EU-inwoners hebben geen paspoort nodig. Ze gaan 's morgens de stad in, inkopen doen terwijl ze wordt uitgeladen. Daarna wordt ze beladen en kan ze morgenavond op het getij uitvaren.'

Shaw schudde zijn hoofd. 'Ze gaat nergens naartoe.'

'Technisch gesproken is ze Nederlands grondgebied,' zei Galloway. Hij sloeg zijn armen voor zijn brede borstkas.

'De havenpoort is Brits,' zei Shaw. 'En die blijft dicht.'

Galloway haalde zijn schouders op. 'Oké, maar u zult met de eigenaars te maken krijgen. Elk moment dat ze in de haven ligt betekent verlies. Ik zou een machtiging moeten hebben – ik weet het niet – van de korpschef of zo. Op schrift. Ik wil niet moeilijk doen, maar dit is mijn werk. Ik behartig de belangen van de eigenaars.'

De deklichten op de *Rosa* werden gedoofd en alleen op de brug brandde nog licht. Shaw riep de hond, die aan zijn handen snuffelde. 'We hebben uw hulp nodig,' zei hij tegen Galloway. 'Ik kan u niet alles vertellen, maar ik zal vertellen wat ik kan.'

Shaw had er een minuut voor nodig om hem over de essentie in de lichten. De zaak in een notendop: de dood van Judd in het ziekenhuis, de twee andere lijken die ze hadden gevonden, beide met transplantatielittekens. De speurtocht naar de operatiezaal, de verkoeverkamers – ergens waar het zoemt, waar het warm is, met leidingen langs het plafond en stalen deuren. En de telkens terugkerende aanwijzing: MVR. Op de zaklamp, de polsbandjes.

'Zo een?' vroeg Galloway, en hij schoof een manchet omhoog. Er zat een wit bandje om zijn pols en hij draaide het zo dat ze de veelzeggende letters MVR konden zien. 'Daar leurt de bemanning al een maand of zes mee. Ze halen geld op voor Mercy Ships, u weet wel, liefdadigheidsschepen. Ze varen naar een of andere godvergeten haven in Afrika en bieden gratis staaroperaties aan, inentingen, dat soort dingen.' Hij speelde met het bandje. 'Het is voor een goed doel.'

'Het is schuldgevoel,' zei Shaw. 'Schurken kunnen je net zo goed verbazen als eerlijke mensen.'

Galloway opende een bureaulade en haalde er een fles whisky uit, met een Nederlands etiket. Hij schonk de drank in drie theebekers en deelde die rond.

'Dus,' concludeerde Shaw, nippend. 'Wat ik wil doen is observeren, afwachten wat er gebeurt. Misschien houden ze zich gedeisd – zou ik ook doen. Ze weten niet dat we die zaklamp en de polsbandjes hebben, maar waarschijnlijk wel dat we de twee drenkelingen hebben gevonden, dus misschien hebben ze het geraden. Maar ze zullen niet weten dat we het verband hebben gelegd. En ik denk dat ze terug moeten komen, niet? Ze hebben weinig keus.'

'Geen enkele. De eigenaars zijn de baas. Er zijn contracten gesloten. Als de eigenaars haar in Lynn willen hebben, is ze in Lynn.'

Tenzij de eigenaars het spel meespeelden, dacht Shaw. Hij maakte in gedachten een aantekening dat hij die moest natrekken, de geschiedenis van het schip en het cv van de kapitein.

'Ze zullen wel weten dat we het ziekenhuis ondersteboven halen,' zei Shaw. 'En de dood van een van de chirurgen – Peploe – heeft ons een voorgoed zwijgende hoofdverdachte opgeleverd. Als ze inhalig zijn, of ten einde raad, denken ze misschien dat ze veilig zijn. Ik wil niet dat iemand aan boord argwaan krijgt. Laat ze maar denken dat ze zaterdagochtend uitvaren. Kunnen we iemand hier neerzetten?'

Galloway keek het haveloze kantoor rond. 'Uiteraard. Het is getint glas, dus ze kunnen niet naar binnen kijken. Voor de paperassen ga ik gewoonlijk aan boord, dus ze komen niet hier. U zou veilig zijn. Er is een secretaresse, een telefoniste, maar dat zijn geschikte meiden. Laat het aan mij over.' Hij liep naar het raam en keek naar het schip. 'Er hangen camera's in de haven, een op de poort en een op de kade. De bewakingsdienst heeft monitors. Maar denk eraan, de beeldkwaliteit is beroerd, dus verwacht er niet te veel van.'

'Ik zal u die brief van de korpschef bezorgen – en van de Havenautoriteit. U bent gedekt,' zei Shaw. Hij vroeg of hij een nachtkijker kon lenen.

Het licht was naargeestig, een soort laagspanningspurper. Hij stelde scherp op de beveiligingspost bij de poort, tweehonderd meter verderop; felle neonlampen en de pet van de bewaker juist zichtbaar door het plastic scherm van de balie.

'Hij slaapt inderdaad.'

Toen keek hij naar de *Rosa*, aangemeerd aan de kade en met een smalle loopplank als enige schakel tussen de twee werelden. Nee, niet de enige, want er was ook een dikke stroomkabel, als een slang.

Er viel iets op zijn plaats in Shaws hoofd, als een virtuele stekker in een denkbeeldig stopcontact. Hij ging zitten en formuleerde de vraag. ‘Hoe komt het dat het schip stroom betrekt van de kade?’

Galloway legde zijn handen achter zijn hoofd en liet twee grote zweetplekken in zijn overhemd zien. ‘We zijn een groene haven. Dat betekent dat als de schepen eenmaal zijn aangemeerd, ze moeten overschakelen op UK-stroom, die binnenslands uit biomassa wordt opgewekt. Kost verdomme kapitalen, niemand ziet het zitten, maar het is niet anders. Als het UK zijn uitstootquotum wil halen, zullen we met dergelijke onzin moeten leven.’

‘Dus toen de stroom zondag rond lunchtijd werd afgesneden, moesten ze weer overschakelen op de generator?’ Shaw probeerde zich het donkere silhouet van het schip voorbij de havenpoort voor de geest te halen, maar hij herinnerde zich geen lichten.

Galloway dacht na en fronste toen zijn wenkbrauwen. ‘Nou, de andere in elk geval wel – de *Ostguard*, de *Waverly*, de *Rufinia*. Die zijn allemaal op de generator overgegaan, want toen ik ’s middags aan boord ging voor het papierwerk hadden ze allemaal stroom. Maar de *Rosa* had ik al gehad toen ze rond tien uur die ochtend was aangekomen. Daarna ben ik naar huis gegaan. Dat doe ik wel eens – gewoon om mijn vrouw te laten schrikken. Maar op maandagochtend zei die knaap van de beveiliging dat er gedonder was geweest op de *Rosa*. Zodra ze aangemeerd waren en aangesloten op het stroomnet, hadden ze de gelegenheid aangegrepen om de generator uit elkaar te halen, want die was ver over zijn onderhoudsdatum. Dus toen de stroom uitviel zaten ze in de knoei. Ze hadden er tot middernacht voor nodig om alles weer op gang te krijgen.’

Shaw en Valentine keken elkaar aan. Eindelijk een verband tussen de schijnbaar chaotische gebeurtenissen in Erebus Street en de illegale handel in menselijke organen. Shaw probeerde zich het tafereel aan boord voor te stellen toen de stroom op zondagmiddag was uitgevallen: de koortsachtige activiteit, de nutteloze generator. Hij legde zijn voorhoofd tegen het getinte glas en keek naar de *Rosa*. Toen scrolde hij door de bellijst van zijn mobiele telefoon tot hij het nummer van Andersen vond, de monteur van de elektriciteitsmaatschappij met wie ze zondagavond in Erebus Street hadden gesproken. Andersen nam na drie keer overgaan op. Shaw vermoedde dat hij het soort baan had waarbij een telefoontje midden in de nacht niet ongewoon was. Shaw had een simpele vraag: de stroomvoorziening op de kade, liep die via het transformatorhuis in Erebus Street, en zo ja, waar kwam die nu vandaan? Eenvoudige antwoorden: ja, op vraag één. Nu was de stroom afkomstig van een omleiding die ze hadden gemaakt vanaf de centrale in het Bentinck Dock.

'Kunt u de stroomafname van een bepaald schip controleren?'

'Natuurlijk,' zei Andersen. 'Ik zou naar het andere transformatorhuis moeten gaan, bij de graanpakhuizen.'

'Wilt u dat voor me doen? Dit is vertrouwelijk, dus onopvallend. En laat het me weten als er een piek is in de afname – een substantiële. Het schip waarin we geïnteresseerd zijn is de *Rosa*.'

'Waarom?'

Het was een redelijke vraag en hij had de monteur nodig. 'Het is mogelijk dat de *Rosa* is gebruikt als drijvend ziekenhuis – een illegaal drijvend ziekenhuis. Als ze aan boord willen opereren, zouden de booglampen alleen al alle stroom wegtrekken. Ik wil dat u me waarschuwt als zo'n piek zich voordoet.'

Andersen zei dat hij over een uur ter plaatse zou zijn.

Vervolgens richtte Shaw de verrekijker op de oude poort aan het eind van Erebus Street. Er brandde nog altijd licht in Orzsaks badkamer, maar het was nu niet meer het enige. Boven wasserette Bentinck brandde licht, achter een kier in de gordijnen, en alleen met tussenpozen zichtbaar wanneer het bord 24-UURS WAS niet groen verlicht was. Een fel licht, een afspiegeling van het grimmig verlichte kruis op de torenspits van de Sacred Heart.

'Oké,' zei Shaw. 'En nu maar afwachten.'

42

SHAW BETROK DE EERSTE wacht. Hij schoof een bureau naar het observatieraam, legde zijn mobiele telefoon erop en zette er een beker koffie naast. Uit zijn binnenzak haalde hij de afdruk van het videobeeld van het fatale verkeersongeluk op Castle Rising waarbij de oma van Jonathan Tessier was omgekomen – en dat blijkbaar een reeks gebeurtenissen in gang had gezet die hadden geleid tot de moord op het negenjarige jongetje.

De afdruk toonde de Mini na de botsing, geparkeerd in de schaduwen onder de bomen. Het rechterspatbord was gedeukt, maar verder intact. De twee kleuren lak, een radioantenne en een imperiaal. Regendruppels op de ramen, behalve daar waar de ruitenwissers het zicht vrij hadden gehouden voor de bestuurder.

Hij leunde achterover en liet zijn gedachten de vrije loop. Op de kade bewoog niets. In de maanloze nacht bewogen de schaduwen niet. Hij probeerde een herinnering aan Erebus Street op die zondagavond op te roepen: het vuur, de ontvoering van Deken uit de kerk, de aanslag op het pension, Ally Judd die van de pastorie naar huis sloop en het schip, in het donker, net voorbij de havenpoort aan het eind van de straat.

Hij werd overmand door vermoeidheid en sliep een nanoseconde lang voordat hij met bonzend hart wakker schrok. Hij stond op, legde zijn handen tegen het glas en keek uit over de naargeestige haven. Er stond een auto in een parkeerhaven bij de graanloods, een vrachtwagen met een lege aanhanger. Een voertuig van het wagenpark van Eddie Stobart. Shaw vermoedde dat de chauffeur zijn maximaal toegestane aantal werkuren had bereikt en zich gedwongen had gezien zijn vrachtwagen te verlaten en onderdak voor de nacht te zoeken in Lynn. Of dat hij in de cabine lag te slapen. Het licht van een van de schijnwerpers weerkaatste in de gewelfde voorruit, die vies was van het stof van de haven, behalve daar waar het glas was schoongeveegd door de ruitenwissers.

Shaws hart sloeg een slag over. Hij keek naar zijn afdruk, een raam binnen een raam, schoongeveegd door de ruitenwissers. Hij had het al vele keren gezien, en het tegelijk niet gezien. Hij keek uit het raam naar de vrachtwagen, terug naar de Mini en weer naar de vrachtwagen.

'Jezus,' zei hij, en hij begroef zijn hoofd in zijn handen. Hij had het al die tijd geweten, of had moeten beseffen dat hij het wist. De lak die hij via de TR had opgespoord, was voor een voor de *export* bestemde lading Mini's geweest.

'Problemen?' vroeg Galloway, die op zijn bureaucomputer geluidloos computerspellen zat te spelen.

'Nee, integendeel. Hier, moet u eens zien.'

Galloway kwam naar hem toe, met enigszins jichtige knieën en het kopje whisky nog in zijn hand.

'Wat is het verschil tussen deze voorruit,' zei Shaw, naar de afdruk wijzend, 'en die daar...?' Hij wees naar de vrachtwagen.

'Deze voorruit is nat, die daar is smerig.'

Shaw schudde zijn hoofd. 'Nee. Dit...' zei hij, met een trillende vinger op de afdruk van de Mini. 'Bij deze zit het stuur links. Kijk maar, het schone stuk zit aan de andere kant. Dat is zowat het enige van buitenaf zichtbare verschil aan een Britse auto die is omgebouwd voor rechts rijden. Als je de ruitenwissers niet zou verwisselen, zou de bestuurder minder uitzicht hebben, in plaats van de passagier.'

'Goed gezien. En nu?'

'Deze foto is enkele ogenblikken na een dodelijk ongeval genomen. Eén man kwam achter het stuur vandaan, de anderen van de achterbank. Dat wil zeggen, ik dacht dat het de kant van de bestuurder was. Maar dat was niet zo. De bestuurder zit nog in de auto. Ze waren met zijn vieren. Maar de bestuurder was zo slim uit het zicht te blijven.'

Hij schonk Galloway zijn breedste glimlach. Hij voelde een vlaag van levensvreugde, als bij het zien van de zee in de verte. 'Hebt u nog wat van die whisky?'

43

DONDERDAG 9 SEPTEMBER

JAN ORZSAK STOND OP een stoel in de gang van zijn huis, met een foto van zijn moeder, uit het familiealbum gehaald, met één hand tegen zijn borst gedrukt. Hij stond al bijna twee uur stil en zijn benen trilden van de pijn. Om zijn hals lag een lus die hij van een laken had gemaakt en om de trapleuning boven zijn hoofd had geknoopt.

De ochtendzon scheen door het gebrandschilderde glas uit de jaren dertig boven de voordeur. Het licht – blauw en geel – ving stofdeeltjes in kleurige parallellogrammen. Een hemelse schoonheid, dacht hij, en hij glimlachte om de toepasselijkheid van zijn gedachte.

Hij hoorde de sirene van zes uur in de haven. Hij vroeg zich af of hij kon sterven door niets te doen, door gewoon te blijven staan en de wereld om hem heen oud te laten worden. Hij had dat besluit bijna genomen, toen er hard op de deur werd geklopt.

De onderbreking verbrak de betovering. Iemand probeerde de brievenbus open te duwen, maar die had hij na het laatste pakje hondenpoep dichtgespijkerd. 'Meneer Orzsak?' zei een gesmoorde stem. 'We zagen licht. Neem me niet kwalijk, kunnen we praten? We zijn de elektriciens – van hiernaast.'

De afgelopen twaalf uur waren de ergste van Jan Orzsaks leven geweest en hij was vastbesloten – want hij was een vastbesloten man – ervoor te zorgen dat de pijn niet zou voortduren. Hij had een eenzaam leven geleid en dit was het soort dood waar de mensen opaf zouden komen. Hij zou zijn laatste beetje privacy meenemen naar zijn God. Hij was een goed mens geweest en hij had zich aan Gods geboden gehouden, dus hij was niet bang Hem te ontmoeten. Er was slechts één zware zonde en hij wist dat God hem die zou vergeven.

Hij had een cd met een nocturne van Chopin in de dvd-speler in zijn kamer gelegd en op REPEAT gedrukt. Nu klonken de laatste maten. Nog even en het zou stil zijn en dan hoefde hij alleen maar van de stoel te stappen en het zou voorbij zijn. Maar hoe vaak had hij al naar die laatste maten geluisterd? Twintig keer? Elke keer eiste de schitterende muziek een nieuwe uitvoering. Een laatste open doek.

Het kloppen op de deur klonk dringender. 'Meneer Orzsak, we moeten de stroom afsluiten. Ik kan niet verder als u niet meewerkt. Tien minuten, meneer, dan zijn we klaar en hebt u geen last meer van ons. Meneer?'

Hij hoorde de voorman voor de deur mopperen, een litanie van vloeken.

De muziek stierf weg.

Orzsak kreeg het ontzettend koud, zijn bloed stroomde naar zijn hart en de plotselinge zekerheid over wat er ging gebeuren maakte zijn blik helder. Hij drukte de foto tegen zijn hart en bedacht wat een kinderlijke opwelling het was, en dat maakte hem nog vastberslotener om daarheen terug te gaan, naar voordat dit alles was gebeurd, terug naar een tijd van onschuld.

Hij stapte van de stoel in het gebrandschilderde licht.

Een seconde lang gewichtloos, voelde hij zich intens gelukkig.

44

OM ÉÉN MINUUT OVER zeven belde Shaw het hoofd van de havenbeveiliging, een voormalige inspecteur van de recherche van Peterborough, Frank Denver. Shaw vond het een acceptabel tijdstip, maar hij was niet verbaasd toen hij het tegendeel merkte. Toen Denver was uitgeraasd over wakker gebeld worden, vertelde Shaw hem het heuglijke nieuws: dat de kans groot was dat er een reeks ernstige misdrijven had plaatsgevonden in de haven, onopgemerkt door Denvers mensen of de recherche van Lynn. Zijn medewerking was nu dringend nodig. Hij had geen keus.

Denver regelde een taxi die naar de beveiligingspost in de haven moest gaan om de lijst van voertuigen die de haven in en uit waren gereden op te halen en bij het kantoor van de scheepsagent af te geven. De beelden van de bewakingscamera's waren beschikbaar in de post. Er was een vertrek om ze te bekijken en agent Birley was onderweg om daarmee te beginnen. De directeur van de Havenautoriteit kreeg te horen dat hij een eventueel verzoek van de *Rosa* om Lynn te mogen verlaten onder geen beding mocht inwilligen; hij moest desgevraagd zeggen dat Binnenlandse Zaken immigratieproblemen maakte en een ambtenaar stuurde om de kapitein te ondervragen.

Shaw regelde dat een oud-collega bij de Metropolitan Police contact opnam met Whitehall om ervoor te zorgen dat ze een geloofwaardige casus hadden om een onderzoek te starten. Intussen liet Shaw Twine op internet naar de *Rosa* zoeken; hij wilde gegevens over eigendom, bemanning en vrachten.

Om tien uur arriveerde agent Jackie Lau per motor. Ze nam de surveillance over terwijl Shaw zich in het beveiligingslogboek verdiepte. Uit de lijst van zondag 5 september, de dag dat Bryan Judd was gestorven, bleek dat er vijfendertig voertuigen waren binnengekomen en zevenendertig vertrokken. Shaw schrapte alle bedrijfsvoertuigen: vrachtwagens, containervoertuigen en werknemers van de Havenautoriteit. Bleef over een BMW serie 6 die om zeven uur 's morgens in de haven was aangekomen. De lijst van maandag liet een tweede vroege bezoeker zien. Hij belde Denver, die juist in de beveiligingspost was aangekomen, en vroeg hem de opnamen van de kade op de desbetreffende tijdstippen te bekijken. Hij had er twintig minuten voor nodig om de BMW te vinden die om zes over zeven in de ochtend bij de loopplank van de *Rosa* had gestaan en om dertien minuten over acht weer was vertrokken. De volgende ochtend om halfvijf was hij teruggekeerd en om dertien over vijf weer weggegaan. Elke keer was er een chauffeur geweest. De passagier – de eerste ochtend afgezet, de daaropvolgende afgehaald – was wanstaltig dik en liep moeilijk. De *Rosa* was dinsdagochtend om zes uur uitgevaren.

Het kenteken van de BMW leidde hen naar een autoverhuurbedrijf in Lynn. De auto was nog steeds verhuurd, op een privéadres in Burnham Overy Staithe, een dorp in het hart van 'Chelsea-on-Sea', op naam van een zekere Ravid Lotnar.

Shaw vertrok per taxi en hij trof Valentine op de Tuesday Market in een parkeerhaven aan de oostkant. Eerst het nieuws van St James's. Andy Judd was aangeklaagd wegens brandstichting en vernieling en vervolgens op borgtocht vrijgelaten. Drie voorwaarden: hij moest zich elke dag in St James's melden, moest binnen anderhalve kilometer van Erebus Street blijven en mocht niet in de buurt van Jan Orzsak komen.

Valentine had via internet ook een kort overzicht van Ravid Lotnar samengesteld. Hij was een Israëli en een man van enig aanzien; rijk, maar niet superrijk. Zesenzeventig jaar oud, getrouwd, zes kinderen. Geboren in Slaný, Bohemen, als zoon van een joodse drukker. In 1938 met zijn moeder naar de VS gevlucht. In 1947 naar Israël geëmigreerd, nu directeur van een uitgeverij die een van Israëls landelijke dagbladen produceerde en een reeks tijdschriften. Het hoofdkantoor was gevestigd in Tel Aviv, waar ook zijn woonadres was.

'Joods,' zei Shaw terwijl ze de kustweg naar het oosten namen. 'Peploe heeft me wat dossiers gegeven, achtergrondgegevens over de orgaansmokkel. Israëli's zijn belangrijke klanten – weet je waarom?'

Valentine trommelde op het stuur: de Mazda zat vast achter een caravan. 'Geld?'

'Nee. Israël is een van de weinige ontwikkelde landen waar het begrip hersendood niet wordt erkend. Daardoor zijn er veel minder organen beschikbaar voor transplantatie, waardoor duizenden uitwijken naar de zwarte markt. Dat betekent dat we bijna zeker op het punt staan onze eerste orgaantransplantatiecliënt te ontmoeten.'

De radio kraakte. Het was Birley. Hij had de beelden van de bewakingscamera's van zondag met tussenpozen van een uur bekeken. De stroom was om precies kwart over twaalf uitgevallen. Gelukkig waren de camera's aangesloten op een circuit dat de nieuwe haven voedde en hadden ze dus gewoon doorgedraaid. Hij kon zien dat de meeste schepen bij het invallen van de avondschemering op hun eigen generators waren overgegaan en lichten hadden ontstoken. Maar op de *Rosa* was het tot dertien minuten over twaalf donker gebleven. Shaw werkte dat tijdschema uit: als er op de *Rosa* een operatie aan de gang was geweest, was die wreed onderbroken door bijna twaalf uur duisternis. Hij probeerde zich de chaos aan boord voor te stellen, de mislukte operatie, en de langzaam warm wordende vrieskisten.

Ze bereikten het dorp en sloegen af naar het strand; waar het springtij de moerassen onder water zette slingerde het weggetje zich door een oceaan van riethalmen.

'Iets anders,' zei Valentine. 'Slecht nieuws. Twine heeft een verzoek binnengekregen van de recherche van Lincoln. Ze willen meer weten over een zekere Benjamin David Ruddle... de vader van de baby van Norma Jean. Hij zit levend en wel in een van hun cellen en heeft Erebus Street opgegeven als zijn woonadres. Klootzakje; heeft een gevangenbewaarder met een stanleymes vermoord toen die in het donker door het park naar huis liep. En bleef toen gewoon staan met het mes tot hij werd opgepakt. Beweert dat de man hem in Deerbolt had misbruikt. Verder zegt hij niets.' Valentine schoof heen en weer en probeerde de druk op zijn blaas te verlichten. 'Het lijkt erop dat hij een rekening heeft vereffend.'

'Dus het is niet Deken.'

'Nee. Tenzij hij razendsnel is. Bovendien zegt Twine dat hij zijn persoonsgegevens heeft bekeken: hij weegt vijfenzeventig kilo en Deken, volgens Kennedy, vijftig, hooguit vijfenvijftig.'

Ze waren bij het huis. Een nieuwe muur van Norfolk-steen, ijzeren hekken met een cijferpaneel. Staithe House zelf was minimalistisch modern in verblindend Grieks wit, maar verborgen achter een bos van dennenbomen die gedwongen waren geweest te buigen voor de wind tot ze het gebouw raakten, de lijnen ervan verzachtten en het opnamen in de glooiende golven van de duinen. Een stel dobermannpinchers rende naar het hek om hen te begroeten, met openhangende, kwijlende bekken, als vleesetende planten.

Shaw stapte uit, drukte op de knop en identificeerde zich toen een stem kraakte. Er was een reeks inbraken gepleegd in en rond Burnham, legde hij uit, en allemaal in woningen die eigendom waren van het verhuurbedrijf waarvan ook meneer Lotnar gebruikmaakte. Het was een routinecontrole, met wat passend advies. Een stem vroeg hem te wachten. Ergens hoorde hij gespetter in een zwembad en kreten van vrouwen. De honden verdwenen bij het geluid, van een onhoorbaar fluiten waarschijnlijk, en het hek ging open.

Een zwijgende bediende, een jongeman in een zwarte korte broek en een zwart T-shirt, zei dat hij Charlie heette en ging hun voor naar binnen. Hij bewaakte hen twintig minuten terwijl meneer Lotnar zich gereedmaakte voor de ontmoeting. Shaw merkte op dat Charlie een en al spieren was, met het soort biceps dat dagelijks onderhoud vergt. Ze zaten in een grote open woonkamer, onberispelijk, met geboend donker hout en spotjes die gericht waren op aquarellen van de noordkust van Norfolk. Shaw vroeg waar het toilet was en liep, in afwachting van aanwijzingen, alvast de trap op.

'Eerste links,' zei Charlie terwijl hij probeerde te bedenken of hij bij Valentine moest blijven of Shaw moest volgen.

Shaw vond het toilet, waste zijn handen en liet de kraan openstaan. Hij glipte over de gang naar een slaapkamerdeur. Hij duwde hem open en bleef op de drempel staan. Een set leren koffers stond open, keurig ingepakt met kleren. Toen hoorde hij een geluid dat niet paste, een soort ritmisch, mechanisch ademen. Hij volgde het geluid terug naar de bovenkant van de trap en naar de andere vleugel. Hij had nog maar enkele stappen gezet toen er een deur werd geopend en een vrouw op het dure hoogpolige tapijt stapte; een verpleegkundige in brandschoon particulier verplegerswit. Het geluid van de machine werd luider, zwol aan op de gang.

'Ik zoek het toilet,' zei Shaw.

Ze wees achter hem. 'Eerste links boven aan de trap.' De stem had een stroperig slissende klank en Shaw vermoedde dat ook zij Israëlisch was.

Hij ging naar het toilet, draaide de kraan dicht, spoelde door en liep, zijn vochtige handen tegen elkaar wrijvend, de trap af. Ze zaten allemaal te midden van het geboende donkere hout en veinsden geduld. Er klonk een zoemer; het geluid kwam van een antiek bureau dat in de erker stond. Charlie nam hen mee, terug de tuin in, gedomineerd door een smaragdgroen gazon met afwisselende stroken en een sprankelend zwembad. Lotnar lag in een ligstoel en Shaw vroeg zich af wat hij had gedaan terwijl zij binnen antichambreerden. Was hij boven geweest, bij het apparaat dat een ademhaling nabootste? Vóór hem stond een vrouw in bikini zich met een donzige handdoek af te drogen. Shaw dacht onwillekeurig dat haar lichaam haar broodwinning was: gebronsd, strak en zo gewelfd als de zandduinen. Ze nam er alle tijd voor om de huid van haar dijen af te drogen.

Lotnar stelde haar niet voor, noch de twee andere meisjes in het zwembad, die topless op een luchtbed dobberden; hun borsten staken bleek af tegen hun diepgebronsde huid.

'Inspecteur.' Lotnar stond niet op. Hij zag er in feite uit alsof hij zelden opstond. Hij woog minstens honderddertig kilo, schatte Shaw. Zijn romp verdween als een negerzoen in een bermuda en de overhangende vetkwab ging schuil onder een duur zijden hemd, waarvan de bovenste zes knopen loshingen.

'Ik zou u onder vier ogen willen spreken, als dat kan,' zei Shaw. 'We hebben vertrouwelijke informatie over die inbraken.'

Lotnar haalde zijn schouders op en stuurde het meisje weg. Ze ging zich met tegenzin met de anderen vermaken, maar ze maakten genoeg lawaai om een gesprek onverstaanbaar te maken. Zo wilde Shaw het; alleen Lotnar mocht horen wat hij te zeggen had.

Hij gaf Lotnar een versie van de werkelijke reden waarom ze hier waren, een versie waarvan Shaw dacht dat die hem net bang genoeg zou maken: dat er een moord was gepleegd, dat ze aanwijzingen hadden voor illegale handel in menselijke organen en over banden met een schip in de haven van Lynn.

Lotnars gezicht verstrakte en hij begon met één hand op de bermuda te tikken.

'Waarom hebt u zondagochtend een bezoek gebracht aan de *Rosa*, en waarom bent u tot de volgende ochtend aan boord gebleven?'

Lotnars glimlach bevatte twee gouden tanden. 'Inspecteur, inspecteur... Ik was op bezoek bij een oude vriend. Beckman, de machinist. Een wandelende Jood. Een Pool. Hij belde... Hij wist dat ik hier was.

We aten wat, dronken wat te veel wodka, veel te veel wodka. Dus sliep ik mijn roes uit. Dat is toch geen misdaad?'

Shaw hoestte; de chloor in het zwembad prikkelde zijn keel. 'Het litteken in uw kruis. Ik hoop dat het goed werk was. Het zit in uw kruis omdat de nieuwe nier op de urinebuis is aangesloten... maar dat zult u inmiddels wel weten. Tussen haakjes, die donor van de nier wordt vermist. Maar toen de lichten uitgingen lag er iemand anders op de operatietafel, een zekere Tyler – hij is dood. Minder netjes. Maar ja, hij betaalde niet.'

Lotnars glimlach gleed als een afkalvende ijsberg van zijn gezicht.

'Ik kan niet toestaan dat u – of wie ook – de eerstkomende achtenveertig uur contact opneemt met de *Rosa,*' zei Shaw. 'Dat betekent dat iedereen in hechtenis wordt genomen. Maar er is een andere manier.'

Lotnar dacht snel na en Shaw zag dat hij de hoop dat hij met zijn geld een uitweg zou kunnen kopen nog niet had opgegeven – een uitweg waar geen gevangeniscel bij kwam kijken.

'Ik ben ziek, inspecteur. Ja, ik heb een nieuwe nier. Er bestaat een volkomen legaal dossier over de operatie, dat verzeker ik u. Een particulier ziekenhuis, niet ver van mijn huis in Tel Aviv. Daarom ben ik hier. Om me te ontspannen, te genezen. Ik heb telefoonnummers, als u het wilt controleren...' Hij haalde zijn mobiel uit zijn short en begon te scrollen.

Valentine pakte hem zijn toestel af voordat Shaw zelfs maar besefte wat hij deed.

Lotnar toonde zijn lege handen.

'Brigadier Valentine blijft bij u terwijl u zich omkleedt, meneer Lotnar,' zei Shaw, maar Lotnar verroerde zich niet. 'U zult een weekendtas nodig hebben.'

'Een betere manier,' zei Lotnar terwijl hij zijn dikke lippen bevochtigde. 'U zei dat er misschien een betere manier was.'

Shaw ging zitten. De meisjes lagen intussen op handdoeken en smeerden zonnebrandolie op slanke ruggen.

'Hebt u een Israëlisch paspoort?' vroeg Shaw.

Lotnar knikte, gretig nu, in de veronderstelling dat er een uitweg was.

'We hebben een verklaring nodig. Ik kan niet beloven dat u niet zult worden opgeroepen om persoonlijk te getuigen, maar de kans is klein. U bent vermoedelijk één van honderden. Misschien bent u ook een slachtoffer…' Shaw keek naar de meisjes, die cocktails mixten op een serveerwagen die het gespierde T-shirt zojuist naar buiten had gereden. 'Vertel gewoon de waarheid.'

'Een advocaat,' zei Lotnar.

'U kunt geen advocaat raadplegen voordat u een formele verklaring hebt afgelegd. Maar ik heb niet veel tijd. De *Rosa* ligt weer in de haven. Vertel ons de waarheid.'

Lotnars keel was droog en hij vroeg iets te drinken. Shaw zei dat dat kon, maar dat hij eerst met Charlie moest praten – in hun aanwezigheid. Ze hadden een deal en de deal gold ook voor Charlie. Lotnar nam Charlies mobiel en gaf die aan Valentine. Hij beval hem iets te drinken te halen, niemand te bellen, de vaste lijn te verbreken.

Lotnars relaas was huiveringwekkend zakelijk. Zijn gezondheid was acht maanden geleden ernstig verslechterd. Eén nier functioneerde niet meer, de andere voor slechts twintig procent. Hij kon zijn huis in Tel Aviv niet meer uit en moest twee keer per dag gedialyseerd worden. Hij had een dure ziektekostenverzekering en stond op de wachtlijst van een privékliniek voor een niertransplantatie. Maar donororganen waren zeldzaam in Israël en hoewel hij met zijn geld een plaatsje in het schema kon kopen, kon het hem geen plek vooraan in de rij bezorgen, of een nier. En er waren nog meer problemen. Zelfs zijn eigen arts zei dat hij vijfendertig kilo moest afvallen, zijn dieet radicaal moest wijzigen en zijn alcoholgebruik moest minderen. Een medisch agentschap in Haifa informeerde namens hem bij klinieken in Europa en de VS. Ze hadden allemaal een wachtlijst en wilden hem allemaal eerst onderzoeken. De VS bood de beste mogelijkheden, maar hij zou erheen moeten vliegen en in een kliniek op dialyse moeten leven terwijl de rij korter werd. En de Amerikaanse chirurgen zouden ook eisen dat hij aan strenge criteria voldeed voordat de operatie kon doorgaan – inclusief een strikt alcoholverbod. Het kon maanden duren voordat hij geopereerd werd.

Intussen was hij stervende. Een van de specialisten in de kliniek in Tel Aviv zei dat er een andere manier was. Opnieuw die woorden, en Lotnar liet ze van zijn dikke lippen rollen: 'een andere manier'. Lotnar betaalde de specialist tienduizend pond om uit te zoeken wat die andere manier was. Hij kreeg een telefoonnummer op Cyprus. Er werd opgenomen door een man, die zijn gegevens noteerde en zei dat hij moest wachten. Een week lang gebeurde er niets. Toen stond er opeens een jongeman naast zijn bed. Hij heette Rudi en hij zei dat een nieuwe nier Lotnar honderdvijftigduizend pond zou kosten. Lotnar kon het zich permitteren, al deed elke cent hem pijn. Rudi kreeg een kopie van zijn medisch dossier en in ruil daarvoor kreeg Lotnar instructies. Hij moest een huis huren binnen een afstand van een uur rijden van de havenstad King's Lynn in Norfolk. Op de ochtend van zondag 5 september moest hij per auto in de haven aankomen en vragen naar de MV *Rosa* en de kapitein, Juan de Mesquita. Hij mocht een week lang geen alcohol hebben genuttigd, vierentwintig uur lang geen voedsel en zes uur lang geen water.

Hij deed wat hem gezegd werd. Hij werd naar de hut van de kapitein gebracht. Daar lag hij vier uur. Ergens, zei de kapitein, werd zijn nieuwe nier verwijderd uit zijn gezonde – en bereidwillige – donor. Hij stelde verder geen vragen. Het was warm, herinnerde hij zich, en het eerste teken dat er iets mis was, was dat de ventilator boven zijn hoofd stilviel. Hij hoorde voetstappen op de metalen trappen, rennende mensen. Stemmen: boos, ongeduldig, in vele talen.

Toen was De Mesquita gekomen met een fles en twee glazen. Er was vertraging. De stroom was uitgevallen en de machinist – een dronken Pool, Beckman geheten – was aan wal in een bordeel en ze konden de generatoren niet op gang krijgen. Maar ze zouden hem wel vinden; het betekende alleen dat ze wat tijd moesten doden. Zes uur misschien. Dus – een glas. Eén maar – de artsen hadden gezegd dat het mocht. Maar hij had die artsen nooit gezien.

Lotnar sliep. Toen hij wakker werd was het donker in de hut. Een paar minuten later ging het licht weer aan en de ventilator boven zijn hoofd begon weer langzaam te draaien. De Mesquita gaf hem een verdovend middel. Hij had zijn hand vastgehouden terwijl ze naar het draaien van de ventilator keken. Dat was de eerste keer dat hij spijt had van zijn beslissing, toen hij daar lag, met die man die zojuist een vloeibaar slaapmiddel in zijn ader had gespoten.

En dat was alles wat hij zich herinnerde tot hij de volgende ochtend wakker werd in de hut van de kapitein. Er stond een rolstoel onder aan de loopplank. Charlie was met de BMW teruggereden. De pijn was ver weg geweest: zijn lichaam was verzadigd van barbituraten. Onderweg was hij buiten bewustzijn geraakt. Maar die avond, in bad, had hij de kleine littekens onderzocht: keurig en bloedvrij. Dat was het woord dat Lotnar gebruikte. 'Bloedvrij', alsof er geen slachtoffers waren.

'Hebt u contant betaald?' vroeg Valentine.

Lotnar leek zichzelf wakker te schudden uit de herinnering. 'Nee, per cheque – een buitenlandse trust. Ik heb een rekening...'

'We hebben een naam nodig,' zei Shaw. Hij stond op. 'En geen nazorg? Niets?'

'Nee, dat was de afspraak. Daar moest ik zelf voor zorgen. Ik voel me prima. Springlevend,' voegde hij eraan toe terwijl hij op zijn dij sloeg. De meisjes lagen samen aan de andere kant van het zwembad, met hun hoofden tegen elkaar.

'De *Rosa* is aan de ketting gelegd,' zei Shaw. 'Ze gaat nergens naartoe. Als u contact opneemt, of iemand anders contact laat opnemen, vervalt onze afspraak.' Hij keek om zich heen naar de bloeiende borders, de gebogen dennenbomen, het helmgras op de duinen in de verte. 'En u blijft hier – tot het achter de rug is. Breek uw belofte en u hebt de best functionerende nier van het Britse gevangenissysteem.'

Toen het hek van Staithe House zich sloot, kwamen de honden aangerend van achter de garage en wierpen zich blaffend tegen de spijlen.

Shaw liet Valentine rijden. Hij had de bijna overweldigende aandrang om het uit te leggen, iemand buiten zijn eigen hoofd te vertellen wat er die avond op de kade bij de poort aan het eind van Erebus Street was gebeurd. Het was heet in de auto en de voorruit zat vol dode insecten. Shaw draaide een raam open, praatte naar buiten en liet de wind zijn huid verkoelen.

'Dus de *Rosa* komt de haven binnen. Ze hebben Tyler al ergens – aan boord? Misschien. Hier zit iets wat we niet begrijpen – nog niet. Dan arriveert Lotnar. Rond het midden van die zondagochtend ligt de donor op de operatietafel en popelt de ontvanger om onder het mes te gaan. Dan valt de stroom uit. Dus... een hypothese. Tylers gezonde nier is verwijderd, maar ze hebben geen stroom. Hij ligt nog geopend op de tafel en ze kunnen de nier niet houden omdat de temperatuur snel oploopt. Wat doen ze? Ik denk dat de operatiekamer beneden de waterlijn is, dus er is geen zonlicht. Kaarslicht, zaklamplicht? Hoe dan ook, er breekt paniek uit. Ze verknallen de hechting en de wond ontsteekt. Binnen vierentwintig uur is hij dood. Net op tijd om in zee te worden gegooid terwijl de MV *Rosa* koers zet richting Rotterdam.'

Valentine manoeuvreerde de auto over de rotonde bij Hunstanton, verstopt door toeristen die naar het strand reden. 'Het andere lijk – op het stormrooster – hoe zit het daarmee?'

'Dat weet ik niet. Wat we wel weten is dat ze op het schip die avond een betalende passagier hebben die nog steeds op zijn nier ligt te wachten. Dus wachten ze – op twee dingen. De stroom, ja. Maar ze moeten ook een nieuwe donor hebben.'

Valentine draaide ook zijn raam omlaag. Op zee voer een flottielje zeilboten op een straffe bries langs de zandbanken.

'We weten wat er op straat is gebeurd. De Organist pikt de donor op, die al geselecteerd is door iemand die toegang heeft tot de medische dossiers in het ziekenhuis. Tegen die tijd hebben we het over enkele uren, niet over dagen. Ze kunnen dus geen vaste procedure volgen. Maar ze hebben één voordeel: omdat de stroom in Erebus Street dankzij Andy Judds giftige haat jegens Jan Orzsak is uitgevallen, zegt de elektriciteitsmaatschappij tegen iedereen dat er tot pakweg middernacht of later geen stroom is. Dus zolang er geen licht is, is het makkelijker een donor te ontvoeren.

Ze weten dat Deken geschikt is en hij is in de stad. Degene die de selectie doet zoekt hem en markeert zijn jas. De Organist belt. Maar Deken weigert. Dus doet de Organist waar hij goed in is – hij sleept zijn donor in het donker de straat op. Misschien staat er een auto klaar of misschien sleept hij hem door de steeg naar de havenpoort. Tegen middernacht ligt Deken op een operatietafel. Is Peploe de chirurg? Misschien. Zijn playboylevensstijl kost handenvol geld. Het leeuwendeel van de honderdvijftigduizend is voor hem. De rest krijgt de kruimels.'

Valentine trapte op de rem en vervloekte een fietser beladen met kampeerspullen. 'Wie heeft Bryan Judd vermoord, en waarom?' vroeg hij.

'Als we gelijk hebben, moest iemand zich ontdoen van het afval van beide operaties, waaronder de nier van Tyler. Dus ze gaan naar het ziekenhuis. Ofwel het is de eerste keer of ze doen het altijd zo. Misschien is dat Peploe.' Shaw knipte met zijn vingers. 'Zeg tegen Mark dat hij op de banden van de bewakingscamera's op een fietser moet letten. Maar Judd doet niet mee... of betrapt hem terwijl hij het spul op de band legt... of eist een groter aandeel als het regelmatig gebeurt. Ik gok op het laatste. Ze krijgen ruzie, Peploe doodt Judd en legt zijn lijk op de band. Iemand ziet het in de oven liggen en sluit die af, net op tijd om Peploes schoenen naar de uitgang te horen rennen – fietsschoenen.'

Valentine. 'Dat is idioot... Het gaat om één nier. Ze konden hem gewoon verzwaren en overboord kieperen. Ze hadden Judd niet nodig.'

'Maar feit is dat de nier daar was,' zei Shaw. 'Weet je wat ik denk? Ik denk dat het een systeem is. Het is niet slechts één operatie; het zouden er over maanden en jaren gerekend honderden kunnen zijn. Natuurlijk zouden ze de spullen kunnen dumpen, maar waarom zou je dat risico lopen als er een betere manier is? De oven kan niet misgaan, dus ik denk dat ze die gebruikten. Met de regelmaat van de klok. Een systeem, zoals ik al zei.'

Boven de daken van het North End konden ze de bovenbouw van de *Rosa* zien toen ze Erebus Street naderden. Valentine parkeerde bij de havenpoort. Zodra hij de motor had afgezet ging Shaws mobiele telefoon. Paul Twine. 'Het is Orzsak,' zei Twine. 'Heeft geprobeerd zich thuis te verhangen, maar een van de bouwvakkers ging hem vertellen dat ze de stroom een halfuur zouden afsluiten – kreeg geen antwoord. Toen hoorden ze een geluid, benen die tegen de trapleuning en de muur schopten. Ze forceerden de deur. Hij bungelde aan een laken. Hij is naar de Eerste Hulp. Het ziet ernaar uit dat hij in leven blijft.'

45

SHAW STOND BIJ DE havenpoort aan het eind van Erebus Street. Ondanks het door de wind meegevoerde afval en het onkruid kon hij de *Rosa* aan de kade zien liggen. Een kraan tilde kratten uit het geopende ruim. Aan de overkant van de verlaten betonnen kade was het kantoor van de scheepsagent. Galloway had gelijk: je zag niets achter de getinte, schuinstaande ruiten van de kantoren op de eerste verdieping. Agent Campbell had nog steeds dienst en Birley was nog in de beveiligingspost bij de poort om de oude videobeelden te bestuderen. De twee Filippijnse bemanningsleden waren aan boord aan het werk, maar de volmatrozen waren aan wal gegaan. Enkele agenten in burger schaduwden hen in het Vancouver Shopping Centre. Kapitein De Mesquita had Galloway aan boord uitgenodigd voor een kop koffie – een geregelde beleefdheidsbetuiging. Shaw had hem aangeraden op het aanbod in te gaan, zijn ogen open te houden, maar het simpel te houden. Dénk zelfs niet aan enkele slimme vragen.

Shaw keerde de haven zijn rug toe en keek Erebus Street in. Achter het raam van wasserette Bentinck hing een bordje: TERUG OVER 20 MINUTEN.

De zon scheen meedogenloos en Shaw stond in een inktvlek van schaduw. Hij zag pastoor Martin die, in gezelschap van Ally Judd, de deur van de Sacred Heart of Mary op slot deed. Ze liepen tussen de graven door naar de pastorie, zo dicht tegen elkaar aan dat ze één schaduw wierpen. Ze drukte de bovenkant van haar pols tegen haar lippen en de priester hield haar bij een elleboog en luisterde met gebogen hoofd naar iets wat ze probeerde te zeggen. Shaw dacht terug aan de laatste keer dat hij met Ally Judd had gepraat, in de schaduw van de cipres achter de kerk. Hij had gevoeld dat ze nog steeds geheimen koesterde over de familie Judd. Deelde ze die geheimen met haar minnaar?

Shaw en Valentine volgden de lijn van de hete rails door de straat en liepen het kerkhof op. Shaw raakte de stenen aan terwijl ze naar de deur zigzagden en hij bedacht hoe merkwaardig het was dat grafstenen zelfs op de heetste dagen koud waren. De deur van pastoor Martin stond open; binnen was het koel en donker. Een blauw met wit Mariabeeld werd verlicht door een kale peer. Aan het eind van de gang was nog een deur, groen, een dienstingang naar de oude keuken. Pastoor Martin kwam eruit, zakelijk, met gebogen hoofd, en hij zag hen pas toen hij bijna bij hen was.

Zijn gezicht was bijna onherkenbaar: beide ogen waren blauw, het linker jukbeen werd ontsierd door een blauwe plek en zijn bovenlip was gespleten en gehecht. Hij hield zijn mobiel op. 'Ik wilde juist bellen. Als u een seconde hebt. Ik heb de biecht gehoord. Ally kwam naar me toe, maar ik denk dat wat ze te vertellen heeft het net zo goed voor u is bedoeld als voor mij.'

Zijn ogen keken overal, behalve naar Shaw.

In de kleine, eenvoudige keuken zat Ally Judd op een stoel naast de wasmachine, waar ze een hand op had gelegd, alsof het een toetssteen was. Op de grond stond een wasmand. Ze had een glas water voor zich staan en drukte een opgefrommeld papieren zakdoekje tegen haar mond. Toen ze hen zag probeerde ze op te staan en gooide de stoel omver, maar ze scheen de klap niet te horen. Martin zette de stoel overeind, legde een hand op haar schouder en duwde haar omlaag, alsof ze lichter dan lucht was.

'Wie heeft dat gedaan?' vroeg Valentine met een gebaar naar het mishandelde gezicht van de priester.

'Het is in orde,' zei Martin.

Shaw dacht erover na: onder welke omstandigheden kon zo'n aframmeling in orde zijn?

'Was het Neil, mevrouw Judd? Heeft Neil dit gedaan? Hij had het ontdekt, nietwaar – van jullie tweeën?' Of wist Neil iets anders, vroeg Shaw zich af. Ging het echt alleen over een stiekeme liefdesrelatie?

Martin schudde namens hen beiden het hoofd. 'Dat is niet wat Ally te vertellen heeft. Laat het ze zien,' zei hij.

Het was een brief in een blanco envelop met alleen haar naam. Het handschrift was keurig, doelgericht, en in zeeblauwe inkt.

Ally,
Ik heb je brief eindelijk ontvangen. Ik was in Colchester, in de nor. Het spijt me te horen dat hij stervende is, dat weet je. Dat wilde ik niet en

ik wil het ook nu niet. Hij is mijn vader, nog altijd mijn vader, ondanks wat hij volgens Bry heeft gedaan. Wat hij, denk ik, volgens ons allemaal heeft gedaan.
Ik ben dus teruggekomen, zoals je vroeg. Ik ben nu hier, bij jou, maar je wilt me niet zien. Probeer niet me te vinden – de militaire politie zal hierheen komen – of ze zullen de politie laten uitkijken. Ik wil alleen niet dat je je eenzaam voelt. En zeg het tegen niemand. Als de tijd rijp is zal ik met hem praten. Wil je dat ik vrede sluit? Ik denk niet dat ik dat kan. Maar ik kan zeggen dat ik van hem hou.
Nogmaals, zoek me niet. Maar we kunnen elkaar ontmoeten. Dinsdag ben ik om twaalf uur in The Walks, op een van de banken bij de Red Towe.
Sean

'U had me dit moeten laten zien,' zei Shaw. 'Hij komt van Bryans broer, niet waar? Sean? Wanneer hebt u hem ontvangen?'
'Een week geleden. Hij was achtergelaten in de wasserette.'
'Wat zei Sean toen u hem sprak?'
'Hij is niet komen opdagen,' zei ze. 'Ik heb gewacht, bij de Red Tower, maar tevergeefs. En sindsdien heb ik niets meer gehoord – alsof hij opnieuw is weggegaan, en dit is het enige bewijs dat hij hier is geweest.' Ze raakte de brief aan, zodat het papier knisperde, legde haar handen op haar wangen. 'En toen zagen we de krant, de tekening van de zwerver die spoorloos was verdwenen uit de Sacred Heart.'
Ze haalde het papier uit haar zak, een verfomfaaide kopie van Shaws forensische reconstructie van het gezicht van Deken.
'Ziet u, hij was het die ons vanaf de pagina aankeek. Hier, te midden van ons, toekijkend. En nu is hij verdwenen.'
'Weet u zeker dat het Sean is?' vroeg Shaw.
Ze knikte. 'Het is Sean.'
'Wat hebt u hem verteld waardoor hij terugkwam?'
'Dat Andy stervende is. Toen Sean vertrok beloofde ik hem dat ik het hem altijd zou laten weten als er slecht nieuws was. Over Bry of Neil of over zijn vader. Hij kon niet blijven, niet na wat er met Norma Jean was gebeurd. Telkens als hij Bry zag, was de pijn weer even scherp als altijd – en het schuldgevoel. Hij was degene die Andy's kracht had geërfd, hij zou de rots geweest zijn, onze rots. Maar hij kon niet blijven, en hij kon het niet loslaten, niet voorgoed. Dus was ik zijn contact.'

Pastoor Martin bracht zijn handen naar haar nek en Valentine sloeg de beweging gade. De priester knielde naast haar en nam haar gezicht in zijn handen. 'Alles, Ally. Het moet.' Shaw merkte het contrast tussen hun vingers op, de zijne gebruind, met een gouden ring, de hare bleek en poederdroog.

Ze keek hen aan. 'Ik had u over het bloed moeten vertellen. Op die zondag – de avond dat Bry stierf. Later, na middernacht, ging ik naar de zaak omdat alle machines aan een nieuwe wasbeurt begonnen toen er weer stroom was. Eén ervan was vastgelopen; er zat een kledingstuk klem. Daardoor lekte er water uit. Bloederig water. Toen ik de was eruit haalde zat die vol bloed.'

'Kleren? Wat voor kleren?' vroeg Valentine.

'Ze hadden van een onbekende kunnen zijn,' zei ze. 'De zaak was open; ik had de deur niet op slot gedaan. Dus – iedereen, denk ik. Iedereen in Erebus Street.'

'Maar ze waren niet van een onbekende, toch?' vroeg Shaw.

Ze klemde haar knieën tegen elkaar en Shaw dacht dat ze overwoog te liegen, maar pastoor Martin keek haar afwachtend aan.

'Nee, dat waren ze niet. Er stond een naam in … Ze waren van Andy.'

46

AGENT MARK BIRLEY STREKTE zijn benen onder de tafel met de tv-schermen in de beveiligingspost bij de havenpoort. Zijn linkerbeen zat in het verband door de wedstrijd van afgelopen zaterdag, toen de schoen van de fly-half van de tegenstander zijn scheen had geschampt en ontveld en de spier had gekneusd. Hij keek naar de nog steeds gezwollen knokkels van zijn linkerhand. Als hij hem harder had geslagen, had hij zichzelf moeten arresteren. Hij grinnikte, nam een slok koude koffie, wreef met de muis van zijn hand over zijn rechteroog en concentreerde zich weer op het scherm.

Hij was hier goed in. Hij wist genoeg over de methoden van Peter Shaw om dat te beseffen. De inspecteur trok zich niets aan van rangen; hij zocht uit wat je talenten waren en zorgde ervoor dat die niet werden verspild. Sinds het begin van het onderzoek had Birley tachtig uur voor tv-schermen gezeten omdat hij oog had voor details en de geestkracht om zich te concentreren terwijl elke zenuw in zijn lichaam wilde slapen. Naast de tafel stond een stapel videocassettes, die teruggingen tot een maand geleden. Hij moest de ligplaatsen van de *Rosa* zoeken en proberen of hij de kentekens kon lezen van auto's die meer dan eens op bezoek kwamen. En eventuele sporen van een fiets, een technisch geavanceerde fiets, een racefiets met een mand.

Hij draaide de film drie keer zo snel af: personenauto's flitsten over de kade, vrachtwagens, de stuwadoors zwermden uit als mieren als er een schip binnenliep. Het tijd- en datumdisplay zoefde vooruit. Zijn vinger zweefde boven de pauzetoets, wachtend tot de *Rosa* verscheen. Daar! Ze meerde in Keystone-Coptijd aan en de Volvo van de kapitein werd vanaf het voorkasteel op de kade gezet. Hij liet de film op normale snelheid draaien en begon aantekeningen te maken.

Ondanks zijn diepe concentratie luisterde hij nog met een half oor naar de echte wereld. Een automotor draaide stationair toen iemand voor het hek stopte. Hij hoorde dat de bewaker in het kantoor het schuifraam opende om de identiteitspapieren en andere paperassen van de bestuurder aan te nemen.

'De *Rosa*,' zei een vrouwenstem. 'De kapitein moet een briefje hebben achtergelaten.'

Birley stond snel op en deed een stap opzij om door het loket in het veiligheidsglas te kunnen kijken. Hij zag hoe de bewaker door een stapel documenten bladerde.

'Hier is het...' Hij maakte een aantekening en schoof de vrouw een boek toe om te tekenen. Birley noteerde de gegevens van de auto: een Opel Zafira, nieuw, geen krasje, met op het raam een parkeervergunning met de woorden QUEEN VICTORIA ZIEKENHUIS – HOGER PERSONEEL.

Toen was ze verdwenen. Birley ging het kantoor binnen. Draaide het boek om om de naam te lezen.

Mevrouw Jofranka Phillips.

47

TEGEN DE TIJD DAT Shaw in Galloways kantoor op de kade was, stond de auto van Jofranka Phillips onder aan de loopplank en was zij aan boord gegaan met – volgens agent Campbell – niet meer dan een papieren tas van Thornstons.

'Dus ze houdt van chocolade. Verder nog iets?'

'Niets,' zei ze. Ze raadpleegde haar aantekeningen. 'Zonnebril, zwarte zomerjurk. Iemand van de bemanning wachtte haar op boven aan de loopplank – ze kusten elkaar op de wang, zoals vrienden zouden doen.'

'Mooi. George, bel Ravin Lotnar. Hij zei dat hij documenten kon krijgen om te bewijzen dat zijn operatie legaal was uitgevoerd in Israël. Geef me de naam van het ziekenhuis.'

Hij vroeg Galloway of hij diens breedbandverbinding mocht gebruiken. De Schot zei dat hij een minuut nodig had om een e-mail te voltooien. Shaw wipte op zijn tenen op en neer en dacht terug aan het formele verhoor van Andy Judd dat ze zojuist hadden beëindigd in St James's, in aanwezigheid van de advocaat van piket. Ze hadden hem haastig opgehaald, voordat hij tijd had om te ontdekken dat zijn oudste zoon in het geheim in Erebus Street had gewoond. Of wist hij het al? Dat was het probleem met de familie Judd: het was onmogelijk de interne werking te zien, de bondgenootschappen en vetes; hoe langer je keek, hoe minder je zag.

'Wat is er aan de hand?' had Andy Judd gevraagd terwijl hij met zijn vingers door zijn behangerskwastharen streek. 'Dit is verdomme pesterij,' zei hij tegen zijn advocaat, een vrouw in een goedkoop mantelpak. 'Hebt u dat? Ik breng hier verdomme mijn halve leven door.'

De pubs waren al geruime tijd open en Judd was nuchter, wat niet bij hem paste. Hij had een erwtengroene kop-en-schotel in zijn hand, maar telkens als hij die naar zijn mond wilde brengen, zag hij ervan af. Ze hadden al een uur gepraat: vraag, antwoord, vraag, antwoord… Routine, bedoeld om de verdachte in verwarring te brengen. Telkens wanneer Valentine was opgestaan om een sigaret te roken – om de tien minuten – had hij zijn pakje Silk Cut ostentatief meegenomen. Judd verlangde niet alleen naar nicotine, hij was eraan verslaafd; ze zagen dat zijn vergeelde vingers al begonnen te trillen.

Toen liet Shaw hem de tekening zien die volgens Ally Judd een nauwkeurig portret was van zijn oudste zoon.

'Deze heeft in alle plaatselijke kranten gestaan, is op tv getoond. Ik heb u zelf ook een exemplaar gegeven.'

'Ja, nou en?'

'Uw schoondochter zegt dat het onmiskenbaar uw zoon is, Sean.'

'Hij lijkt er inderdaad wel op. U dacht toch niet dat ik dat zou komen vertellen? Ik kan wel op mijn eigen kroost letten...' Hij wenste dat hij dat niet had gezegd, ze zagen het in zijn ogen. Omdat hij duidelijk níét op zijn eigen kroost kon letten.

'Hij kwam terug omdat u stervende bent. Maar hij had niet het gevoel dat hij met u kon praten. Waarom was dat? Hij dacht dat Bryan gelijk had, nietwaar? Dat u Norma Jean had vermoord.'

Judd boog zich over de smalle verhoortafel naar voren. 'Hij hield zich gedeisd. We wisten – iedereen wist – dat hij uit de nor was ontsnapt. Alsof hij zijn bij eigen voordeur zou aankloppen! Doe me een lol zeg.'

'U wist dus dat hij weer in Lynn was?'

Judd fluisterde iets tegen zijn advocaat. 'Ik hoef die vraag niet te beantwoorden,' zei hij, en hij glimlachte zijn brokkelige tanden bloot.

'Kunt u uitleggen waarom er een overall van u in de wasserette is gevonden, meneer Judd, vol bloed, op de avond dat uw zoon stierf?'

De advocaat verstarde, alsof ze schrikdraad had aangeraakt. Maar Judd duwde haar hand weg toen ze die vóór hem op tafel wilde leggen. 'Ik heb een zak speciale munten – ik krijg ze van Ally. Ik werk in een abattoir. U hebt het gezien, u hebt gezien wat ik doe. Hebt u me verdomme hierheen gehaald om me zulke vragen te stellen? Dat is inderdaad pesterij. U hebt me beschuldigd van brandstichting – er is een datum voor de rechtszitting vastgesteld. Dat beken ik, oké. Dus: goed gedaan, jochies. Is dat niet genoeg?'

Hij had geen moment gehaperd en zijn uitleg was vloeiend en kalm geweest.

'Maar zo gaat het niet, toch?' zei Shaw. 'Het abattoir verzamelt de overalls en laat ze in de stad wassen, volgens contract. Maar niet déze overall. En niet op de avond dat uw zoon stierf.'

Judds ogen werden groot. 'Het gaat om Bry, nietwaar? Denkt u nog steeds dat ik hem vermoord heb? Denkt u dat ik niet van mijn kinderen hou? Denkt u dat ik ooit wakker word zonder meteen aan ze te denken? Ik zou voor ze willen sterven.' Hij speelde met een gouden kruis dat uit zijn openhangende overhemd was gevallen en Shaw zag het contrast tussen het fragiele filigraan van de icoon en Judds gezwollen werkmanshanden.

'Er zijn er twintig – meer – die u zullen vertellen dat ik die dag op straat was, bij het vuur, drinkend. Ik heb Bry niet gedood, ik ben niet in zijn buurt geweest. Het was koeienbloed op die overall. Is dat stelletje witjassen van jullie te stom om dat te ontdekken? Niet bepaald *Silent Witness*, hè?'

Daar hoefde Shaw geen antwoord op te geven, want de verklaring van Ally Judd vertoonde één irritant gebrek: waarom had ze de bebloede overall terug in de wasmachine gedaan?

Andy Judd was vrijgelaten, nog altijd ingeperkt door de eerder vastgestelde voorwaarden van de borgtocht.

In het kantoor van de scheepsagent, dat uitkeek over het Alexandra Dock, beëindigde Galloway zijn mailuitwisseling en Shaw nam zijn plaats in achter de computer. Hij typte twee woorden in in Google: Kalo Kircher.

Hij was stom geweest. Het verband tussen Phillips en Israël was een toevalligheid die hij had moeten checken. In de samenvatting van haar achtergrond die Twine had opgesteld, werd vermeld dat de kinderen van Kalo Kircher een medische liefdadigheidsorganisatie in Israël steunden. Ravid Lotnar, de laatste patiënt van de *Rosa*, was een Israëlisch staatsburger die beweerde dat er schriftelijk bewijs was van het feit dat zijn orgaantransplantatie in zijn eigen land had plaatsgevonden.

Shaw keek naar het ronddraaiende icoontje op het scherm terwijl Google het wereldwijde web afzocht. De eerste pagina die werd getoond heette 'Het Kircher Instituut'.

Shaw klikte op de link. Het Kircher Instituut was een ziekenhuis in Jeruzalem dat medische basiszorg bood aan zowel de Joodse als de Palestijnse bevolking. Hij zocht nog een minuut of twintig op de site en riep Valentine toen om op het scherm te komen kijken. Dat liet een foto zien van een straat in een van de voorsteden en een witgeschilderd gebouw achter hekken.

Hij gaf zijn brigadier een A4'tje dat hij had geprint, een geschiedenis van de kliniek van de website.

Het Kircher Instituut is in 1968 gesticht door drie broers, Gyorgy, Hanzo en Pitivo Kircher, alle drie arts en woonachtig in de VS. Het ziekenhuis richt zich op de armen en is genoemd naar hun vader, Kalo Kircher, een baanbrekend chirurg uit de jaren dertig van de twintigste eeuw. In 1970 bood het poliklinische zorg aan. De eerste chirurgische afdeling werd geopend in 1973 en biedt nu plaats aan bijna tweehonderd patiënten. De geboden zorg wordt niet in rekening gebracht. Het wordt voornamelijk gefinancierd door leden van de Joodse gemeenschap in de VS, zij het dat er aanzienlijke schenkingen zijn gedaan (zie lijst) door organisaties zoals de Verenigde Naties en World Jewish Relief (WJR). Het Kircher neemt patiënten aan op basis van eerste behoefte, ongeacht religie, etnische afkomst of geslacht. De kliniek heeft in Israël campagne gevoerd voor een wetswijziging die het mogelijk moet maken dat organen voor transplantatie worden verwijderd uit hersendood verklaarde patiënten.

Valentines mobiele telefoon ging. Hij nam op, luisterde en beëindigde het gesprek. 'Campbell is nu bij Lotnar. Die zegt dat hij de documentatie heeft gekregen als onderdeel van de afspraak. De operatie zou tien dagen geleden hebben plaatsgevonden in het Kircher Institute.'

Shaw bracht een artikel uit het krantenarchief op het scherm en liet het Valentine zien. De kop luidde: GELDCRISIS BEDREIGT KIRCHER.

Hij tikte op het scherm. 'Twee van de oprichters zijn dood, de derde, Hanzi, heeft moeite om in de VS genoeg geld in te zamelen om het instituut open te houden. De directeur in Tel Aviv zegt hier dat het ziekenhuis jaarlijks drie komma vijf miljoen dollar nodig heeft. Hij roept gewone Joden en Palestijnen overal ter wereld op een bijdrage te leveren. De Israëlische regering wil niet helpen. De campagne voor orgaanverwijdering die het instituut heeft gevoerd, wordt te controversieel gevonden. Zonder geld zal het moeten sluiten.'

Het artikel was meer dan een jaar oud. Maar de website bestond nog steeds, de kliniek was nog steeds open.

'Wat vind je daarvan, als nobel motief?' zei Shaw. 'Om die kliniek open te houden, is er een regelmatige, aanzienlijke stroom van inkomsten nodig.'

Ze keken door de getinte ramen terwijl de zon de schaduwen van de kranen op de kade tot het breekpunt begon uit te rekken. De lichten op de *Rosa* staken af in de schemering; de luiken van het ruim waren stevig dichtgeschoven over de lading graan.

Er kwam een taxi met pizza's en koffie.

Twine had hun een e-mail gestuurd via het kantoornetwerk, met alles wat hij had kunnen vinden over de geschiedenis van de MV *Rosa* en de bemanning. Het schip was acht jaar oud en gebouwd in Valparaíso, Chili, maar het voer onder Braziliaanse vlag. Het had oorspronkelijk *Estanca* geheten en had regelmatig heen en weer gevaren tussen São Paulo en Tilbury met wat algemene vracht werd genoemd: voedingswaren, hout en schroot. Drie jaar geleden was het gekocht door de huidige eigenaars, een in Basel gevestigde scheepvaartmaatschappij. De eigenaars waren anonieme Zwitsers en hadden voor zover het hoofdkantoor van Interpol in Lyon wist geen crimineel verleden. Dat kon niet worden gezegd van de kapitein. Juan de Mesquita, een Braziliaan, was in 1991 door een rechtbank in Haifa krachtens een pas geratificeerde wet veroordeeld wegens 'medeplichtigheid aan mensensmokkel voor het verkrijgen van organen'. Hij en zijn medeverdachte, een Filippijnse mannelijke verpleegkundige, Rey Abucajo, waren tot vier jaar gevangenisstraf veroordeeld en een schadeloosstelling van bijna veertigduizend pond aan de drie mannen die ze hadden overgehaald een nier te doneren voor transplantatie. De Mesquita en Abucajo waren koopvaardijmedewerkers die een flat hadden gekocht in een voorstad van Tel Aviv, waar de operaties hadden plaatsgevonden. De Mesquita had vóór die tijd geen strafblad gehad en was al tien jaar kapitein. De operatie om het tweetal te arresteren was deels georganiseerd door de International Maritime Organization.

'Tel Aviv,' zei Shaw terwijl hij zijn nachtkijker op de brug van de MV *Rosa* richtte.

'Hoe kan zo iemand een nieuw schip krijgen?' vroeg Valentine.

'Laten we Interpol vragen de Zwitserse eigenaars nog eens te checken,' zei Shaw. 'Laat Twine het regelen – open de papierwinkel. Het zal eeuwen duren, dus hoe eerder we beginnen, hoe beter.'

Ze zagen een andere kleine kustvaarder door het Alexandra Dock komen, vanuit de Hook, met volgens Galloway tv's aan boord. Het schip gleed naar Ligplaats 2 aan de andere kant, in het niets verzinkend naast een berg schroot. Vorkheftrucks zwermden rond als ratten en een halssnoer van vrachtwagens stond in de rij om uit te laden. Aan het eind van Erebus Street brandde tussen de haagdoornstruiken een felle lamp, die de elektriciteitsmaatschappij voor alle zekerheid aan had gelaten. Het oude transformatorhuis was nog niet klaar om weer op het net te worden aangesloten. Er brandde licht in het huis van Jan Orzsak. Shaw veronderstelde dat hij na zijn mislukte zelfmoordpoging uit het ziekenhuis was ontslagen.

Shaw had een droge keel gekregen door de airco in het kantoor en hij klokte twee halve liters koude melk naar binnen die hij bij de pizza's had besteld.

'En ze kan niet uitvaren?' vroeg Valentine, met een hoofdknik naar de *Rosa*.

'Alleen als ik het zeg,' zei Shaw. 'Dus we wachten.'

'Waarop?'

Shaw antwoordde niet, maar liet de veldkijker nog een laatste keer over het tafereel glijden. Ligplaats 4, verguld door enkele laatste stralen van de ondergaande zon, was nog steeds verlaten. Hij stelde scherp op het transformatorhuis. Zijn hart stopte, sloeg over, toen hij zag dat het hek in de omheining openzwaaide. Er verschenen twee gedaanten; de een ondersteunde de ander.

Campbell had de beweging eveneens gezien en graaide naar een verrekijker. 'Het is een dode hoek,' zei hij. 'Net daar, bij het hek. Ik heb het erover gehad met Mark; de camera's hangen te ver achter het containerpark. Ze worden niet gefilmd.'

En dat wisten ze. De twee gedaanten zetten geen voet op de kade, maar scheerden langs het containerpark, verdwenen in de doolhof en kwamen tegenover de loopplank van de *Rosa* weer tevoorschijn. Ze gingen met hun rug tegen de metalen container in de schaduw zitten, maar Shaw zag hen met zijn nachtkijker goed genoeg.

Het waren Andy Judd en zijn zoon Neil.

48

'EN JIJ DENKT DAT ze het zal riskeren, hier, recht onder onze neus?' Valentine stak een Silk Cut op en knipte de lucifer de haven in. Hij leek niet overtuigd. Ze stonden op de kade, in het donker, om een luchtje te scheppen, hoewel het afschuwelijk warm was. De hele haven was één groot warmteopslagsysteem dat de zonnewarmte van overdag regelrecht terugstraalde in de zwoele nachtlucht. De *Rosa* lag tweehonderd meter verderop; de drie dekken waren verlicht. Ze hadden Andy Judd en zijn zoon een uur lang geobserveerd, in de schemering wachtend tot de avond was gevallen. Om precies tien uur waren de lichten op de loopplank van de *Rosa* dertig seconden gedoofd. Toen ze weer aangingen waren ze verdwenen.

'Phillips denkt dat we de zaak hebben gesloten, dat we geloven dat Peploe de dader was,' zei Shaw. 'En laten we daar eens over nadenken, George. Wat voor bewijzen hadden we tegen Peploe? Niet-traceerbaar menselijk weefsel in de orgaanbank van OK 7. En wie had de sleutels van de orgaanbank in die paar cruciale uren voordat we bevel gaven tot een huiszoeking? Phillips. Stel dat ze gewoon weefsel en organen uit A, B of C naar D heeft gebracht. Ze kon hem erin hebben geluisd. Ze had al voorwerk verricht door ons een karakterschets van hem te geven: de playboy met de kostbare levensstijl en de particuliere patiënten. Ze liet ons het plaatje invullen. Ze weet dat we naar MVR zoeken, maar ze denkt dat we naar het ziekenhuis kijken.'

Er zwom een rat door de haven, die een geometrisch volmaakt V-vormig kielzog achterliet.

'En ze moet vaak genoeg gezien hebben hoe Peploe zijn epilepsiepillen slikte,' zei Shaw. 'Wie heeft er toegang tot de ziekenhuisapotheek? Het hoger personeel. En het komt haar maar al te goed uit dat onze hoofdverdachte dood is. Misschien dat Peploe eraan meedeed, maar misschien ook niet. Hoe dan ook, voor haar is het beter dat hij dood is.'

Valentine schudde zijn hoofd. 'Als Andy Judd de patiënt is, waar komt het geld dan vandaan? Honderdvijftigduizend dollar, zei je... Jezus, hij werkt in het abattoir.'

Maar Shaw was hem nu voor, paste stukjes in elkaar. 'Nou, denk eens verder. We kunnen er tamelijk zeker van zijn, nietwaar, dat Bryan Judd betrokken was bij de orgaansmokkel. En als hij eraan meedeed is de kans groot dat Andy en Neil dat ook deden. Maar Bryan was daar...' Shaw wees naar zijn eigen voeten. 'In het midden. Zelfs zo laag in de pikorde zou hij eraan verdienen. Misschien beloofden ze hem een operatie voor Andy tegen kostprijs. Misschien hebben zelfs dieven een erecode. Of...' Het was de eerste keer dat de gedachte hem trof. 'Of hij deed iets speciaals voor ze. Iets waardoor Andy Judd de operatie zou krijgen die hij dringend nodig heeft om in leven te blijven.'

Valentine keek naar de *Rosa*. Er brandde licht op de brug, maar er was geen spoor van iemand die op wacht stond.

Er kwam een zeemeeuw aangevlogen door de schijnwerperbundels op de ligplaats, klapwiekend boven hun hoofd. Shaws mobiel ging. Het was de elektricien, Andersen. 'Hai. De stroomafname op uw boot schoot net omhoog – een minuut of vijf geleden.'

'Opvallend veel?'

'Nou ja, als het naar lampen gaat heb je het over genoeg om een potje minivoetbal bij de spelen. En het basisniveau is ook hoog. Ik heb het laatst binnengelopen schip nagetrokken, een van vierduizend ton – een beetje groter in feite. Het stroomverbruik daar was de helft van dat van de *Rosa* een uur geleden.'

Het was warm, zelfs op de kade, maar evengoed brak Shaw het koude zweet uit.

Hij vloekte en verbrak de verbinding. 'Ze zijn begonnen,' zei hij. 'Klopt van geen kant. Judd kan geen donor zijn, dus waar komt de gezonde lever vandaan? Neil?' Hij knikte in zichzelf, want dat was een mogelijkheid. Hoe had Justina het ook alweer genoemd? LDLT: levende donor levertransplantatie. Of hadden ze het orgaan dat ze nodig hadden op ijs gelegd? Hij was stom geweest, was ervan uitgegaan dat ze zouden moeten wachten tot de donor verscheen. 'Bel Twine. Laat een eenheid komen – en snel,' zei hij tegen Valentine, niet in staat de spanning uit zijn stem te weren. 'Sneller.'

Tegen de tijd dat Shaw bij de *Rosa* aankwam rende hij, er nu van overtuigd dat hij te lang had gewacht.

De loopplank van het schip was van geribbeld metaal en lag scheef. Terwijl Shaw naar boven klom zag hij het olieachtige water in de één meter brede kloof tussen de romp en de werf, waarin het licht van een patrijspoort als een loom, onbeweeglijk ovaal werd weerkaatst. Langs de loopplank was een tien centimeter dikke kabel gespannen. Het schip zoemde van de elektriciteit, een zo diep dreunen dat Shaw het in zijn botten voelde. Hij keek om en zag dat Valentine achter hem liep. Ondersteuning zou pas over twintig minuten komen. Volgens het boekje moest hij wachten. Maar hij had nu geen tijd voor het boekje.

Hij stapte over de metalen dorpel in een trappenhuis, onmiddellijk getroffen door de vloerbedekking, vlekkerig blauw, en de brandschone roestvrijstalen leuning. Er hing een bord aan de wand – ACHTERDEK – en een plattegrond van de *Rosa*. De gangen en de aaneengesloten hutten deden Shaw aan de plattegrond van Niveau 1 denken. Hij luisterde even: ergens klonken korte, dronken lachsalvo's. Volgens Galloway waren er zeven bemanningsleden. Hij keek Valentine aan en wilde hem al vragen of hij klaar was om verder te gaan, maar de blik in de ogen van zijn brigadier maakte hem duidelijk dat hij het niet hoefde te vragen.

Ze klommen in de richting van het geluid. Eén trap, twee, toen drie, voordat ze door een andere deur in een gang kwamen. Opnieuw dat vreemde gevoel dat hij aan boord van een Kanaal-veerboot was: de antiseptische geur, de blauwe metalen deuren, de vloerbedekking, de hulpvaardige bordjes.

Plotseling naderden er voetstappen en er kwam een bemanningslid de hoek om, een Filippino in een vlekkeloos witte short, met een handdoek in zijn hand. Hij bleef abrupt staan, draaide zich om en rende weg. Ze renden hem twintig meter achterna, toen scherp linksaf en naar een deur, met een bordje MESS.

De bemanning stond gespannen op hen te wachten; de geur van angst in de bedompte ruimte was even tastbaar als de koele metalen wanden. Er waren twee tafels met banken, een aan de muur gemonteerde flatscreen, een plank met videobanden en dvd's; twee patrijspoorten, wijd open. Er waren zes mannen in het vertrek en niemand van hen zei iets.

Shaw zwaaide met zijn pasje. 'Kapitein?'

Nog steeds zei niemand iets.

'Spreekt iemand Engels?' vroeg Valentine. Hij ging naar binnen en zag dat ze een dvd hadden zitten kijken – geen geluid. Porno: twee mannen, één vrouw, glimlachend en kreunend, maar even gekunsteld als hun gebronsde huid.

'Ik spreek Engels,' zei een kleine man met zijn vuisten in zijn zijden. Het was een Europeaan, met grijze haren en een nek even breed als zijn schedel. 'De kapitein slaapt.' De stilte in het vertrek was onheilspellend en Shaw hoorde nu voor het eerst het geluid van lenspompen.

Shaw wist dat ook zij calculeerden en erachter probeerden te komen of die twee politiemannen echt stom genoeg waren om zonder ruggensteun aan boord te komen. Hij probeerde niet te laten merken dat zijn hartslag de honderdtwintig haalde.

'George, blijf hier. Niemand gaat weg. Ik laat de rest beginnen met zoeken.'

Valentines mobiel trilde; hij klapte hem open en zag een sms'je van Twine.

NOG VIJF MINUTEN

'Eenheid 3 is ook bij de poort,' zei Valentine, met zijn rug tegen de metalen wand. 'Zitten, allemaal.'

Ze reageerden langzaam, als torenflats op explosieven.

'U,' zei Shaw, en hij wees naar de man die Engels sprak. 'Naam?'

'Albert Samblant, eerste officier.' De man keek Shaw aan en kon niet voorkomen dat zijn blik zich op het blinde oog richtte.

'Goed. Zeg dat ze blijven zitten waar ze zijn. Niemand gaat ergens naartoe. Daarna wil ik dat u me naar de hut van de kapitein brengt.'

Samblant sprak de bemanning toe in het Engels en het Spaans. Toen ging hij Shaw voor; zijn korte benen bewogen als krabbenpoten, zodat hij zijdelings door de gang leek te schuifelen.

De hut van de kapitein was opnieuw een trap hoger. Samblant klopte aan en stapte toen opzij. Shaw zag dat hij zweette, een doordringende geur, en zijn onderlip telkens weer over zijn bovenlip trok.

'Maak open,' zei Shaw.

Albert haalde zijn schouders op, rammelde aan het slot, maar de deur ging niet open.

Shaw klopte één, twee keer, deed toen een stap achteruit, draaide rond op zijn linkerbeen en haalde uit. Hij raakte de deur precies acht centimeter boven het slot. De deur en de deurpost bezweken en na een tweede trap bungelde hij aan één scharnier.

De hut stonk naar sigarettenrook en naar een bord met chorizo en bonen dat onaangeroerd op een kleine tafel stond. In een asbak lag een lucifer – V-vormig gebroken. Shaw probeerde te bedenken wat dat betekende – dat Andy Judd in de hut was geweest? Misschien.

De eerste officier had zich niet bewogen. Hij stond in de deuropening alsof die gebarricadeerd was met een onzichtbare struikeldraad.

Er was een tweede deur en toen Shaw die opende zag hij een doucheruimte. De lucht was nog vochtig, de spiegel beslagen. In de douche, met het gordijn om zijn nek geslagen, zat een man met een gezicht dat de kleur had van een rotte perzik; een straaltje braaksel droop van zijn kin op zijn blote borst. Niemand met zo'n gezicht, wist Shaw onmiddellijk, had ooit nog ademgehaald. De rest van het lichaam was vlekkerig maar bleek en een smal stroompje urine liep van het lijk in een spiraal naar de afvoer.

Shaws hart klopte nu pijnlijk en de bijna fysieke schok bij het zien van een lijk veroorzaakte een bruisende adrenalinestroom in zijn bloedsomloop. Hij keerde terug naar de deur van de hut, pakte de eerste officier bij de hals van zijn T-shirt en sleepte hem naar de deuropening van de douchecabine.

'Is dit de kapitein?

'Jezus,' zei Samblant, en hij probeerde zijn gezicht te bedekken. Toen begon hij te braken, naast de toiletpot.

Shaw pakte het lijk onder de oksels. Het was nog warm. Hij tilde het lichaam weg van de betegelde douchewand en probeerde het plastic gordijn, dat er als een tweede huid aan vastplakte, los te wikkelen. Toen hij de hals uit het plastic had bevrijd, zocht hij naar een hartslag. Hij schrok ervan dat een lichaam zo warm en tegelijk zo dood kon zijn. De kapitein was vijftig geweest, iets ouder misschien, en alleen zijn handen en gezicht waren gebruind door een leven lang op zee. Er zat een streep in de douchebak, een dunne lijn van rood, korrelig vuil. Shaw streek er met zijn vinger overheen en keek naar de veeg, rook eraan, wreef het tussen duim en wijsvinger fijn. Het was rood zaagsel. 'Bloedhout,' zei hij.

'Waar is Phillips?' vroeg hij aan Samblant, die naast een wastafel tegen de wand zat. Een donkere plek in zijn spijkerbroek rondom zijn kruis verraadde dat hij zich had benat. Hij hield zijn trillende handen nog steeds voor zijn gezicht. Shaw trok de verstrengelde vingers los en pakte hem bij zijn kin. 'Waar is Phillips, de chirurg?'

Maar de man was nog altijd bang genoeg om de moed te vinden voor wat een laatste leugen moest zijn geweest. 'Vertrokken. Een uur geleden, twee.'

Ze hoorden voetstappen op de gang en Twine verscheen in de deuropening. Hij nam het tafereel in zich op. 'De eenheid is er... Zes agenten. Een tweede is onderweg. Het schip doorzoeken?'

'Ja. Laat iemand van de bemanning helpen, maar geloof geen woord van wat iemand zegt. Haal alles overhoop. Vooral beneden de waterlijn.'

49

TWINES TEAM DOORZOCHT DE *Rosa* in twintig minuten: zes dekken omlaag naar de machinekamer, achttien hutten, de voorste ruimen, de kombuis, de mess. Niets. Ze begonnen opnieuw, ditmaal gebruikmakend van de plattegronden op elk dek om elk getoond vertrek af te grendelen, en met een hondenteam dat ze hadden opgeroepen van St James's. Niets. De Havenautoriteit stuurde een kernbemanning naar de kade om het laatste ponton weg te schuiven en de vracht te inspecteren – drie afzonderlijke ruimen boordevol graan, even onaangeroerd als een strand bij dageraad. Daarna daalden ze af naar het vooronder en checkten ook dat. Opnieuw niets, alleen kabels, ankers en touwen.

Shaw was in de mess toen Twine verslag kwam uitbrengen. 'We beginnen opnieuw.' Shaw legde zijn handen op de messtafel en merkte dat zijn knokkels pijn deden door de spanning. Als de operatiezaal niet aan boord was, waar dan wel? Ze hadden Andy en Neil Judd niet daadwerkelijk aan boord zien gaan – misschien waren ze ergens anders naartoe gegaan, en de chirurg ook. De containers in de haven. Het was een mogelijkheid. Metalig. Warm. Maar dreunden en zoemden die? De hijskranen zouden trillingen veroorzaken. Of de vrachtwagens die in de eerste versnelling langsreden.

'Oké Paul. Trommel de havenmeester op – ik wil alle containers op de kade geopend hebben. Nu.'

Twine vertrok en Shaw was er tamelijk zeker van dat hij Samblant een blik zag wisselen met een van de bemanningsleden. Iedereen zakte onderuit op zijn stoel, verse sigaretten werden opgestoken. Ze ontspanden zich of deden alsof ze zich ontspanden.

Hij belde Birley bij de havenpoort. 'Mark? Spoel de banden terug tot het punt waarop de *Rosa* voor het laatst in de haven was en kijk of je een van de containers die die avond op de kade stonden kunt identificeren. En vergelijk dat met wat we nu hier hebben. Oké, begin eraan.'

Hij keek de bemanning aan. Een van hen glimlachte, een fatale vergissing, want zo'n glimlach kon je niet veinzen.

'Sta op,' zei Shaw. Ze stonden allemaal op, keken elkaar aan en een of twee mannen onderdrukten een glimlach. Ze dachten dat ze veilig waren en dat gaf Shaw de zekerheid dat ze dat niet waren. Valentine kwam binnen met agent Lau.

'Fouilleer ze,' zei hij. Ze deden een duo, schoven ze een voor een naar voren en duwden ze dan de kombuis in. Niets.

'Oké, uitkleden,' zei Shaw. Ze legden hun kleren op de messtafel en nu verraadden hun gezichten iets anders – woede, verraad, schaamte misschien, zodat de spanning in het vertrek te snijden was.

Zes naakte lijven. Zes schone naakte lijven. 'Brandschoon,' zei Valentine. Op de witte liefdadigheidsarmbandjes om hun pols na. Maar ze waren inderdaad schoon en dat was wat Shaw was ontgaan, tot nu toe.

'Er is tweeduizend ton graan aan boord, het stof dwarrelt door de ruimen, maar iedereen is schoon,' zei Shaw. 'Het schip is schoon.' Hij streek met een vinger over het tafelblad. 'Waarom?' vroeg hij aan Samblant terwijl hij vlak voor hem ging staan. 'Waarom is alles schoon?'

'Wij raken de vracht niet aan,' zei Samblant. 'Die wordt in- en uitgeladen door de havenarbeiders. We hebben allemaal een hut, een douche. Waarom zouden we niet schoon zijn?' Toen beet hij op zijn lip, hard, tot Shaw een bloeddruppel zag verschijnen.

Shaw dacht daarover na, en over het bloedhoutzaagsel in de douche van de kapitein. Hij probeerde zich het A4'tje voor de geest te halen dat Twine had samengesteld van de geschiedenis van de *Rosa* – een scheeps-cv. Hij kon zich de oorspronkelijke naam niet meer herinneren, maar wel wat het vervoerd had – hout, van São Paulo naar Tilbury, vijf jaar lang, begin jaren negentig.

'Hoe komt het dan dat de kapitein onder het zaagsel zat?' vroeg hij. Hij stak een vinger op, nog steeds rood. 'Muirapiranga – bloedhout,' zei hij. Samblants ogen veinsden onbegrip, maar Shaw zag dat de emotie die hij probeerde te verbergen angst was. Hij kreeg geen antwoord op zijn vraag, maar dat maakte niets uit. Want nu wist hij het – niet alleen waarom en hoe, maar waar.

50

SHAW WAS IN HET donker – niet in het donker dat de afwezigheid van licht is, maar een verstikkende aanwezigheid van duisternis; op een steile ladder, een stalen ring duwde in zijn rug, beide handen op een sport, zijn voeten op twee sporten. De lucht was zo warm dat het wel een deken leek en hij kon zich voorstellen dat hij losliet en zich erin liet zakken, daar hangend in de fluwelen duisternis. Toen ging het luik boven hem open en er viel een licht als een laserstraal in de schacht. Verblind sloot hij zijn ogen en keek omlaag. Onder hem, tien meter misschien, was het dek van het ruim. Hij bevond zich in een verticale koker, als van een leeg Smarties-buisje. Ruim nummer 3. Hij was al in 1, 2 en 3 geweest. Op de bodem van elk ruim had hij een deur in een scheidingswand gevonden, die ze niet konden openen doordat er vierduizend ton graan aan de andere kant lag.

Hij keek opnieuw omlaag. Dit ruim moest anders zijn.

Boven zich hoorde hij schoenen schuren op metalen sporten. Agent Twine stopte drie meter boven zijn hoofd en keek omlaag.

'Ik heb goedkeuring,' zei hij. 'Voor de zekerheid.' Er hing een automatische karabijn over zijn schouder. Twine was een van het tiental agenten van St James's met een wapenvergunning, maar er was nog steeds een politierechter voor nodig om het verstrekken van een wapen goed te keuren.

'Oké,' zei Shaw. Hij voelde zich er niet beter door, want nu was hij het beleg op de boterham, tussen het wapen en datgene wat er beneden was. Hij keek naar Twines vinger, om de trekker gekromd, die was gezekerd. De hand van de agent zat onder het rode stof van de sporten.

Ze klommen zwijgend omlaag en probeerden hun schoenen niet over het roestige metaal te laten schrapen. Beneden aangekomen sprong Shaw de laatste meter in de schacht van het ruim. Er was inderdaad een verschil. In de andere ruimen was de vloer van de schacht leeg geweest, maar hier was een metalen stellage, een soort stoel, omringd door stalen stootstangen en verbonden aan een kabel die langs de zijkant van de schacht naar het vierkant van licht boven hen liep. Shaw stelde zich voor hoe de stellage langzaam steeg, opgehesen door de kaapstander op het dek, een verticale bootsmansstoel.

Twine stapte naast hem van de ladder. Ze hadden een routine ontwikkeld en Shaw nam radiocontact op met Valentine op het dek, zei dat ze naar binnen gingen. Hij zette zijn schouder tegen de metalen deur, draaide het centrale slot om en Twine probeerde de deur met zijn been open te wrikken.

De deur ging open, in tegenstelling tot de drie andere. De scharnieren waren gesmeerd en ze gingen bijna geruisloos naar binnen. Het enige geluid was een zwak zuchten, als een ademhaling.

Ze stapten in een grote ruimte, een ruim, maar dit ruim was leeg en had wat een vals bovendek moest zijn, waardoor het maar drie meter hoog was. Een enkele noodlamp in een melkglazen behuizing verlichtte het tafereel, als een lamp metersdiep onder water. Boven hen, dacht Shaw, zou graan zijn. Maar onder dat graan was dit verborgen ruim, leeg, op enkele containers tegen de bakboordwand na. Er was een openstaande deur, maar het zicht werd belemmerd door dikke lappen plastic. Erachter brandde licht, gestalten bewogen en wierpen caleidoscopen van schaduw.

Shaw haalde diep adem en hield hem in. De lucht was stoffig en toen hij op zijn hurken ging zitten, kon hij het zaagsel op de vloer voelen, overgebleven van de duizenden tonnen bloedhout die de *Rosa* in vijf jaar tijd over de Atlantische Oceaan had vervoerd.

Twine ontgrendelde zijn karabijn. Bij de eerste container zat een man op de grond, met zijn rug tegen de scheidingswand tussen de ruimen, zijn hoofd in zijn handen. Nu keek hij op en ze zagen dat het Neil Judd was, zijn haren en kleren drijfnat van het zweet, met beide handen om zijn knieën, die hij tegen elkaar drukte. Toen hij hen zag spande zijn lichaam zich en Shaw dacht dat hij wilde opstaan. Maar hij scheen de situatie te taxeren en zijn tengere lichaam ontspande zich, liep leeg. Shaw zag dat hij een brandende peuk in zijn hand had. Om hem heen op het dek lagen afgestreken lucifers, stuk voor stuk in een keurige v-vorm gebroken. En Shaw bedacht dat dat, achteraf, beter klopte: dat het Neil was die zijn vader nadeed, niet Bryan, die hem haatte. Judd strekte zijn benen en ze zagen de zolen van zijn schoenen. Shaw zag de dubbele ijzertjes op elke schoen, kleine seintoestelletjes, bedoeld om op de grond te tikken, het trottoir, trappen, en belangrijke geluiden door te geven naar Judds beschadigde oren, zodat hij zijn evenwicht kon bewaren.

Het ruim was een geluidsbox: een generator dreunde en de elektrische kabels die over beide wanden liepen zoemden van elektriciteit. De hitte werd getemperd door enkele airconditioners zo groot als een koelkast, waarvan de in- en uitlaatroosters vibreerden. Shaw liep naar de hangende plastic deur, waarop een diagonale rode streep stond.

'Niet doen,' zei Neil Judd. 'Alstublieft. Het is te laat. Laat haar doorgaan.'

'Dat kan ik niet doen,' zei Shaw, maar hij bleef staan en probeerde het te overzien. Als Andy Judd op de operatietafel lag, onder verdoving, was de donor zijn – of haar – lever al kwijt, of in elk geval een deel ervan. Misschien had Neil Judd gelijk, misschien was het te laat.

'Mijn vader gaat dood als ze nu stoppen.'

Shaw liep naar de deur en draaide zich daar om naar Judd. Het licht was troebel, alsof ze allemaal verdronken waren en onder water zweefden terwijl Jofranka Phillips haar werk afmaakte.

'Dan moet ik alles weten wat jij weet,' zei Shaw. Twine stond met zijn rug tegen de scheepswand en keek Neil aan, zijn karabijn geheven. Achter de plastic flappen hoorde Shaw, zelfs boven het achtergrondgeluid van de generatoren en de koelingen uit, af en toe het hoge rinkelen van chirurgische instrumenten, als bestek in een druk restaurant.

'Ik heb vaak geholpen bij het laden van de *Rosa*,' zei Neil Judd. 'Op een keer hadden we het in recordtijd gedaan en ze nodigden ons uit in de mess. We dronken, aten met ze mee, praatten over ons leven. Een van de Filippino's deed aan vechtsport en ze hadden een fitnessruimte ingericht op het pontondek. Dus deed ik wat voor, liet ze zien wat ik kon. Ik wist dat ze iets wilden, een tegenprestatie. Maar ik dacht: ik wacht wel af wat het is, want ik ben niet gek.'

Hij prutste aan het gehoorapparaat in zijn linkeroor. 'En ze hadden ook vrouwen ...' De glimlach waarmee hij probeerde te doen alsof hij niets van zulke ondeugden moest hebben, vervormde zijn gezicht. 'Op een avond zeiden ze dat er in het pension van de kerk een man woonde voor wie ze een boodschap hadden. Dat ik aan het merkteken op zijn jas zou zien wie het was – dat was vorige winter, toen het maar bleef regenen. Ik vond hem op het braakliggende terrein bij de Baltic. Het was een goede deal, dus het was geen probleem. Vijftig pond voorschot en na afloop duizend. Hij nam het aan en ik bracht hem die avond naar het schip. Als iemand nee zei, moest ik zeggen dat ik het nog een keer zou komen vragen. Maar in dat geval kreeg ik mijn geld niet, dus ik nam geen genoegen met nee.'

Het was alsof het zweet de jonge Judd plotseling uitbrak en met één vloeiende beweging trok hij zijn T-shirt uit en droogde er zijn smalle borstkas en getatoeëerde armen mee af.

'Ze betaalden me tweehonderd pond per keer. Zoals ik al zei: ik had het niet nodig. Ik redde me wel. Maar het ging steeds slechter met mijn vader, en hoewel hij het niet met zoveel woorden zei, wisten we dat hij stervende was. En dat was idioot, want ze konden hem helpen, als hij maar wilde stoppen met drinken. Het ging precies zoals mijn moeder had voorspeld: ze zei dat ik moest uitkijken, dat hij zichzelf in de vernieling zou helpen. Wat aan de binnenkant zat zou hem te pakken krijgen. Ik beloofde haar dat ik het niet zou laten gebeuren. Ze zei dat ik nu de man in huis was, dat het op mij aankwam.'

In de operatieruimte hoorden ze een zuigbuis vocht uit een incisie zuigen.

'Het merkteken,' zei Shaw. 'Het merkteken dat ze op de mannen achterlieten – de kaars?' Judds ogen werden groot toen hij besefte dat die man meer over zijn leven wist dan hij voor mogelijk hield. Shaw kreeg een beeld voor ogen van Patigno's *Het wonder in Kana* op de muur van de Sacred Heart. Het memento mori op de fluwelen doek – maar in deze versie was, anders dan op het origineel, de kaars weggelaten.

Shaw hoorde het schuifelen van de schoenen van Twine en meteen daarna gingen de plastic gordijnen open. Er stond een man in de opening, een Filippino, een silhouet in een operatiejas.

'Zeg het tegen haar,' zei Neil Judd. 'Zeg dat alles voorbij is, maar dat ze het mag afmaken.' De man keek naar de karabijn, naar het geopende luik.

'Rey?' zei een stem binnen.

Hij verdween zonder een woord.

Er kwamen drie uniformagenten door het luik, alle drie gewapend. Twine instrueerde hen. Ze wachtten, opgelaten, als uitsmijters in een nachtclub.

Shaw hurkte in het stof en probeerde in Neil Judds verwarde ogen te kijken. 'Dus jij was de Organist?'

'Ik wist niet dat ik een naam had,' zei hij. 'Maar ik wist dat ze bang van me waren; het verhaal deed de ronde, als een legende. Het hielp, die angst, want daardoor durfde bijna niemand nee te zeggen. Voordat ik het werk voor ze opknapte hadden ze anderen. Die verknalden het wel eens en zo lekte het nieuws uit, maar alleen maar gefluisterd. Als het schip binnenliep, kon ik' – hij wreef zijn vingers tegen elkaar – 'de angst vóélen.' De spierballen in zijn getatoeëerde armen trilden van opwinding.

'Maar deze keer... de laatste keer?'

'Ze hadden me niet altijd nodig,' zei hij. 'Ik vroeg niet waarom. Ik sprak de kapitein en we aten wat, dronken wat, maar ze hadden geen donor nodig. Ze hadden andere bronnen – dat zei hij altijd. Toen, die zondag, viel de stroom uit.' Hij lachte, verbitterd, en het viel Shaw opnieuw op dat het geen echte emotie was, maar een nagebootste versie, als een kind dat een volwassene nadoet. 'Allemaal omdat mijn vader zijn kleine vendetta niet wilde opgeven, omdat hij dacht dat die tegenover ons bewees dat hij onschuldig was. Ik wist niet dat hij het zo gepland had, anders had ik hem tegengehouden.

Ze hadden een cliënt aan boord van de *Rosa* – alles was in gereedheid. Ze hadden een nier klaarliggen, maar toen de stroom uitviel steeg de temperatuur, ook in de koelingen. Het was een chaos. Toen belde Rey. Ik moest een donor zoeken. Zo snel mogelijk. Toen rook ik mijn kans. Ik zei dat ik het niet deed, dat het te riskant was, want normaliter had ik tijd om ze te observeren, tijd om te zien of ze vaste gewoonten hadden. Ik zei dat ze, als ze per se wilden dat ik het deed, mijn vader een nier moesten geven. Gratis. We kwamen tot een akkoord, per mobiele telefoon. Toen zeiden ze dat ze iemand gevonden hadden in het pension, dat hij Deken werd genoemd, en dat ze een teken op zijn jas hadden gezet.'

'En je wist niet wie Deken in werkelijkheid was, nietwaar?'

Judd boog zijn hoofd en gaf over, een dun straaltje gal. Zijn lichaam schokte in ritmische golven als een kat die moet braken.

Hij begon de waarheid te vertellen voordat het ritme werd afgebroken, zodat zijn woorden in verbrokkelde zinnen kwamen. 'Ik gooide het geld naar hem toe... pakte hem...' Hij keek plotseling op en Shaw zag dat er tranen uit zijn ogen stroomden. 'Pakte mijn broer bij zijn lurven.' Hij veegde zijn mond af. 'Ik denk dat hij wist dat ik het was, maar ik herkende hem of zijn stem niet. Ik was een peuter toen hij het huis uit ging, dus hij is een vreemde ... was een vreemde. Ik heb nauwelijks herinneringen aan hem. Ik dacht alleen: ik moet dit doen. Dus sloeg ik hem.'

Ze keken beiden naar de perspex deur, alsof de verloren broer levensgroot naar buiten zou komen.

'En toen sleepte je hem aan boord?'

'Door de steeg, door de tuin. Toen deed zich opnieuw een probleem voor. Ze hadden de machinist gevonden, maar hij was straalbezopen, en ze sloten de generator verkeerd om aan en toen die stroom leverde blies hij alle koelkasten op, bijna allemaal, en bijna de hele voorraad – weefsel, pezen – bedierf. Ze zeiden dat ze wisten waar Bry werkte. Dat het ideaal was, dat ik hem moest overhalen alle afval in de oven te verbranden, want ze moesten de koelingen schoonmaken en het was te link om zo veel in zee te gooiden. Ik zei dat ik het hem zou gaan vragen en ik nam het afval mee van de operatie die ze hadden moeten staken – de nier, de rest – dat nam ik mee, om hem te laten zien hoe makkelijk het was, en omdat ze de operatieruimte wilden opruimen zodra er weer stroom was. Het zat allemaal in een Tesco-tas, verpakt, verzegeld ...'

Hij keek Shaw voor het eerst aan, alsof hij zich door dat ene huiselijke detail herinnerde wat voor iets gruwelijks hij had gedaan. 'Ik ging naar huis omdat ik zijn ...' – hij zweeg en schoot vol – 'Seans bloed op mijn overhemd had gekregen. De lichten waren uit, dus het was een chaos op straat. Er hing nog een overall van mijn vader over de trap, waar Ally hem had achtergelaten, dus die pakte ik. Toen rende ik naar het ziekenhuis.

Ik wist er de weg nog van toen ik een kind was en ik er in de vakanties naartoe ging om Bry zijn lunch te brengen. En ik wist dat hij soms naar buiten ging om te roken. Daar praatten we. Ik wachtte op hem. Ik vertelde hem hoe makkelijk het was. Toen gingen we naar binnen, want ik zou het hem laten zien. Ik pakte een andere zak die bijna leeg was, scheurde hem open en stopte mijn tas erin.'

'Maar hij wilde het niet doen, hè?' zei Shaw.

Judd schudde zijn hoofd. 'Het was stom,' zei hij, en hij wreef met de muis van zijn hand door zijn oogkas. 'Ik zei dat we het moesten doen, voor vader. Hij bleef stokstijf staan, als een standbeeld. Hij zei dat hij ervan genoot pa te zien sterven.' Neils blik zocht die van Shaw, verlangend naar iemand die zei dat hij er goed aan had gedaan. 'Hij zei dat hij wist wat hij had gezien op de dag dat Norma Jean verdween, wist wat hij voelde. Dat papa het verdiende te sterven. Ik vertelde hem wat ik mama had beloofd... dat het verleden papa's last was, wat er ook was gebeurd. Maar hij weigerde nog steeds. We vochten toen ik de zak op de band legde. Ik ben sterker dan iedereen denkt, doordat ik train. Het was een ongeluk.' Het klonk alsof hij het zelf niet geloofde.

'Waar heb je hem mee gestoken?'

Met beide handen rolde hij een van zijn broekspijpen op. Hij had een schroevendraaier tegen zijn kuit getapet, waarvan de punt moorddadig scherp was geslepen, als een momentopname uit *Taxi Driver*. 'Het licht ging uit – een stroomstoring – en hij haalde in het donker naar me uit. Ik gooide hem van me af en hoorde hem tegen het metalen instrumentenpaneel vallen.' Hij wreef over zijn achterhoofd. 'Ik wist dat hij dood was, dat hij dood zou gaan, op datzelfde moment, want toen de noodverlichting aanging zag ik dat hij aan het metaal was gespietst, met maaiende armen. Hij zou gillen. Dat kon ik niet gebruiken. Dus stapte ik naar voren en stak de schroevendraaier in zijn borst, één keer maar, om hem stil te krijgen.'

Shaw liet het eufemisme passeren.

'Waarom is de kapitein dood?' vroeg hij.

'Ally liet me gisteravond het briefje van Sean zien en vroeg of ik hem had gezien. Toen wist ik wat ik gedaan had. Ik had hem hierheen gebracht voor deze...'

Hij stond op, wilde weggaan, voelde Shaw, naar het licht toe.

'Dus toen ik papa aan boord bracht ging ik naar De Mesquita. Ik wilde weten waar ze naartoe gingen – de donors – na de operatie. Dan kon ik het goedmaken – hem terugbrengen. Ik wilde weten waar ik hem kon vinden. Maar ergens wist ik het natuurlijk, onmiddellijk, toen ze dat lijk op de zandbank vonden. En ik dacht: kan dat waar zijn? Kan dat wáár zijn? En toen bedacht ik dat ik een stommeling was geweest.'

Hij snikte nu, drukte zijn handpalmen tegen zijn gezicht alsof hij de tranen kon wegdrukken. 'De kapitein zei dat ze ze altijd in zee dumpten. Hij had gedronken en dat maakte hem spraakzaam. En ik denk dat hij dacht dat ik nu een van hen was, dat er geen terugweg was. Het kwam door zijn woordkeus. Zijn Engels is niet zo goed. Dus misschien had ik het hem moeten vergeven. Maar hij zei dat ze ze dumpten als ze "hun doel hadden gediend". Hij stond in de douche, naakt, schaamteloos. Ik denk niet dat ik met de waarheid kan leven. Ik wist in elk geval heel zeker dat ik hem er niet mee zou laten leven.'

Hij keek snel op bij een geluid in de operatieruimte. Jofranka Phillips opende de plastic gordijnen. Ze had haar operatiejas nog aan; de voorkant was doordrenkt met bloed. Shaw bedacht hoe kalm ze leek terwijl haar vingers uit haar handschoenen tevoorschijn kwamen.

'Bedankt voor het wachten,' zei ze, heel gewoon, alsof ze in het ziekenhuis uit haar kantoor kwam.

Ze richtte zich tot Neil Judd en wist zelfs een flauwe glimlach tevoorschijn te toveren. 'Hij komt er weer helemaal bovenop.'

51

VRIJDAG 10 SEPTEMBER

NADAT JOFRANKA PHILLIPS ZICH van de toestand van haar patiënten had vergewist, voegde ze zich bij Shaw in de mess. Ze wist niet hoe de donor heette; daar vroeg ze nooit naar. Hun enige individuele merkteken was het witte polsbandje, om hen te onderscheiden van de ontvanger. De Mesquita had tot taak gehad alles voor te bereiden – zij deed alleen maar de operaties, geassisteerd door Rey Abucajo, de verpleegkundige die gedurende zijn hele 'carrière' – zo zei ze het, alsof er een getuigschrift werd uitgereikt voor zo'n misdaad – met De Mesquita had samengewerkt. Zijzelf onderzocht de cliënten – rijk, goed voorzien en blank. En soms de donoren – de bleke, vlekkerige lichamen van de daklozen of, vaker, alleen het geprepareerde orgaan of bot of pees uit de voorraad.

Het was een uur voor de dageraad. De nacht had zijn tol geëist van Phillips, die haar gezicht bedekte met haar lange vingers.

'Vertel me over uw vader,' zei Shaw, in de wetenschap dat ze zich genoodzaakt zou voelen daarop te antwoorden.

'Hij stierf voor mijn geboorte. Toen ik kwam was zijn leven voorbij, maar zijn schaduw hing over ons allemaal. En dat is zo gebleven.'

Shaw verhardde zijn stem; hij stoorde zich aan de klank van zelfbeklag in haar antwoord. 'Uw broers?'

'Ze dachten, en ik denk ook, dat hij gewild zou hebben dat we het zouden goedmaken.' Ze had het woord zorgvuldig gekozen. 'Wij zijn natuurlijk onschuldig aan zijn fouten, maar zo zitten families niet in elkaar, hè? Het is het stigma dat zich aan de naam hecht, aan het bloed.'

'En het Kircher Instituut heeft geld nodig?'

Ze lachte en sloot haar ogen. 'Miljoenen. Mijn broers redden zich, tot de ouderdom en daarna de dood hen inhaalde. Alleen Hanzi nu, en hij is bedlegerig. Dus wendden ze zich tot mij. En ik voelde me hulpeloos, machteloos. Ik was uiteraard in het Kircher geweest en ik was betrokken geweest bij de campagne om de wet te wijzigen en het verwijderen van organen uit hersendode mensen toe te staan. Ik was geïnteresseerd in het onderwerp, me bewust van de markt. Ik dacht dat ik dit kon doen, dat als we voorzichtig waren met het verzamelen van donoren, als we hun deze' – ze doorzocht het woordenboek in haar hoofd – 'deze gelegenheid boden, er geen kwaad in school en dat er veel goeds uit zou voortkomen. Ik deed me voor als een cliënt en ontmoette Juan de Mesquita. De *Rosa* was op dat moment al omgebouwd, maar hij had geen gestage aanvoer van donoren, en de chirurg met wie hij samenwerkte opereerde op het randje van de wet – in Duitsland, bij Hamburg. Het was te gevaarlijk. Ik loste zijn problemen op.'

'En het geld?'

'Ging naar het Kircher. Alles.'

'En u ziet de ironie ervan niet in? Dat uw vader stierf van schaamte omdat hij experimenteerde op gevangenen? Onschuldigen?'

'We betalen de donoren. Ze worden goed behandeld. Heel goed.'

Shaw riep een naar hij hoopte wrede glimlach op en zag het lijk van John Pearmain op Warham's Hole weer voor zich. 'U weet het niet, hè? U denkt dat Rey alleen maar hier is om te assisteren bij die operaties. Ze hadden u hiervoor nodig. Voor de transplantaties. Maar andere dingen zijn makkelijker – hoornvliestransplantaties, weefsel verwijderen. Daar hebt u niet aan gedacht, zeker? En u geloofde dat alle donoren naar huis gingen? Ongedeerd? Met een vette cheque?'

Ze nam nog een slok thee en negeerde de vraag, maar Shaw zag dat het haar diep had geraakt, want het bloed was weggetrokken uit haar gezicht en haar lippen verhardden zich tot een moordlustige streep.

'En Gavin Peploe? Waarom moest hij dood? Want u hebt hem vermoord, daar ben ik van overtuigd. Waar was het ultieme goed in dat geval? Want hij was inderdaad onschuldig, nietwaar? Een playboy misschien, een man die zijn vaardigheden verkocht op de particuliere markt. Maar geen slecht mens.'

Ze kon niet voorkomen dat de afkeer die ze oprecht voelde haar gezicht misvormde. 'Neil Judd zei dat hij naar u toe zou gaan met alles wat hij wist als we zijn vader niet opereerden. Ik moest tijd winnen. We kunnen het schema van de *Rosa* niet veranderen zonder toestemming van de eigenaars. Ik dacht dat u haar misschien zou vinden hier aan de kade – dat datgene wat, verborgen, aan boord was, misschien zou worden gevonden. Er was een afleidingsmanoeuvre nodig.' Ze sloeg haar ogen neer, gegeneerd, wist Shaw, door het eufemisme. 'Hij diende zich zelf zijn eigen vergif toe,' zei ze, alsof het verschil tussen goed en kwaad neerkwam op een technisch detail.

'U verwisselde de pillen, in de wetenschap dat hij nooit keek.'

'Ik denk niet dat u dat kunt bewijzen, of ooit zult kunnen bewijzen.'

Shaws mobiele telefoon, die op de tafel lag, zoemde en trilde als een bij die de weg wijst naar de honing. Een sms'je van agent Lau:

EREBUS STREET – TRANSFORMATORHUIS 187

De code voor een verdacht sterfgeval.

Phillips wilde geen woord meer zeggen. Ze wilde haar advocaat.

'Ik zou willen dat u nu met ons zou praten – het zou belangrijk kunnen zijn – het zou levens kunnen redden.' Ze keek hem aan. 'Want er is zelfs nu nog heel veel wat ik niet begrijp. Neil zei dat hij niet altijd degene was die de donor haalde – dat de kapitein zei dat er nog een "bron" was. En de man die we dood hebben gevonden op de zandbank – en die man in de haven – die hadden...' Hij zweeg even. 'Die hadden verscheidene keren organen afgestaan – en weefsel. Wat de vraag opwerpt: waar waren ze tussen de operaties? Begrijpt u? Er is nog steeds iets verborgen.'

Ze bleef zwijgen, zelfs toen Shaw haar naar de patrouilleauto op de kade bracht. Daar bleef ze staan, met geopend portier, om nog één keer naar het schip te kijken. 'Hij komt er bovenop,' zei ze. 'Neils vader. De lever zal aanslaan, maar alleen als hij stopt met drinken. Er is een medicijn, zijn huisarts moet op de hoogte worden gebracht – nu. Zelfs als hij naar de gevangenis gaat – wegens brandstichting – moet hij het innemen. Het maakt dat alcohol hem vies smaakt.' Ze keek om zich heen. 'Naar as.'

Shaw draaide zich om en liep weg, zonder haar de troost van een antwoord te gunnen. Hij bewoog zich snel door de nachtelijke schaduwen die nog steeds over Ligplaats 4 hingen. Het hek van het transformatorhuis was open, het terrein stond vol bouwmaterialen: een betonmolen, een pallet nieuwe bakstenen, de blinkende ingewanden van de nieuwe stroomvoorziening in krimpfolie.

Het dak en de muren van het oorspronkelijke, onder monumentenzorg vallende gebouw stonden nog overeind, maar de apparatuur was weggehaald en de vloer opgebroken. Het terrein was bezaaid met brokken gewapend beton. Shaw zag Tom Hadden in het schemerdonker binnen en toen opeens baadde het interieur in het felle witte licht van een booglamp. Shaw stond aan de rand van een greppel, een relatief zó donkere sleuf dat de warmte zowel als het licht erdoor werd opgezogen, zodat hij rilde toen hij erin keek en wachtte tot zijn ogen een lijn vonden, een schaduw, een punt, iets wat de afwezigheid en vorm en betekenis begrijpelijk maakte.

Eerst vuursteen, in lagen tussen de klei. Toen, op de bodem, vele vormen, bleke silhouetten. Een menselijk lichaam. Hij helde enigszins voorover door de schok, zodat hij zich op zijn knieën moest laten vallen en omlaag keek naar de vertrouwde botten van de dood, maar op één zijde gedraaid, de knieën opgetrokken, en de flarden van iets eromheen – een jurk als een lijkwade.

Hadden schoof de lamp dichterbij, zodat het graf verlicht werd. Het lijk was tenger, één meter vijftig lang, de schedel compleet, de tanden nog aanwezig, allemaal, maar afstotelijk in de mond zonder lippen.

Tom hurkte naast hem. 'Andersen, de elektricien, zei dat ze gisteren wat botten hebben gevonden. Ik ben gebeld door St James's – jij was op dat schip. En zij gaat niet weg. Het is een meisje – ja, een tiener.'

'Ik denk dat ik weet hoe ze heet,' zei Shaw. 'Er ligt iets op haar borst,' zei hij.

Hadden stapte naast het lijk in de kuil.

'Wat is het, Tom?' vroeg Shaw. 'Een sieraad?'

Hadden stopte iets in een plastic bewijszakje en legde het naast de kuil op de grond met een eerbied die Shaw niet begreep, tot hij zag wat het was.

'Visgraten,' zei Hadden. 'Een stuk of twintig, vijfentwintig. Ik ben geen expert, maar het zijn beenvissen – tropisch.' Hij hield een tweede graat in een zakje in zijn hand. Deze was zo fragiel als een schip in een fles.

Shaw vertelde hem wat hij wist over Jan Orzsaks obsessie met tropische vissen, wat hij Norma Jean die laatste zomer van haar leven had gevraagd – of ze de vissen wilde voeren terwijl hij weg was. Dat ze het hem had beloofd en dat Orzsak haar, op de dag dat ze verdween, had geconfronteerd met het gevolg van het breken van haar belofte: de prachtige, dode vissen.

'Nu snap ik het,' zei Hadden. 'Er zat er een in haar keel,' zei hij. 'Ik denk dat hij haar onder heeft gehouden, Peter, haar met haar hoofd in een aquarium heeft gehouden, tussen de dode vissen die ze door haar slordigheid had gedood. Er zit ook een barst in het kaakbeen. Dat is typerend als ze onder werd gehouden; ze zou naar lucht happen tot het bot brak.'

Shaw pakte het zakje aan en hield het kleine skelet tegen het licht. 'Een mooi ding om mee te worden begraven,' zei hij.

52

NU SNAPTE SHAW WAAROM Jan Orzsak al die jaren de straat niet had verlaten, waarom hij de gelegenheid had aangegrepen om naar een huis naast deze plek te verhuizen. Hij was de bewaker van zijn slachtoffer en de bewaarder van zijn eigen geheim. Maar hiervoor, voor de kans dat haar stoffelijk overschot zou worden gevonden, had hij de rest van zijn jaren gesleten in de wetenschap dat ze hier was, in de wetenschap dat Andy Judd door zijn eigen kinderen werd gehaat – veroordeeld tot een levenslange verdenking – voor wat hij, Jan Orzsak, had gedaan. En hij had in zijn leugen volhard in het besef dat de wereld van Andy Judd was teruggebracht tot één wens: zijn dochter te begraven en eindelijk te weten dat haar lichaam in vrede rustte.

Maar hij was op dit moment niet thuis. Hij was de avond tevoren om zes uur per ambulance teruggebracht naar Erebus Street. Hij had een eenvoudige maaltijd klaargemaakt, twee gekookte eieren en een snee geroosterd oud brood. Daarna had hij de beste fles wijn uitgekozen die hij nog in zijn rek had liggen. Hij was naar bed gegaan in het besef dat slapen een troost was die hem zou worden ontzegd. Kort na zes uur die ochtend had agent Lau, in een onopvallende auto bij de havenpoort, hem zijn huis zien verlaten en tussen de grafstenen door naar de pastorie van de Sacred Heart of Mary zien lopen. Tien minuten later had ze gezien hoe Orzsak op zijn schreden terugkeerde over het kerkhof, gevolgd door de priester, die de kerk had geopend.

De kleine neogotische zijdeur was nog open en binnen was het koel, ondanks de laagstaande ochtendzon die door een van de victoriaanse gebrandschilderde ramen stroomde. Het licht maakte iets zichtbaar wat Shaw tot dusver over het hoofd had gezien: een Christusbeeld met nog bloedende wonden van de kruisiging, het minzame gezicht afgewend, hing hoog boven het altaar. De mannen sliepen in het middenschip, in hun dekens gerold, onschuldig aan de misdaad waarvan Shaw vermoedde dat die op ditzelfde moment onder dit dak voor het eerst werd opgebiecht.

Shaw stond in de stilte, luisterend, en hij ving een gestaag, indringend fluisteren op. Aan de ene kant stonden drie biechtstoelen, maar in geen ervan brandde licht. Toen hij door het middenschip omkeek naar de grote deuren en de schemerige muurschildering, zag hij Orzsak geknield in een bank zitten, met naast hem pastoor Martin, een hand op zijn schouder. Toen Shaw naar hen toe liep stond Orzsak op, en Shaw voelde dat de zwaartekracht de strijd had gewonnen die ze een leven lang met deze man had gestreden. Hij stapte in het middenpad, alsof hij onder water bewoog; de vetplooien op zijn gezicht losser, zijn kaak slap, zijn onderlip omgekruld, nat en roze.

Shaw versperde hem de weg. Orzsak viel bijna en hield zich overeind aan het uiteinde van een kerkbank.

'Een oprechte biecht?' vroeg hij, en Orzsak knikte zijns ondanks.

'Echt waar?' Hij wendde zich tot Martin, die een biechtstola had omgedaan over een wit T-shirt en een spijkerbroek.

'Ik kan geen vergiffenis schenken,' zei Martin. 'Dat komt later, misschien. In een ander leven.'

'Ik weet hoe u het gedaan hebt, meneer Orzsak. U hebt haar lichaam die eerste avond in de kelder verborgen,' zei Shaw. 'Ik heb het oorspronkelijke rapport gelezen van de agenten die de huizen hebben doorzocht. Geen van de andere had een kelder. Maar u had een kelder gegraven voor uw wijn, nietwaar? Toen uw moeder het in de jaren zestig kocht. U hoefde alleen maar de deur te verbergen.'

Orzsak bewoog zijn knie, een kleine stampbeweging. 'Een luik,' zei hij.

'En u had tijd; ze stierf om – hoe laat? – zes uur? De politie kwamen niet vóór tien uur bij het huis aan. En daarna had u alle tijd om u niet te hoeven haasten, geen fout te maken. Het lichaam lag in de kelder; ze waren het transformatorhuis aan het verbouwen, nietwaar? Rond die tijd – tweeënnegentig, drieënnegentig?'

'Het daaropvolgende voorjaar,' zei Orzsak, licht brouwend.

'Het was dus een peulenschil voor u, want u zat in het vak – elektriciteitsvoorziening. Datzelfde karwei misschien?'

Orzsak wendde zijn blik af, de vragen plotseling beu.

'Dus reed u op een avond met uw auto naar de havenpoort en liet haar lichaam in de fundering glijden – een extra dertig centimeter, onder de klei. Toen wachtte u gewoon af tot er beton werd gestort. Het was uw geheim, tot de kleine wraakoefening van Andy Judd ons hierheen leidde...'

Shaw keek naar de muurschildering van de bruiloft rondom de deuren.

'Ik begrijp alleen niet waarom,' zei Shaw. 'Waarom ze moest sterven.'

Orzsak dacht na over de impliciete vraag, alsof het een diepzinnige stellingname was in een filosofisch dispuut.

'Ze kwam huilend naar me toe,' zei hij. 'Niet om wat ze mij had aangedaan, maar om wat ze haar kind wilde aandoen. Het ongeboren kind. Ze had me al dat leven zonder nadenken ontnomen. Alleen een simpele verontschuldiging. En ze begreep mijn verdriet zo slecht, dat ze daarmee aankwam – met dat plan om haar kind tegen de wens van God in te doden. Niet alleen mijn God, ook de hare. Weet u wat ze me vroeg...?' Er sijpelde een straaltje speeksel uit de hoek van zijn gebogen mond. 'Ze vroeg me geld. Ze zei dat ze het aandurfde, maar niet hier, tussen haar eigen mensen. Haar dokter had Norwich voorgesteld – een pension. Maar ze wilde weten of ze me om hulp kon vragen – om "zakgeld", zei ze. De schunnigheid. De kinderlijke schunnigheid. Ze wilde dat leven wegmaken. Maar het leven dat ze had verdiende ze niet. Ik voelde Gods gramschap in me.'

Shaw geloofde hem maar ten dele. 'Dus u vermoordde haar – u verdronk haar – hield haar hoofd in het aquarium onder water. Maar u doodde ook het kind – dat klopt niet.'

'Ik was boos.'

'Alleen maar boos?' vroeg Shaw. Hij dacht aan de verstandhouding tussen de eenzame vrijgezel en het kind dat een vrouw was geworden. 'Of jaloers? U wist niets van Ben Ruddle, hè? U wist niet dat Norma Jean geen kind meer was. Wat voelde u in werkelijkheid?'

'Ik zeg niets meer,' zei Orzsak. 'Niet hierover.'

Pastoor Martin ging zitten en legde de purperen stola af. Hij had veel biechten gehoord, vermoedde Shaw, maar niet één die hem zo ver had meegevoerd in de diepten van menselijk verdriet: Orzsaks verdriet, het verdriet van de tiener die die nacht door zijn toedoen was gestorven, en het verdriet van haar vader, verstoten door zelfs zijn kinderen.

Ze hoorden voetstappen en Ally Judd kwam uit de sacristie met een dienblad vol koffiekoppen. Haar nachtjapon ging slechts gedeeltelijk schuil onder een regenjas. Achter haar verscheen Liam Kennedy, die de slaap uit zijn ogen wreef, in korte broek en sweater. Hij probeerde ontspannen te kijken, op zijn gemak, maar Shaw zag de spanning die ertoe leidde dat hij zijn armen vreemd gekromd hield, alsof hij pijn had.

Ally deelde koffie rond. Orzsak schudde zijn hoofd en Shaw nam zijn kop. De koffie was heet, drassig en scherp. Het verbaasde Shaw altijd weer dat zoiets eenvoudigs hem een splinter van vreugde kon laten voelen, zelfs hier.

Kennedy keek naar de slapende mannen.

'En wat zeggen de stemmen vandaag?' vroeg Shaw hem.

Kennedy schudde zijn hoofd, alsof hij andere gedachten wilde verdrijven. 'Ze hebben zich koest gehouden.'

Shaw keek door het middenschip om naar Kennedy's schildering, nu half voltooid tot aan de spitsboog van de grote deuren – Patigno's *Het wonder in Kana*.

'Ik vroeg me af waarom u hem had weggelaten – de kaars, het ultieme symbool van memento mori, van het verstrijken van de tijd, van de dood. Het origineel bevat een mooie kaars, in een gouden kandelaar, in het midden van de tafel ... Daar, rechts van de schedel.' Hij liep naar de muur en wees naar de met fluweel bedekte tafel, beladen met rottend fruit.

Maar Kennedy wilde niet kijken. In plaats daarvan liep pastoor Martin naar de muurschildering, alsof hij die voor het eerst zag. 'U hebt gelijk,' zei hij terwijl hij met een vinger op de koude stenen muur tikte.

Valentine verscheen in de kleine deuropening met twee uniformagenten. Shaw schudde haast onmerkbaar zijn hoofd en ze trokken zich terug.

'U kon het niet over uw hart verkrijgen om de kaars te schilderen, nietwaar – want dat was het teken, het signaal, dat u gebruikte om de slachtoffers aan te duiden nadat mevrouw Phillips u de namen had gegeven.'

Toen kwam Kennedy tot leven en hij realiseerde zich voor het eerst dat hij fouten had gemaakt, dat goede bedoelingen niet betekenden dat hij geen doodzonde had begaan. 'Wat een onzin. Wie geselecteerd, waarvoor?'

Shaw negeerde hem.

'De tweede keer dat we u spraken, hier in de kerk, had u een T-shirt aan met een tekst erop. Weet u nog?'

Kennedy bevochtigde zijn lippen en hij legde een hand op zijn borst, waar zijn hart begon te bonzen.

'*Voluntary Service Overseas* – de VSO,' zei Shaw. 'Ik heb naar u geïnformeerd hij het kantoor in Londen. Ze verwezen me naar Tel Aviv. U woonde in 2008 in een kibboets. Een hele oogsttijd – een harde werker, ook al bent u geen Jood. En politiek geëngageerd – u nam het op voor de Palestijnen, voor hun rechten op hetzelfde land. Maar dat was minder populair, is het niet? Daarom ging u naar Jeruzalem, om er te werken voor een organisatie die niet discrimineerde – het Kircher Institute. En eindelijk kon u uw ICT-vaardigheden gebruiken. U hielp hen met het bouwen van een website. En toen u terugkwam hield u contact, en zo leerde u Jofranka Phillips kennen. Maar u was inmiddels ziek, en de stemmen hoorde daarbij. Dus wat kon ze u geven in ruil voor uw hulp? Er is een ruimte in het ziekenhuis – voor het Weerklank Netwerk. We hebben er binnen gekeken. Computers, een kantoor. Ik heb de website bekeken; goed werk, Liam, heel goed.'

Kennedy wendde zich tot pastoor Martin. 'Wat een onzin.'

'En ze zal je verteld hebben wat ze mij verteld heeft. Dat de donors konden kiezen. En dat er, als ze eenmaal gekozen hadden, goed voor ze zou worden gezorgd. Het kon geen kwaad. Is dat wat ze zei?'

Kennedy had een kop koffie in zijn hand, maar hij zette hem nu neer omdat zijn hand begon te trillen.

'Ik ben niet gekomen om naar je ontkenning te luisteren,' zei Shaw. 'Ik ben gekomen omdat ik nog steeds iets niet begrijp. Het was aanvankelijk aardig bedoeld, denk ik, dat je de pillen van de mannen ophaalde bij de apotheek. Ik dacht aanvankelijk dat het zo zat... Dat je zo degenen kon selecteren die mevrouw Phillips kon gebruiken. En het had kunnen helpen, maar het was niet goed genoeg. Nee, zij had de dossiers, in het ziekenhuis, dus daar had ze je niet voor nodig. Maar ik heb het nagetrokken bij Boots.'

Hij haalde een lijst uit zijn zak.

'En dat is wat ik niet snap, want gisteren haalde je een recept op voor Paul Tyler... maar die verdween zes maanden geleden. En er zijn anderen, mannen die niet op de lijst staan, in je dossiers, maandenlang, een jaar zelfs. Dus mijn vraag – en het is een dringende vraag – is: waarom? Als die mannen zijn weggegaan, waarom haal je dan nog steeds hun medicijnen?'

In de stilte hoorden ze het onregelmatige snorren van de elektrische klok boven de deur van de sacristie.

Kennedy was wit weggetrokken. 'Ik heb ze aan de kapitein gegeven,' fluisterde hij. 'Hij zei dat ze ze nodig hadden... Waar ze naartoe waren gegaan. Zo gingen ze weg, met de *Rosa*. Naar de zuidkust.' Hij keek om zich heen. 'Dat zei hij.' Zijn schouders zakten af.

'Heeft hij me voorgelogen?' vroeg Kennedy, maar Shaw zag dat hij het antwoord al wist. Op dat moment, dacht Shaw, realiseerde Liam Kennedy zich dat hij een vrome dwaas was.

Hij stond op, streek zijn broek glad en zag nu voor het eerst de agenten in uniform die in een bank bij de deur waren gaan zitten.

'Ik wil met pastoor Martin praten voordat ik meega,' zei hij. 'Mag dat?'

Maar pastoor Martin liep al weg, door het middenschip, vergezeld door Ally Judd. Hij knielde voor het altaar, sloeg een kruis en verliet toen zijn kerk zonder om te kijken.

53

OP DE *ROSA* LAG Neil Judd op een brits in een van de hutten van de bemanning. Er stonden een eenpersoonsbed, een inbouwkast en een douchecabine, iets kleiner dan de cabine waarin hij Juan de Mesquita van het leven had beroofd. Hij was in elkaar gezakt terwijl ze hem de ladder in Ruim 4 op hielpen. Uiteindelijk hadden ze hem in de bootmansstoel gezet en hem naar boven getakeld. Een arts had hem een kalmerend middel gegeven en geadviseerd hem even rust te gunnen alvorens te proberen hem naar St James's te brengen. Er zat een vrouwelijke uniformagent aan de voet van de brits.

Toen Neil Judd om elf uur wakker werd, bracht ze hem naar de mess, waar Shaw een ontbijt liet maken van voorraden uit de kombuis: ontbijtvlokken, melk en toast. Een kan zwarte koffie verspreidde een heerlijke geur in het kleine vertrek. Hij had een uur lang allerlei versies van de gebeurtenissen afgespeeld in zijn hoofd en maakte zich nog steeds zorgen over wat hij niet wist. Hij aarzelde om de *Rosa* te verlaten, want hij voelde dat het schip nog steeds meer geheimen verborg dan het tot dusver had onthuld.

Shaw legde een bewijszakje op tafel. Het kostte hem moeite om Neil Judd als een moordenaar te zien in plaats van als een slachtoffer: de jongste broer die was achtergebleven als engelbewaarder van een vader die hij waarschijnlijk niet haatte, maar bijna zeker verachtte, gekweld door het feit dat hij door de traumatische gebeurtenis die zijn familie had verscheurd heen had geslapen en te jong was om zich zijn vermiste verwanten, Norma Jean en Sean, te herinneren. Hij zou verdienen wat de rechter besliste, maar hij verdiende ook de waarheid.

Shaw opende het zakje en liet het fijne skelet van de vis op het tafelblad glijden.

'We hebben het lichaam van je zus gevonden. Het was begraven in de fundering van het transformatorhuis aan het eind van Erebus Street. Dit lag bij haar, en nog een heleboel andere.'

Judd legde een vinger op het delicate traceerwerk van de botten – een rugvin zo fijn als een ivoren kam.

'We denken dat Jan Orzsak in de jaren negentig als adviseur voor de elektriciteitsmaatschappij werkte. Er zijn meer forensische aanwijzingen, sterke aanwijzingen. Het lichaam was gedeeltelijk in een deken, een rol tapijt gewikkeld. We hebben mensenharen gevonden. We zijn ervan overtuigd dat we hem kunnen aanklagen.'

'Mijn vader...' zei Neil Judd, terwijl hij alle implicaties van dit ragdunne skelet probeerde te begrijpen.

'Ja. Onschuldig. Geen moordenaar.'

Het woord schokte Judd, alsof hij was gestoken. Hij dronk wat van de koffie die Shaw hem aanbood en vroeg toen een gunst die Shaw hem niet kon weigeren. 'Mag ik hem zien? Ik wil dat hij weet dat ik het weet. Ik ben nu sterk genoeg... veel sterker.' Hij liet zijn vingergewrichten knakken.

'Hij is in het ruim,' zei Shaw. 'Ze verplaatsen hem niet voordat hij eraan toe is.'

Judd stond op. 'Ik kan naar beneden klimmen. Alstublieft.'

De verticale schacht werd nu verlicht door een rij halogeenlampen. Shaw ging voorop, daarna Judd, daarna agent Birley. Ze daalden gedrieën af als abseilende bergbeklimmers. De operatieruimte zag er heel anders uit. De lappen plastic waren weggehaald, er was een team van drie verpleegkundigen uit het hospitaal aangekomen en de twee patiënten, nog niet voldoende hersteld om verticaal te worden opgetakeld, lagen op operatietafels aan het einde. De donor was nog steeds bewusteloos, maar hij beantwoordde aan de beschrijving van Terry Foster, de man die tegelijk met Pearmain en Tyler was verdwenen. Andy Judd was wakker en staarde strak naar het spant boven zijn hoofd. Phillips' instrumenten en een groot deel van het medisch instrumentarium waren naar boven gebracht. Shaw zag dat de donor nog steeds zo'n liefdadigheidsarmbandje om zijn pols had.

Neil Judd liep naar het bed van zijn vader en pakte zijn hand, bleef op korte afstand staan, stapte toen dichterbij en streek het zilvergrijze haar van de oude man van zijn voorhoofd. Ze bogen zich naar elkaar toe om te praten.

Shaw zag nu dat de metalen container waarin de operatiekamer gehuisvest was geweest, twee binnendeuren had in plaats van een. Drie technisch rechercheurs in overall waren aan het werk bij de andere deur; een van hen zaagde een hangslot open met een fijne zaag, onder het toeziend oog van Tom Hadden.

'Geen sleutel?' vroeg Shaw terwijl hij zich bij hen voegde.

'Als iemand er een heeft, vertellen ze het ons niet,' zei Hadden. 'Wat me alleen maar vastberadener maakt. Deze deur leidt naar andere containers. Ik vermoed dat die voorraden bevatten, koelingen.'

Shaw dacht erover na en deed een stap terug, maar op dat moment bezweek het hangslot en Hadden draaide een rond slot om. Toen de deur eindelijk meegaf klonk er een geluid van ontsnappende lucht, alsof het deksel van een Tupperware-doos werd geopend.

Er waren drie mensen voor nodig om de deur open te duwen en toen stroomde het licht naar binnen en ze zagen een gang, onverlicht, waarvan de stalen wanden vol roestplekken zaten en glinsterden van condenswater. Shaw kreeg een beeld voor ogen uit *Run Silent, Run Deep*, een oorlogsfilm die zich afspeelde aan boord van een onderzeeër, waarvan de bemanning in stilte zweette onder een oliegladde zee of begraven was in een luchtloze tombe.

Het was een benauwend beeld en toen hij iets in de schaduwen zag bewegen, kromp hij ineen alsof hij een klap had gekregen.

Uit de asgrijze schaduwen kwam een man die op hen af liep, schuifelend, met een hand in zijn zij waar een bloedig verband omheen zat. Hij verspreidde een onaangename geur, de stank van de menselijke soort en, dacht Shaw, de zoete geur van rottend fruit. Het was een beeld uit een nachtmerrie en de gedachte die in Shaw opkwam was dat hij blij was dat Fran het niet zag, want het zou een kind achtervolgen, net zoals het hem deed.

'Sean?'

Neil Judd stond naast Shaw. Het woord leek de schuifelende man tot stilstand te brengen en hij wankelde en viel toen op zijn knieën.

Shaw en Valentine drongen langs hem heen door de gang, die aanvankelijk dood leek te lopen, maar toen zijn ogen aan het donker gewend waren, zag Shaw dat er aan het einde een tweede deur was. Daarachter was een vertrek dat terugleidde naar de operatieruimte.

Er stonden zes bedden, waarvan er drie bezet waren; de personen die erop lagen waren met een handboei aan het ledikant gekluisterd. De eerste tilde zijn hoofd op van een groezelig kussen en keek Shaw met geelzuchtige ogen aan – een blik die tegelijk rationeel en onthecht was. 'Goddank,' zei hij slechts en hij sloot zijn ogen en zijn lichaam ontspande zich in bewusteloosheid.

Terwijl hij daar zo stond sloot Shaws geest zich af, alsof die niet in staat was een moeilijke berekening te voltooien. Maar hij wist wat hij in gedachten had: het beeld van Liam Kennedy die recepten afhaalde voor mannen die allang weg hadden moeten zijn. Ze waren hier geweest, hadden hier gewacht tot ze dienst konden doen, een levende orgaanbank. En nóg een beeld: het plotselinge donker op die zondag, toen de stroom uitviel. De chaos in deze ruimte, de angst en de woede. Waren ze toen geboeid geweest, vroeg hij zich af, of vrij?

Een van de twee andere mannen ging rechtop zitten en rolde toen van het bed en sleepte het ledikant mee. Hij hief zijn hand op om te proberen zijn gezicht te beschermen. In het derde bed lag een man, doodstil, zijn hoofd in het verband. De man op de vloer begon te gillen, een zwak jammeren dat steeds luider werd. Shaw had nog steeds moeite om te bevatten wat hij zag en in zijn verwarring probeerde hij een parallel te vinden met zijn eigen ervaring, maar alles wat hij zich voor de geest kon halen was een schilderij van Jeroen Bosch, een nachtmerrie van de hel. De man in de hoek hield op met gillen en wees naar de man met het verbonden hoofd.

De hitte in het vertrek was als een tweede huid. De mannen droegen alleen een korte broek en Shaw en Valentine konden de littekens zien. Meerdere op elk van hen. En de lange hechtingen op kuiten en armen, waar pezen en weefsel waren verwijderd.

De man in de hoek vertelde ze waar ze naartoe moesten gaan – niet met zijn stem, maar met zijn ogen, die telkens weer naar de andere deur flitsten, naar de derde container.

Shaw maakte hem snel open, want hij wist dat hij, als hij nu stopte, misschien niet meer door zou kunnen gaan. Er was geen slot. Zijn vingers zochten naar een schakelaar en hij onderdrukte een kinderlijke angst dat iets onzichtbaars in het donker zijn pols zou beetpakken. TL-buizen kwamen flikkerend tot leven en hij zag een rij industriële koelingen. Hij keek Valentine ongelovig aan en opende toen het deksel van de dichtstbijzijnde.

Er lagen twee mannen in het ijs, naakt, overdekt met felblauwe littekens. Van een van hen was een been geamputeerd en de stomp had de kleur van terracotta. Valentine liep langs Shaw en opende de volgende: een man, ijs als een deken om hem heen, waardoorheen alleen lippen en haren zichtbaar waren, en de tenen, die eruit staken. Maar de huid was vlekkerig, hier en daar zwart, en verminkt. Shaw herinnerde zich dat de stroomvoorziening van de *Rosa,* toen die die avond was ingeschakeld nadat de generator weer in elkaar was gezet, de zekeringen had opgeblazen, zodat de inhoud van de koelingen was gaan rotten, en dat ze elektriciens geen kabels aan boord konden laten brengen – niet die avond in elk geval, vanwege de chaos op het schip. Deze mannen waren later opnieuw ingevroren, maar hun vlees was nu nutteloos.

Shaw vroeg zich af of hij een shock had. De tijd leek vertraagd en toen Valentine iets zei was het alsof hij naar een stem onder water luisterde.

'Hebben ze ze in leven gehouden … hiervoor?' vroeg Valentine.

Shaw liep terug naar het aangrenzende vertrek. De man in de hoek schokte nu ritmisch op en neer en jammerde zacht. In de gang voelde hij de eerste geruststellende zweem van de koelere lucht uit de operatiekamer. De aanblik daar voorkwam, althans even, een trauma: de beide broers Judd, elkaars hand vasthoudend over het lichaam van hun vader heen, en de geopende ogen van de oude man, glinsterend van tranen.

54

DE STOCKCARS REDEN RONDJES alsof ze aan elkaar waren geklonken, een jankende, razendsnelle schroothoop van gelakt metaal, gehuld in uitlaatgassen. Erboven steeg een wolk van zomerstof als een nucleaire paddenstoel op in de hete, doodstille avondlucht. Achter dit prisma van stof ging de zon onder, zodat het licht overal rood en goudkleurig was. Valentine keek naar de laatste race – beter gezegd: hij deed alsof hij naar de laatste race keek, maar zijn verrekijker zwenkte niet mee met de passerende auto's. Hij bleef gericht op een plek in de pits aan de overkant. De man die hij observeerde droeg een vlekkeloos schoon monteursjack, een spiegelende bril en een honkbalpet met een logo dat Valentine niet kon lezen, maar hij wist wat er stond: TEAM MOSSE.

De lucht was doordrenkt van brandstof en hij proefde het op zijn lippen – een ijzersmaak en de penetrante geur van benzine – en hij haalde het derde blikje bier uit de zak van zijn regenjas. Het eerste was koel geweest, dit was warm, en toen hij het opentrok liet hij het schuim exploderen in zijn mond. Hij was blij dat het de laatste race was, want zijn blaas deed pijn en door de herrie trilde een botje in zijn binnenoor mee als een in de val zittende vlieg.

Een geblokte vlag zo groot als een picknickkleed zwaaide en hij zag de auto van Alex Cosyns passeren in de leidende groep van drie en toen toonde een verblindend scherm de laatste meters in slow motion, met een flitsende zwart-witte tekststrook met de woorden WINNAAR – TEAM MOSSE. Toen de achtervolgers voorbij jakkerden vloog er een onderdeel van het chassis van een van de auto's, gevolgd door enkele repen verbrand rubber. Het publiek, zo'n achtduizend man sterk, gilde van opwinding toen de uit elkaar vallende auto uit de bocht vloog en het linkervoorwiel het begaf, zodat het hele voertuig doorgleed, de afzetting raakte, kantelde en ondersteboven doorging.

Maar Valentine keek niet. Hij had zijn doelwit weer gevonden in de pits aan de overkant: Robert Mosse, alleen, met zijn handen op zijn heupen toekijkend hoe Cosyns de winnende auto binnenreed. Toen de bestuurder uitstapte stopte Mosse met klappen, stak een sigaar op en draaide zich om, en het was een mecanicien van de andere pits die de winnaar op zijn rug klopte. Valentine vroeg zich af waarom Robert Mosse Cosyns cheques van duizend pond stuurde en hem vervolgens op zijn moment van glorie negeerde. Cosyns merkte niet eens dat hij genegeerd werd en hij accepteerde een fles bier van de man in overall en nam kalm een slok terwijl hij naar de herhaling van de laatste ronde keek.

Valentine gooide het halflege blikje in een bak en baande zich door de menigte heen een weg naar de uitgang. Er zou een soort circusfinale plaatsvinden, met alle auto's, maar dat hoefde hij niet te zien, want hij was gekomen om uit te zoeken waar de trailer van het Team Mosse stond. Cosyns stalde de auto in de garage naast de begrafenisonderneming, maar daar was geen ruimte voor iets anders en Valentine had in het voorbijgaan een kijkje genomen bij Mosses smakeloze villa in een buitenwijk. Er waren drie garages, maar alle drie van standaardlengte, dus daar kon hij niet staan. Bovendien stonden er al drie auto's: Mosses BMW, een 4x4 en nog een stockcar, maar die stond altijd op blokken. Het was geen kijkje in het voorbijgaan geweest; hij had een aardige slok opgehad in de Artichoke en had gedacht: verrek maar. Dus had hij om de hoek geparkeerd en even rondgesnuffeld, het licht van zijn zaklantaarn door het raampje in de zijdeur van de garage laten vallen. Daar stak toch geen kwaad in. Hij probeerde een beeld op te bouwen, meer niet. Afstand te bewaren. Dit was wel een van de dingetjes die niet hoorden, het zoeken van de plek waar ze de trailer stalden.

Buiten het circuit heerste chaos, als een nachtmerrieversie van de rally van Monte Carlo, met mensen die naar hun auto renden om de onvermijdelijke opstopping voor te zijn. De zon schitterde in zo'n duizend autoruiten. Valentine vond de Mazda, zigzagde naar de uitgang en stopte op een parkeerhaven bij een snackwagen. Hij draaide het raam open en de geur van vet en spek stroomde de auto binnen.

Hij schopte de deur open, maar liet de motor draaien.

Zijn mobiel ging. Hij had een nieuwe beltoon geladen, de tune van *Ghostbusters*, en hij moest er nog altijd om lachen.

BEKENTENIS

Het was een sms van Shaw, die onderweg was naar Lynn na een informele bijeenkomst met het OM, dat betrokken was bij internationale voorbereidingen van de aanklacht tegen de orgaansmokkelaars, een zaak die internationale sensatie zou verwekken.

Andy Judd zou de volgende ochtend worden voorgeleid en hij had tot het laatste moment gewacht voordat hij instemde met een aanbod aan zowel hem als zijn zoon Neil. Andy Judd was bereid schuld te bekennen aan brandstichting in het transformatorhuis en beschadiging van het huis van Orzsak... wonderlijk genoeg zijn enige misdaden. Het OM was bereid zich neer te leggen bij een voorwaardelijk vonnis. In ruil daarvoor zou Andy Judd optreden als kroongetuige in het proces tegen degenen die betrokken waren bij de illegale handel in menselijke organen. Zijn eigen medeplichtigheid zou over het hoofd worden gezien. Ook Neil Judd zou als getuige à charge optreden en niet worden vervolgd wegens zijn aandeel in het ronselen van donoren. Los daarvan zou hij echter wel worden aangeklaagd wegens moord op zijn broer als het hoofdproces was beëindigd. Liam Kennedy zou niet getuigen: de stress als gevolg van het ontdekken van de ware consequenties van zijn 'selectieproces' had geleid tot een crisis in zijn psychische staat. Hij was opgenomen in een psychiatrische kliniek in Coventry en was ongeschikt verklaard om terecht te staan.

De zaak van het OM zou nog verder worden versterkt door de getuigenverklaringen van de drie mannen die door Shaw en Valentine levend en wel waren aangetroffen in het ruim van de *Rosa*, en van Terence Foster, de donor in de operatieruimte: dappere mannen die, bleek nu, zichzelf bijna hadden gered op die zondagavond dat de stroom in Erebus Street was uitgevallen. In het plotselinge donker hadden ze een opstand beraamd en toen Rey Abucajo bij het licht van een zaklamp de deur had geopend om een vervanger voor John Tyler te zoeken, hadden ze hem neergeslagen, naar buiten geduwd en de deur gebarricadeerd. Daardoor was Neil Judd genoodzaakt geweest de straat op te gaan voor een nieuwe donor. Toen Rey Abucajo ten slotte met de rest van de bemanning terugkeerde om de deur open te breken was hij gewapend geweest. De man die ze hadden gekend als John Pearmain was doodgeschoten als voorbeeld voor de rest en daarna meegenomen naar de operatietafel voor zijn laatste bijdrage aan de markt voor menselijke organen. Zijn lichaam, verzwaard in de afvalzak die op Warham's Hole was aangespoeld, was samen met dat van Tyler overboord gezet toen de *Rosa* de Wash uit voer. Alle vier de getuigen konden nauwelijks wachten op het moment dat ze in de getuigenbank zouden plaatsnemen.

Interpol vorderde met het onderzoek naar wanneer en waar het ruim van de *Rosa* was aangepast om er de operatieruimte, de provisorische ziekenzaal en de orgaanbank in te verbergen. De complexiteit van het bredere onderzoek – dat in handen was gelegd van een gespecialiseerde, grensoverschrijdende eenheid van New Scotland Yard – had tot gevolg dat er nog geen datum voor het proces was vastgesteld. De verdediging hield het momenteel op voorjaar 2012. Geen van de beklaagden was op borgtocht vrijgelaten. De advocaten van Abucajo hadden laten doorschemeren dat hun cliënt bereid was te getuigen dat de overleden kapitein dodelijke injecties had toegediend aan donoren die nutteloos waren geworden voor de levende orgaanbank. Hij zou er zijn hachje waarschijnlijk niet mee redden. De zaak tegen Jofranka Phillips zou ingewikkelder worden: een jury zou moeten beslissen in hoeverre ze had geweten van de geheimen van de *Rosa*. De voorlopige schattingen van het aantal mensen dat aan boord van het schip was gestorven gedurende zijn tweejarige loopbaan als drijvende operatiezaal liepen uiteen van acht tot dertien. Het uiteindelijke aantal zou wel eens veel groter kunnen zijn.

Valentine zoog het leven uit een Silk Cut. Toen uit nog een. Was er een andere uitweg uit de Norfolk Arena? Hij wilde juist te voet teruggaan om het de bewaker bij de ingang te vragen, toen Mosses BMW cabriolet in zicht kwam, met negentig per uur de hoek naar de weg om sloeg en voorbij zoefde met het leren dak teruggevouwen achter de achterbank.

Nog geen minuut later verscheen Cosyns in zijn eigen BMW, een tweedehandsmodel met een gedeukt spatbord, met de trailer waarop de Citroën stond, met een overwinningskrans om de motorkapantenne. Een kleine hond krabbelde, met zijn neus tegen het glas, aan de achterruit.

Valentine voegde in achter de trailer, dicht erachter, waar hij niet al te vaak te zien zou zijn in de buitenspiegel van de BMW.

Ze bereikten de ringweg, sloegen af naar het oosten en reden om de stad heen, zodat Valentine al begon te denken dat ze de kustweg zouden nemen, maar één rotonde eerder keerden ze terug naar de stad, om de Magnox-krachtcentrale heen en naar Westmead Estate. Valentines ademhaling werd pijnlijk oppervlakkig, want in al die jaren sinds de zaak-Tessier had hij niet één aanwijzing gevonden die Robert Mosse opnieuw in verband bracht met zijn ouderlijk huis en de plaats delict – afgezien van de omstreden met bont gevoerde handschoenen. Alle leden van Mosses kleine bende hadden zelfs zoveel mogelijk afstand gecreëerd tussen de wijk en hun volwassen leven. Cosyns was verhuisd, Voyce was naar Nieuw-Zeeland geëmigreerd, Robins was naar de Midlands gegaan en daarna naar de gevangenis en een reeks psychiatrische inrichtingen. Maar hier en nu volgde Valentine Cosyns terug naar waar alles was begonnen.

Hij liet de Mazda zo'n honderd meter terugzakken toen ze langs het driehoekige veld reden dat door voetballende kinderen in een moddervlakte was veranderd, het veld waar Tessier die zomerdag in 1991 had gespeeld. Er liep een smalle afrit omheen, langs lage woonblokken van eind jaren tachtig en om het gemeenschapshuis heen naar het braakliggende terrein tussen de wijk en de oude kustspoorlijn, een diepe geul vol stoffige struiken. Hier stonden aaneengesloten rijen houten garageboxen met ertussenin paden van aangestampte aarde en hij zag dat de trailer naar een ervan afsloeg, achteruitreed om de bocht te nemen en toen verdween.

Valentine keerde en reed terug naar het voetbalveld, waar hij voor een Spar-winkel parkeerde. Hij liet zijn regenjas en colbert in de auto liggen, kocht een avondkrant en een pakje Silk Cut en kuierde toen terug naar de garageboxen. De gehavende BMW stond in het derde pad en de deuren van een van de boxen sloten zich juist automatisch achter de trailer en de Citroën. De deuren waren ooit blauw geweest, nu afgebladderd.

Hij liep over het pad en checkte de nummers van de meeste boxen, sommige pas geschilderd, andere bouwvallig. De boxen waren in paren gebouwd en deelden een tussenwand van betonblokken, gescheiden door een smalle opening. Hij hield de voorkant van Cosyns' box in de gaten, liep er behoedzaam opaf en glipte toen in een van de tegenoverliggende openingen. Er passeerde een goederentrein op de oude spoorlijn, maar toen de stilte terugkeerde hoorde hij iets, het zachte dreunen van een motor, schor en rommelend, in de garagebox. Hij noteerde het nummer: 51. Hij trok zich verder terug in de smalle opening, achter wat rommel: twee oude fietsen en een roestige kinderwagen. Achter hem was een vluchtweg, voor het geval hij gezien werd. Hij zou wachten tot Cosyns weg was en daarna de box doorzoeken. De motor dreunde door. Het geluid leek ondergronds, maar ritmisch, geolied en gelijkmatig. Daarom had hij zich, twintig minuten later, moeten afvragen waarom hij het nog steeds hoorde.

Shaw keek naar het vakantieverkeer dat naar het westen kroop toen hij de buitenwijken van Lynn bereikte. Zijn mobiel snorde in zijn houder op het dashboard. Hij drukte op een toets en opende een foto: Fran op het strand, het touw van een vlieger in haar hand. Verder naar het noorden, boven zee, was de lucht strakblauw. Toen hij de ringweg bereikte overwon hij de verleiding om naar St James's terug te gaan. Hij had veertien dagen vakantie en die gingen nu in. Lena had een vergunning gekregen voor een aanbouw aan het huis: een doucheruimte en een badkamer, een bijkeuken en een portaal voor laarzen, zodat ze geen kilo's zand mee naar binnen namen als ze van het strand kwamen. Hij was tot opzichter gebombardeerd, wat twee weken op het strand betekende om anderen te zien werken.

Hij meerderde vaart tot zo'n honderd kilometer per uur om zijn nieuwste speeltje te testen: een tweedehands Porsche 993 van zeventienduizend pond. Het was een vijftien jaar oude curiositeit die hij via een gespecialiseerde dealer op internet had gevonden. Op een website voor visueel gehandicapten had hij een aanbeveling van dit model gezien. Het was een van de weinige betrekkelijk moderne auto's met een smalle stijl tussen de voorruit en het zijraam. Bij nieuwere auto's was die stijl veel breder omdat er een rolstang in zat. En hij was ter versteviging verder naar voren geplaatst. Met als gevolg dat het zicht van een eenogige bestuurder ernstig werd belemmerd. De Porsche had een sierlijke, smalle stijl, verder naar achteren, zodat Shaw naar beide kanten een uitstekend uitzicht had. Dit was zijn nieuwe gedragslijn: zich aanpassen aan zijn handicap in plaats van aan te modderen en te doen alsof die niet bestond.

Hij overwoog regelrecht naar huis en het strand te rijden, maar besloot dat hij eerst iets anders moest doen. Op het dashboard lag een Post-it-briefje met in zwarte viltstift een getal: 51. Bij de laatste rotonde in de ringweg sloeg hij links af en reed North End binnen en vervolgens langs de rand van de stad naar Westmead Estate. Hij passeerde de Mazda van Valentine zonder hem te herkennen, omdat zijn brigadier er die ochtend mee door de wasstraat was gereden. Bij het gemeenschapshuis stond een telefooncel onder een beveiligingscamera en daar parkeerde Shaw. Zodra de voorwaartse beweging van de auto stopte drong de hitte weer naar binnen. De architectuur van woonwijken had iets waardoor de hitte ondraaglijk was: het verzengde gras, de weerkaatsende ramen, het kale beton. Maar er was nog iets. De wijk gaf je het gevoel dat je gevangenzat. Het schrille, afgrijselijk doordringende geluid van een eenzame ijscowagen, de gefloten herkenningsmelodie van *The Great Escape*, maakte het alleen maar erger. Hij overwoog weer in te stappen en naar huis te gaan, naar het huis te rennen, de zee in te gaan, en dit te laten rusten tot hij weer aan het werk ging. Maar Lena had gelijk: hij moest de geest van Jonathan Tessier uitdrijven. Dit was een los eindje en hij kon het in tien minuten vastknopen. Het kwam niet bij hem op Valentine te bellen voor assistentie, hoewel hij zich dat wel had voorgenomen.

Hij was een jonge brigadier geweest, kort tevoren van Brixton overgeplaatst naar Lynn, toen hij voor het eerst naar Westmead was gestuurd om een verklaring op te nemen van een man die was overvallen toen hij zijn auto uit een van de garageboxen haalde. Het slachtoffer reed achteruit, toen het portier aan zijn kant werd opengerukt en hij uit de auto werd gesleurd en met een ijzeren staaf neergeslagen. De auto, een Morris Minor in uitstekende staat, hadden ze meegenomen. Acht maanden later was hij opgedoken op een veiling in Retford, maar dat was al de derde keer sinds de diefstal dat hij verkocht werd, dankzij een vervalst onderhoudsboekje en nieuwe kentekenplaten. Men had Shaw gevraagd de verklaring van het slachtoffer ter plaatse op te nemen zodra hij uit het ziekenhuis kwam. Zo hadden ze het uitgedokterd: de dieven hadden zich verborgen gehouden in de opening naast de garage en hun moment afgewacht. Daardoor kende hij de wijk, het 'district', zoals zijn vader het zou hebben genoemd, want de stad had een heleboel verschillende landschappen, maar een van de meest opwindende was het landschap van de misdaad.

De box aan het begin van de eerste rij was nummer 160, de volgende 121, daarna 120, 81, 80 en toen 41. Hij liep door, maar keek het volgende pad in en zag een gedeukte BMW, maar verder niets. Hij wist dat 51 daar was, maar hij voelde zich kwetsbaar nu hij eropaf liep, dus liep hij verder langs 40, naar het laatste pad, met de bedoeling terug te keren door een van de openingen. Maar op dit pad stond een auto en het zag er heel raar uit. Het was eveneens een BMW, maar deze was een cabriolet en het zwarte lakwerk was zo blinkend gepoetst dat er een onzichtbare, duimdikke laag glas over de lak leek te liggen. Dit was geen derdehands BMW. Deze was nieuw. Het was een auto van veertigduizend pond. Hij legde zijn hand op de motorkap, voelde de warmte van de motor.

Hij keek in de auto en zag een spiegelende zonnebril op de passagiersstoel. Het dak rook naar leer. Misschien, dacht Shaw, was de bestuurder gewoon dom, want als deze auto nog een uur langer op dit pad stond, zou een van de bewoners van Westmead hem openen als een blik witte bonen.

Hij koos de volgende opening tussen de boxen, bezaaid met brandnetels, maar makkelijk genoeg begaanbaar. Hij baande zich een weg erdoorheen en bleef even staan om een rank van een braamstruik los te maken. Hij hoorde een motor, diep dreunend, een zware sportmotor. Alle boxen hadden een kleine houten achterdeur met een raam, hoewel de meeste veilig waren dichtgetimmerd. De deur van nummer 51 was bedekt met een roestige metalen plaat.

Het ijzer trilde door het dreunen van de motor. Onder dekking van het geluid probeerde Shaw de klink en ondanks het roest en de dikke, afbladderende laag blauwe verf ging hij geruisloos omlaag en de deur ging open op goed gesmeerde scharnieren, als het deksel van een muziekdoos. De box was niet verlicht en zo te zien verlaten. Hij ging naar binnen, deed de deur achter zich dicht en liet zijn ogen wennen aan het grijs en zwart in het schemerige licht dat door een bemost dakraam viel. De lucht was loodzwaar. Hij ademde in, hoestte een keer en klapte toen dubbel.

Op zijn knieën gezeten was de lucht schoner. Hij wilde roepen, maar hij wist dat hij, als hij genoeg uitlaatgassen inademde, het bewustzijn zou verliezen. Hij keek over de vlekkerige betonnen vloer heen en zag dat de muur van betonblokken tussen de boxen 51 en 52 was weggebroken en vervangen door een stalen dwarsbalk. Er stond een trailer met een stockcar en daarnaast een Mini, op blokken, de lak een roestige sprei, maar hij kon de kleur eronder zien en zijn bloed stolde: mosterdgeel, de kleur van de microscopische bolletjes lak die ze op het voetbalshirt van Jonathan Tessier hadden gevonden. De motorkap van de Mini was gedemonteerd, de motor gekannibaliseerd, de stoelen waren verwijderd. Een Mini, met het stuur links.

Kon het waar zijn? Kon dit de auto zijn die dertien jaar geleden was gecrasht op die verlaten kruising? Na de moord op de jongen waren ze te bang geweest om de auto te gebruiken, hoewel ze hem hadden overgespoten. Misschien hadden ze het karwei nooit afgemaakt, getraumatiseerd door wat ze hadden moeten doen, en zich geconcentreerd op de dringende noodzaak om zich van het lichaam van de jongen te ontdoen. Robert Mosse zou in hechtenis hebben gezeten op verdenking van de moord, maar ze moesten, zelfs toen, gehoopt hebben dat de zaak tegen hem veel te zwak was, maar vooral dat hij niet zou praten. Als ze hun zenuwen de baas bleven, zich gedeisd hielden, kwamen ze er misschien mee weg. Na de vrijlating van Mosse was het te link om de Mini op de weg te houden. Doorrijden na een dubbel fatale aanrijding was al erg genoeg, maar een kind vermoorden was weer van een heel andere orde. Ze zouden verlamd zijn geweest en er het beste van hebben gehoopt. En door het kortzichtige onderzoek van Jack Shaw was het goede moment voorbijgegaan, want hij had Westmead overhoop moeten halen, meer bewijs moeten zoeken, maar hij was ervan overtuigd geweest dat hij de dader had en meer bewijs had hij niet nodig.

Toen hoorde Shaw nog iets, een gejank. Ergens dichtbij blafte een hond. Nog steeds gebukt liep hij om de trailer heen tot hij een gedaante op de grond zag liggen, languit, met zijn gezicht onder de auto en de uitlaat, waar een blauwe walm uit kwam. Een kleine terriër snuffelde aan zijn broekspijp, trok aan een blauwe raceoverall.

Shaw pakte de man bij zijn voeten en sleepte hem naar de deur waardoorheen hij binnen was gekomen, waar de lucht schoner was. De hond kefte nu in een ritmisch patroon. Hij voelde de pols van de man: niets. Zijn gezicht had de kleur van behangplaksel en er liep een dun straaltje speeksel uit zijn mondhoek. Shaw herkende Alex Cosyns. Hij legde zijn ene hand om de kaak van de man en de andere om zijn neus, opende de luchtweg en boog zich naar voren. Hij keek in de bleke keel, toen twee handen zich van achteren om zijn eigen keel klemden en zijn luchtpijp dichtknepen. Hij kreeg op slag geen lucht meer en een van zijn ruggenwervels kraakte door de kracht van de greep. Hij raakte niet in paniek. Hij zette zijn gespierde benen schrap en probeerde houvast te vinden met de neus van zijn rechterschoen om zich op te kunnen drukken. Hij hoorde een rib breken en was er tamelijk zeker van dat het niet de zijne was. Hij kreeg zijn andere voet in een hoek van het een of ander – hij had een oude boekenkast tegen de muur gezien, met schappen vol verf, flessen en potten. De hond, stil nu, zette zijn tanden in zijn broekspijp en liet niet los, ondanks Shaws heftige schoppen, maar hij slaagde er blijkbaar wel in de houten boekenkast te raken, want hij hoorde hem met een kakofonie van gebroken glas omvallen. Hij bleef zich verzetten, maar merkte tot zijn schrik dat hij zichzelf nu zag vechten, alsof hij buiten zijn lichaam was getreden. Hij was zich bewust van een machteloos besef dat alles wat zijn lichaam deed – de zijwaartse harde trappen – niet genoeg was. Hij verloor niet het bewustzijn, hij vervaagde, alsof het beeld van zijn worsteling een filmclip was waar hij geen tijd voor had. Hij nam één gedachte met zich mee, achtergebleven in zijn hoofd als de streep van vuurwerk in de lucht op oudejaarsavond. Het was een lachwekkende, banale gedachte: hij had rechtstreeks naar huis moeten gaan.

Shaw wist dat hij nog leefde toen hij het wiel van een brancard hoorde piepen. Het was triviaal genoeg om te weten dat hij niet in de hemel was, of in de hel. Hij wist dat hij, als hij zijn ogen opende, pijn zou voelen, maar hij vermande zich en probeerde het toch. Zijn oogleden gingen kleverig open en met zijn goede oog zag hij een ziekenhuiskamer. Witte lakens, witte muren en een deken in precies dezelfde kleur als indertijd op zijn kinderbed, een soort kinderkamerblauw. Hij lag niet languit, maar zat half rechtop, en iets hield zijn nek bijna verticaal, zodat hij het voeteneind van het bed kon zien.

Toen hij voor de tweede keer wakker werd wist hij dat hij leefde doordat hij pijn voelde, een soort kramp, maar dan in zijn nekspieren. Hij was zich bewust van een of andere halskraag die zijn kin optilde en zijn hoofd in dezelfde positie hield. Aan het voeteneind stond een kleine rolwagen met enkele wenskaarten, onder andere een zeegezicht in exact dezelfde kleur groen als zijn dochter altijd gebruikte. Op een stoel naast de rolwagen zat George Valentine. Hij had zijn benen over elkaar geslagen en Shaw zag dat hij nieuwe schoenen had gekocht, zwarte instappers.

'Cosyns?' vroeg Shaw, maar hij hoorde niets en probeerde het nogmaals. Zijn stem klonk als een puntenslijper.

'Dood,' zei Valentine. 'In scène gezette zelfmoord, wed ik. Jij kwam tussenbeide. Het is nog vroeg, maar Tom zei dat Cosyns' lippen en neusgaten sporen van morfine vertoonden.'

'Ik zou dood moeten zijn,' zei Shaw, zich nu ergerend aan de kraag, waardoor zijn hoofd aanvoelde als een oefenbal waarvan het gewicht zijn ruggengraat verbrijzelde.

'Ik hoorde de boekenkast vallen – ik was aan de overkant, om de boel in de gaten te houden,' zei Valentine. 'Ik probeerde de deur open te maken, hoorde iets binnen, en het blaffen van de hond. Tegen de tijd dat ik omgerend was stond de achterdeur open. Je lag binnen, boven op Cosyns. Hij was dood. Jij niet.'

Shaw vertelde Valentine wat hij gedaan had, tot het moment dat hij de handen om zijn hals voelde. Een samenvatting zo ingedikt als een zwart gat, alles wat belangrijk was strak opgerold. Hoe hij het nummer van de garagebox had opgespoord, hoe hij het verband had gevonden met de fatale botsing op Castle Rising, hoe hij nu wist dat Robert Mosse achter het stuur had gezeten en dat de andere leden van de bende hem daardoor in hun macht hadden. En over de zwarte BMW met het roldak.

'Was het Mosse die me heeft aangevallen?' vroeg hij toen hij klaar was.

'Waarschijnlijk wel, maar we kunnen het niet bewijzen. Heb je het kenteken van de BMW niet gezien?'

Shaw wilde zijn hoofd schudden, maar de pijn weerhield hem en hij sloot zijn ogen; uit een ervan rolde een traan.

'We hebben Mosses huis gisteravond overhoopgehaald,' zei Valentine. 'En de auto. Niets. Volgens zijn vrouw was hij op het bewuste tijdstip thuis. Huiselijke knusheid.'

Shaw dacht aan de handen om zijn hals. 'Ik dacht dat ik een van zijn ribben had gebroken.'

'Ik ben bang van niet. Gekneusd, maar hij speelt zondagvoetbal bij een club in Wisbech. Een van zijn maten zei dat hij vorige week geblesseerd is geraakt.'

'Waarom was je daar?' vroeg Shaw, maar op hetzelfde moment dat hij de woorden hoorde verloor hij het bewustzijn. Toen waren zijn ogen open en werd het donker buiten, en de deken was niet blauw, maar rood. Valentine was er nog steeds – of hij was weggegaan en teruggekomen.

Shaw sloot zijn ogen en probeerde zich de vraag te herinneren die hij had gesteld en waarop hij geen antwoord had gekregen. Toen hij ze weer opende, was Valentine er nog steeds, het bedlampje brandde en de brigadier had een nieuwe sticker op zijn revers: ANONIEME ALCOHOLISTEN.

'Adverteer je tegenwoordig?' vroeg hij, naar de sticker knikkend.

'Je vrouw is geweest; ze komt over een uur terug.'

'Waarom was je daar?' vroeg Shaw, de draad weer oppakkend.

'Ik was Cosyns naar huis gevolgd vanaf de Norfolk Arena. Ik heb hem geschaduwd, om te zien wat er gebeurde. Ik wist niet waar ze de trailer stalden. Het leek een los eindje. Ik heb niet echt een leven, dus ik dacht, ik knoop het vast. Mosse vertrok als eerste uit de Arena, in een BMW cabriolet.'

'Wat zegt Warren?' vroeg Shaw. Commissaris Max Warren had hun beiden duidelijk gemaakt dat de zaak-Tessier gesloten was. Hij had het kennelijk niet duidelijk genoeg gemaakt.

'Toen hij eenmaal uitgeraasd was, was hij er tamelijk laconiek onder,' zei Valentine. 'Hij zei dat als we met de zaak bezig bleven, het verdomme tijd werd dat we met resultaten kwamen. Want als we gelijk hebben, is Mosse blijkbaar bereid om te moorden om er zeker van te zijn dat hij nooit zal hoeven boeten voor wat hij met dat joch heeft gedaan.' Het bloed steeg Valentine naar het hoofd.

Shaw wilde iets vragen, maar Valentine stak een hand op. 'Laat mij het woord doen; ik heb het al gedaan bij Warren. Hij slikte het, dus laat me uitpraten.' Hij zoog zijn longen vol en Shaw vroeg zich voor het eerst af of hij het einde van de zaak zou meemaken.

Valentine stopte een onaangestoken sigaret tussen zijn tanden.

'Het is een oude zaak, stokoud. We hebben geen nieuwe sporen. Niemand kan ons iets nieuws vertellen. We moeten verder vanaf Tessier. Een nieuwe benadering zoeken.

Ze waren met zijn vieren: Mosse, Cosyns, Robins en Voyce. Nadat de zaak tegen Mosse een fiasco was geworden, gingen ze elk hun eigen weg: Voyce naar Nieuw-Zeeland, Robins het criminele pad op; hij kwam in Ashworth terecht, een beveiligde psychiatrische kliniek, en daarna in Bellevue, aan de rand van Lynn. Cosyns en Mosse bleven in de stad wonen. Maatjes... of onze veelbelovende jongeman nou wilde of niet. Dat is belangrijk, want Cosyns behoort tot een andere klasse: gescheiden, een baantje als lijkwagenchauffeur. Er is niet veel fantasie voor nodig om te zien wat er gebeurde. Cosyns zet Mosse onder druk om hem te helpen, eerst misschien een beetje, daarna wat zwaarder. Want hij zal niet van de honger omkomen, niet zolang Mosse zijn zwijgen nodig heeft. Ik heb wat rondgevraagd naar onze meneer Mosse en het schijnt dat hij geen gewone juridisch adviseur is – hij wil toegelaten worden tot de balie. Moet later dit jaar gebeuren. Dan verdient hij het driedubbele; hij heeft al een nieuw huis, de nieuwe BMW, kinderen op kostschool. In één woord hartverwarmend: een snotneus uit Westmead. Hij heeft dus veel te verliezen.

Dan komen wij opdagen, fris en vrolijk, en proberen de zaak te heropenen.' Valentine wurmde een vinger achter de strakzittende kraag van zijn grijze overhemd. 'Ik heb een kijkje genomen in Cosyns' huis. Hij krijgt geld van Mosse, cheques van duizend pond. Hij kwam thuis toen ik er was. Het is niet echt chantage, maar zo goed als. In termijnen van duizend pond.'

Op de gang viel een metalen dienblad met een geluid als van een cimbaal op de grond.

Shaw zei niets en Valentine ging door. 'Ik denk dat Cosyns te inhalig werd. De inzet verhoogde. Als we hem het vuur aan de schenen legden, zou hij het Mosse ook laten voelen. Het zint Mosse niet. Hij verlaat als eerste de Norfolk Arena, rijdt terug, parkeert en wacht Cosyns op. Het is denk ik niet de eerste keer dat hij een moord pleegt om te voorkomen dat wij achter de waarheid komen.'

'Ga door,' zei Shaw, die nu in de gaten kreeg dat zijn brigadier op eigen houtje op onderzoek was uitgegaan. Maar hij was niet bepaald in een positie om te laten merken dat hij kwaad was, of zich verraden voelde.

'Ik heb het nagetrokken. Robins is in mei van dit jaar in Bellevue gestorven ... sneed zijn polsen door met een splinternieuw Zwitsers zakmes. De plaatselijke bajes werd erbij betrokken omdat gesuggereerd werd dat hij hulp had gehad, een bezoeker, daags voordat ze hem vonden. De naam en het adres dat hij had opgegeven waren vals. Ik heb de bewaarder een foto van Mosse laten zien. Hij kon, of wilde, er niet zeker van zijn. Maar het is mogelijk.'

Shaw sloot zijn ogen. 'Hoezo?'

'Ik weet het niet,' zei Valentine. 'Maar ik weet wel wiens naam in het bezoekersboek opduikt, die laatste paar maanden ... die van Alex Cosyns. Wat hebben ze besproken? Heeft hij Mosse over de bezoeken verteld ... om de duimschroeven aan te draaien?'

Er kwam een verpleegkundige binnen, die een kop thee voor Shaw neerzette die hij niet kon optillen.

'Blijft over Jimmy Voyce,' zei Valentine, en hij liet een vel papier zien waarop iets geschreven was wat op een code leek.

TK 1956

'Dit stond op een briefje op Cosyns' bureau bij hem thuis. Het is een vluchtnummer. Stansted, vorige week, vanuit Istanbul en terug naar Auckland. Op de passagierslijst staat James Anthony Voyce. Waarom die terugreis? Ik vermoed dat ze over geld gepraat hebben. En hoe makkelijk je eraan kunt komen, als je de juiste mensen kent.'

'Waar is Voyce nu?'

Valentine glimlachte en Shaw realiseerde zich hoe ongewoon dat was. Hij leek twintig jaar jonger.

'God mag het weten. Maar Warren heeft het verbod opgeheven... Hij zei dat het sowieso weinig uitmaakt wat hij zegt. De zaak-Cosyns is open, net als die van Tessier. We zijn ermee bezig... op één voorwaarde.'

'En dat is?'

'Dat we met elkaar praten.'

'Waarover?'

'Over het opsporen van Voyce, en dat we er zijn als Voyce Robert Mosse onder druk zet – want als hij dat doet, en daar is hij vast voor gekomen, is de kans groot dat onze man opnieuw zal moorden.'

'Opnieuw zal proberen te moorden,' zei Shaw, en hij sloot zijn ogen. Hij hoorde dat Valentine opstond, een raam opende en een lucifer afstreek. Een dalende golf die om hem heen in wit schuim explodeerde was het eerste beeld in een droom. Maar hij werd bijna meteen weer wakker, met een hartverlammende schok, want hij had die handen weer gevoeld die hem van het leven probeerden te beroven.

De eerstvolgende keer dat hij zijn ogen opende stond Fran aan zijn bed, met Cosyns' terriër, de hond die hij die avond uit de auto had gehaald, terwijl hij de inzittenden voor dood had achtergelaten. De hond waar Jonathan Tessier dol op was geweest. Voor het eerst vroeg Shaw zich af waarom Cosyns het had gedaan en of het een kleine daad van berouw was geweest, het redden van het enige leven in de auto dat ze niet hadden vernietigd. En hij had iets gehad met de hond, omdat zijn vader fokker was geweest.

Zijn vrouw stond achter zijn dochter en probeerde te glimlachen. 'George had hem in de auto toen hij ons kwam vertellen wat er gebeurd was. Hij is stokoud.' Lena schudde haar hoofd.

Ze kwam naar het bed en legde een hand op zijn voorhoofd. 'George zei dat Fran hem mag hebben, als jij het goedvindt.'

Valentine was weg. Shaw was te geschokt om iets te zeggen.

'Is het goed, papa?' vroeg Fran. 'Mag het?'

Dankbetuiging

IK WIL DRIE MENSEN bedanken voor het ter wereld brengen van *Gedenk te sterven*. Mijn nieuwe redacteur bij Penguin, Kate Burke, heeft snel een sfeer van kalm professionalisme gecreëerd, die wordt weerspiegeld in het uiteindelijke manuscript. Mijn agent, Faith Evans, heeft het streven naar beter schrijven en levensechtere personages onvermoeibaar voortgezet. Midge Gillies, mijn vrouw, is een betrouwbaar klankbord voor alle facetten van het vertellen.

Mijn bijzondere dank gaat uit naar Trevor Horwood, mijn corrector, die ervoor zorgde dat we 's nachts allemaal rustiger kunnen slapen. Jenny Burgoyne op haar beurt zorgde ervoor dat Trevor eveneens slaapt. Bridie Pritchard gaf extra rugdekking.

Ik heb me tot een steeds groter wordend team van specialisten gewend om details te checken en advies in te winnen: Paul Horrell op het gebied van auto's, Alan Gilbert op dat van de forensische wetenschap, Martin Peters voor medische kwesties. James Woodman gaf advies over klinische zaken. Ditmaal hebben we Nick Bonsor, van Read & Sutcliffe Ltd. te Lynn, om advies gevraagd op nautisch gebied en voor een rondleiding door de haven. Zonder al deze hulp zou dit boek nooit zijn geschreven.

De personages in *Gedenk te sterven* zijn zoals altijd verzonnen. Ik heb met plaatsnamen gespeeld om de taal en de plot levendiger te maken. Voor de goede orde: de Italiaanse schilder Patigno heeft nooit bestaan en zijn meesterwerk, *Het wonder in Kana,* dus evenmin.

Lees ook van Jim Kelly:

De dood ging in wit gekleed

Norfolk, Engeland. In een sneeuwstorm stranden acht auto's op een afgelegen kustweg doordat er een boom over de weg ligt. Harvey Ellis is een van de bestuurders. Inmiddels is de storm zo hevig en ligt er zoveel sneeuw dat omkeren niet meer mogelijk is, en dus zit er voor de automobilisten niets anders op dan te wachten op hulp. Als drie uur later de rechercheurs Shaw en Valentine poolshoogte komen nemen, treffen ze Harvey Ellis dood achter het stuur aan; hij is met een priem door zijn oog gestoken. Er wordt geen enkel spoor gevonden – het lijkt de perfecte misdaad. Een van de acht andere automobilisten moet het gedaan hebben, althans, dat lijkt de voor de hand liggende conclusie…

Dan spoelt er een lijk aan op het nabijgelegen strand, en alhoewel het op het eerste gezicht een op zichzelf staand geval lijkt, blijkt algauw dat er een link is tussen de twee zaken. Voor Shaw en Valentine is dit het begin van een uiterst complex onderzoek, zeker als het niet bij twee doden blijft…

'Een zeldzame combinatie van een poëtische schrijfstijl en een ingenieus plot.'
— *The Sunday Telegraph*

'Een sprankelende nieuwe ster aan het thrillerfirmament.'
— *Colin Dexter*

ISBN 978 90 261 2607 9 | 304 blz.